DREI
MEISTERNOVELLEN

Prentice-Hall International, Inc., *London*
Prentice-Hall of Australia, Pty. Ltd., *Sydney*
Prentice-Hall of Canada, Ltd., *Toronto*
Prentice-Hall of India (Private) Ltd., *New Delhi*
Prentice-Hall of Japan, Inc., *Tokyo*

DREI
MEISTERNOVELLEN

79270

Edited

with Introductions, Notes, and Vocabulary by

JOHN W. KURTZ
Oberlin College

and

EDITH DAVIS KURTZ

❀ ❀ ❀

PRENTICE-HALL, INC. ENGLEWOOD CLIFFS, NEW JERSEY

Preface

✿✿✿ IN A CERTAIN SENSE this book is a successor to two other books. In 1936 Prentice-Hall, Inc., published *Deutsche Meisternovellen,* edited by Theodore Geissendoerfer and John W. Kurtz; in 1949 the same company published *Drei Novellen,* edited by John W. Kurtz. Both volumes long remained in print (a revised edition of the *Meisternovellen* appeared in 1945), and were used as basic intermediate textbooks in many colleges and universities. Though the eight stories of the nineteenth century presented in the two books continue to have a wide appeal, the advances that have been made in recent years in the teaching of languages make some features of the editing now seem archaic. This, together with the circumstance that both books are printed in the now antiquated Fraktur, has led the publisher and the present editors to present a new volume.

The two best stories from the old books have been retained, namely, Gottfried Keller's "Romeo und Julia auf dem Dorfe" from *Deutsche Meisternovellen* and Theodor Storm's "Der Schimmelreiter" from *Drei Novellen.* To these old favorites has been added Clemens Brentano's "Die Geschichte vom braven Kasperl und dem schönen Annerl." The addition of this story, one of the best in the German romantic tradition, makes this collection a more comprehensive representation of the main currents of nineteenth-century German literature.

The three stories are presented in order of increasing difficulty as reading matter for American students. The texts of all three are reprinted without abridgement or alteration. In preparing notes and vocabulary we have kept in mind the needs of college students in the third and fourth semesters of their German studies. Introductions are limited to biographical notes, for we have wished to give teachers and students complete freedom in analysis and interpretation. Because each of the three authors is at least as famous for his poetry as for his prose, one poem by each is presented in the introduction.

We express our gratitude to Professor Theodore Geissendoerfer for graciously releasing his interest as co-editor of "Romeo und Julia auf dem Dorfe" in *Deutsche Meisternovellen;* to Dr. Edmundo García-Girón of Prentice-Hall, Inc., for his warm and helpful support of this project; and to those many students whose expressions of enthusiasm for these three *Novellen* have made the preparation of this book a labor of love.

J.W.K.
E.D.K.

Table of Contents

DREI
MEISTERNOVELLEN

Clemens Brentano

1778-1842 ❧❧❧

In contrast to the other two authors represented in this book, who spent all but a few years of their lives in their native cities, Clemens Brentano lived an almost nomadic life under the compulsions of a restless personality; in the sixty-four years of his life he changed his place of residence thirty times. His happiest days fell within the brief period of his marriage with the poet Sophie Mereau, whose death in their third year of marriage threw Brentano into deep despair. His second marriage, to a hysterical girl of sixteen, was a most unhappy experience and ended in separation. In 1817, following the advice of the poet Luise Hensel, with whom he had fallen in love, Brentano made his general confession and returned to the bosom of the Roman Catholic Church of his fathers. Thereafter he sought an outlet for his overwrought emotions in meditations, religious writings, and works of charity; his literary career had come to an end. *Die Geschichte vom braven Kasperl und dem schönen Annerl* was the last—and is generally accounted the best—of his narrative prose works.

Brentano was one of the early enthusiasts of the German romantic movement, to which he made his greatest contribution as co-editor, with Achim von Arnim, of the great collection of German folk songs entitled *Des Knaben Wunderhorn.*

Friedrich Nietzsche once said: "Von allen deutschen Dichtern hat Brentano die meiste Poesie im Leibe." And, indeed, when one reads his poems one has the feeling that he had poetry in every fiber of his being,

1

that he created his poems as unpremeditated song, often as improvisations to the accompaniment of the lute, simply because he had poetry in his bones. Similarly *Die Geschichte vom braven Kasperl und dem schönen Annerl* came into being within a very short time in a veritable burst of creative activity.

Brentano's own view of the uses and content of his writing is expressed in the following lines:

Eingang

Was reif in diesen Zeilen steht,
Was lächelnd winkt und sinnend fleht,
Das soll kein Kind betrüben;
Die Einfalt hat es ausgesäht,
Die Schwermut hat hindurchgeweht,
Und ist das Feld einst abgemäht,
Die Armut durch die Stoppeln geht,
Sucht Ähren, die geblieben;
Sucht Lieb, die für sie untergeht,
Sucht Lieb, die mit ihr aufersteht,
Sucht Lieb, die sie kann lieben.
Und hat sie einsam und verschmäht,
Die Nacht durch dankend in Gebet,
Die Körner ausgerieben,
Liest sie, als früh der Hahn gekräht,
Was Lieb erhielt, was Leid verweht,
Ans Feldkreuz angeschrieben:
"O Stern und Blume, Geist und Kleid,
Lieb, Leid und Zeit und Ewigkeit!"

Geschichte
vom braven Kasperl
und
dem schönen Annerl

❀❀❀ ES WAR SOMMERSFRÜHE. Die Nachtigallen sangen erst seit einigen Tagen durch die Straßen, und verstummten heute in einer kühlen Nacht, welche von fernen Gewittern zu uns herwehte. Der Nachtwächter rief die elfte Stunde an. Da sah ich, nach Hause gehend, vor der Tür eines großen Gebäudes einen Trupp von allerlei Gesellen, die vom Biere kamen, um 5
jemand, der auf den Türstufen saß, versammelt. Ihr Anteil schien mir so lebhaft, daß ich irgendein Unglück besorgte und mich näherte.

Eine alte Bäuerin saß auf der Treppe, und so lebhaft die Gesellen sich um sie bekümmerten, so wenig ließ sie sich von den neugierigen Fragen und gutmütigen Vorschlägen derselben stören.[1] Es hatte etwas 10
sehr Befremdendes, ja schier Großes, wie die gute alte Frau so sehr wußte, was sie wollte, daß sie, als sei sie ganz allein in ihrem Kämmerlein, mitten unter den Leuten es sich unter freiem Himmel zur Nachtruhe bequem machte. Sie nahm ihre Schürze als ein Mäntelchen um, zog ihren großen schwarzen wachsleinenen Hut tiefer in die Augen und legte sich 15
ihr Bündel unter den Kopf zurecht und gab auf keine Frage Antwort.

"Was fehlt dieser alten Frau?" fragte ich einen der Anwesenden. Da kamen Antworten von allen Seiten: "Sie kommt sechs Meilen Weges vom Lande, sie kann nicht weiter, sie weiß nicht Bescheid in der Stadt, sie hat Befreundete am anderen Ende der Stadt und kann nicht hin 20
finden." "Ich wollte sie führen", sagte einer, "aber es ist ein weiter Weg und ich habe meinen Hausschlüssel nicht bei mir. Auch würde sie das Haus nicht kennen, wo sie hin will."

---

[1] **so ... stören** the more actively the young fellows concerned themselves about her, the less did she allow their curious questions and good-natured suggestions to disturb her

"Aber hier kann die Frau nicht liegen bleiben", sagte ein Neu-
hinzugetretener. "Sie will aber platterdings", antwortete der erste, "ich
habe es ihr längst gesagt: ich wolle sie nach Haus bringen; doch sie
redet ganz verwirrt, ja sie muß wohl betrunken sein."—"Ich glaube, sie
5   ist blödsinnig. Aber hier kann sie doch in keinem Falle bleiben", wiederholte jener, "die Nacht ist kühl und lang."

Während allem diesem Gerede war die Alte, gerade als ob sie taub
und blind sei, ganz ungestört mit ihrer Zubereitung fertig geworden,
und da der letzte abermals sagte: "Hier kann sie doch nicht bleiben",
10   erwiderte sie mit einer wunderlich tiefen und ernsten Stimme:

"Warum soll ich nicht hier bleiben, ist dies nicht ein herzogliches
Haus? Ich bin achtundachtzig Jahre alt, und der Herzog wird mich
gewiß nicht von seiner Schwelle treiben. Drei Söhne sind in seinem
Dienst gestorben, und mein einziger Enkel hat seinen Abschied[2] genom-
15   men;—Gott verzeiht es ihm gewiß, und ich will nicht sterben, bis er in
seinem ehrlichen Grabe liegt."

"Achtundachtzig Jahre und sechs Meilen gelaufen!" sagten die
Umstehenden, "sie ist müd' und kindisch, in solchem Alter wird der
Mensch schwach."

20   "Mutter, Sie kann[3] aber den Schnupfen kriegen und sehr krank
werden hier, und Langeweile wird Sie auch haben", sprach nun einer
der Gesellen und beugte sich näher zu ihr.

Da sprach die Alte wieder mit ihrer tiefen Stimme, halb bittend,
halb befehlend: "Oh, laßt mir meine Ruhe, und seid nicht unvernünftig;
25   ich brauch' keinen Schnupfen, ich brauche keine Langeweile; es ist
ja schon spät an der Zeit, achtundachtzig bin ich alt, der Morgen wird
bald anbrechen, da geh' ich zu meinen Befreundeten. Wenn ein Mensch
fromm ist, und hat Schicksale, und kann beten, so kann er die paar
armen Stunden auch noch wohl hinbringen."

30   Die Leute hatten sich nach und nach verloren, und die letzten,
welche noch da standen, eilten auch hinweg, weil der Nachtwächter
durch die Straße kam und sie sich von ihm ihre Wohnungen wollten
öffnen lassen. So war ich allein noch gegenwärtig. Die Straße ward
ruhiger. Ich wandelte nachdenkend unter den Bäumen des vor mir

---

[2]*The old woman uses* **"Abschied"** *as a euphemism for death.*

[3]*In this story third person singular, second person plural, and third person plural are all
used as polite forms of address; generally, though not without exceptions, as follows: third person
singular is used by a person of low station in life speaking to one more highly placed; second person
plural by one more highly placed speaking to the lowly; third person plural among equals.*

liegenden freien Platzes auf und nieder; das Wesen der Bäuerin, ihr
bestimmter ernster Ton, ihre Sicherheit im Leben, das sie achtundacht-
zigmal mit seinen Jahreszeiten hatte zurückkehren sehen, und das ihr
nur wie ein Vorsaal im Bethause[4] erschien, hatten mich mannigfach
erschüttert. Was sind alle Leiden, alle Begierden meiner Brust, die Sterne   5
gehen ewig unbekümmert ihren Weg, wozu suche ich Erquickung und
Labung, und von wem suche ich sie und für wen? Alles, was ich hier suche
und liebe und erringe, wird es mich je dahin bringen, so ruhig, wie diese
gute fromme Seele, die Nacht auf der Schwelle des Hauses zubringen zu
können, bis der Morgen erscheint, und werde ich dann den Freund   10
finden, wie sie? Ach ich werde die Stadt nicht erreichen, ich werde,
wegmüde, schon in dem Sande vor dem Tor umsinken und vielleicht
gar in die Hände der Räuber fallen. So sprach ich zu mir selbst, und als
ich durch den Lindengang mich der Alten wieder näherte, hörte ich sie
halblaut mit gesenktem Kopfe vor sich hin beten. Ich war wunderbar   15
gerührt, und trat zu ihr hin und sprach: "Mit Gott, fromme Mutter,
bete Sie auch ein wenig für mich!"—bei welchen Worten ich ihr einen
Taler in die Schürze warf.

Die Alte sagte hierauf ganz ruhig: "Hab' tausend Dank, mein
lieber Herr, daß du mein Gebet erhört."   20

Ich glaubte, sie spreche mit mir, und sagte: "Mutter, habt Ihr mich
denn um etwas gebeten? ich wüßte nicht."

Da fuhr die Alte überrascht auf und sprach: "Lieber Herr, gehe
Er doch nach Haus und bete Er fein, und lege Er sich schlafen. Was
zieht Er so spät noch auf der Gasse herum? Das ist jungen Gesellen gar   25
nichts nütze, denn der Feind[5] geht um und suchet, wo er sich einen
erfange. Es ist mancher durch solch Nachtlaufen verdorben. Wen sucht
Er? Den Herrn? Der ist in des Menschen Herz, so er züchtiglich lebt,
und nicht auf der Gasse. Sucht Er aber den Feind, so hat Er ihn schon;
gehe Er hübsch nach Haus und bete Er, daß Er ihn los werde. Gute   30
Nacht!"

Nach diesen Worten wendete sie sich ganz ruhig nach der andern
Seite, und steckte den Taler in ihren Reisesack. Alles, was die Alte tat,
machte einen eigentümlichen ernsten Eindruck auf mich, und ich sprach
zu ihr: "Liebe Mutter, Ihr habt wohl recht, aber Ihr selbst seid es, was   35

---

[4]**Vorsaal im Bethause** vestibule to the house of prayer (*The old woman seems to see the heavenly life as a kind of perpetual prayer meeting.*)
[5]**der Feind** the Devil; **der Herr** the Lord

mich hier hält. Ich hörte Euch beten und wollte Euch ansprechen, meiner dabei zu gedenken."[6]

"Das ist schon geschehen", sagte sie. "Als ich Ihn so durch den Lindengang wandeln sah, bat ich Gott: er möge Euch gute Gedanken geben. Nun habe Er sie, und gehe Er schlafen."

Ich aber setzte mich zu ihr nieder auf die Treppe und ergriff ihre dürre harte Hand und sagte: "Lasset mich hier bei Euch sitzen die Nacht hindurch, und erzählet mir, woher Ihr seid und was Ihr hier in der Stadt sucht; Ihr habt hier keine Hilfe, in Eurem Alter ist man Gott näher als den Menschen; die Welt hat sich verändert, seit Ihr jung waret."

"Daß ich nicht wüßte", erwiderte die Alte, "ich hab's mein Lebetag ganz einerlei gefunden. Er ist noch zu jung, da verwundert man sich über alles; mir ist alles schon so oft wieder vorgekommen, daß ich es nur noch mit Freuden ansehe, weil es Gott so treulich damit meint.[7] Aber man soll keinen guten Willen von sich weisen, wenn er einem auch gerade nicht not tut, sonst möchte der Freund ausbleiben, wenn er ein andermal gar willkommen wäre; bleibe Er darum immer sitzen, und sehe Er, was Er mir helfen kann. Ich will Ihm erzählen, was mich in die Stadt den weiten Weg hertreibt. Ich hätt' es nicht gedacht, wieder hierher zu kommen. Es sind siebzig Jahre, daß ich hier im Hause als Magd gedient habe, auf dessen Schwelle ich sitze, seitdem war ich nicht mehr in der Stadt; was die Zeit herumgeht! Es ist, als wenn man eine Hand umwendet. Wie oft habe ich hier am Abend gesessen vor siebzig Jahren, und habe auf meinen Schatz gewartet, der bei der Garde stand. Hier haben wir uns auch versprochen. Wenn er hier—aber still, da kommt die Runde vorbei."

Da hob sie an mit gemäßigter Stimme, wie etwa junge Mägde und Diener in schönen Mondnächten, vor der Türe zu singen, und ich hörte mit innigem Vergnügen folgendes schöne alte Lied von ihr:

"Wann der Jüngste Tag[8] wird werden,
Dann fallen die Sternelein auf die Erden.
Ihr Toten, ihr Toten sollt auferstehn,
Ihr sollt vor das Jüngste Gerichte gehn;
Ihr sollt treten auf die Spitzen,
Da die lieben Engelein sitzen.

---

[6]**wollte ... gedenken** wanted to ask you to remember me (in your prayers)
[7]**weil ... meint** because God means so well
[8]**der Jüngste Tag** Doomsday; **das Jüngste Gericht** the Last Judgment

Da kam der liebe Gott gezogen
Mit einem schönen Regenbogen.
Da kamen die falschen Juden gegangen,
Die führten einst unsern Herrn Christum[9] gefangen.
Die hohen Bäum' erleuchten sehr, 5
Die harten Stein' zerknirschten sehr.
Wer dies Gebetlein beten kann,
Der bet's des Tages nur einmal,
Die Seele wird vor Gott bestehn,
Wann wir werden zum Himmel eingehn! Amen." 10

Als die Runde uns näher kam, wurde die gute Alte gerührt. "Ach",
sagte sie, "es ist heute der sechzehnte Mai, es ist doch alles einerlei,
gerade wie damals, nur haben sie andere Mützen auf und keine Zöpfe
mehr. Tut nichts, wenn's Herz nur gut ist!"

Der Offizier der Runde blieb bei uns stehen und wollte eben fragen, 15
was wir hier so spät zu schaffen hätten, als ich den Fähnrich Graf Grossinger, einen Bekannten, in ihm erkannte. Ich sagte ihm kurz den ganzen
Handel, und er sagte, mit einer Art von Erschütterung: "Hier haben
Sie einen Taler für die Alte und eine Rose"—die er in der Hand trug—,
"so alte Bauersleute haben Freude an Blumen. Bitten Sie die Alte, Ihnen 20
morgen das Lied in die Feder zu sagen,[10] und bringen Sie mir es. Ich habe
lange nach dem Liede getrachtet, aber es nie ganz habhaft werden können." Hiermit schieden wir, denn der Posten der nahe gelegenen Hauptwache, bis zu welcher ich ihn über den Platz begleitet hatte, rief: "Wer
da!" Er sagte mir noch, daß er die Wache am Schlosse habe, ich sollte 25
ihn dort besuchen. Ich ging zu der Alten zurück, und gab ihr die Rose
und den Taler.

Die Rose ergriff sie mit einer rührenden Heftigkeit, und befestigte
sie an ihrem Hut, indem sie mit einer etwas feineren Stimme und fast
weinend die Worte sprach: 30

"Rosen die Blumen auf meinem Hut,
Hätt' ich viel Geld, das wäre gut,
Rosen und mein Liebchen."

Ich sagte zu ihr: "Ei, Mütterchen, Ihr seid ja ganz munter geworden."
Und sie erwiderte: 35

---

[9]**Christus** and **Jesus** *retain the Latin declension in German.*
[10]**in . . . sagen** to dictate

"Munter, munter,
Immer bunter,
Immer runder.
Oben stund[11] er,
5   Nun bergunter,
's ist kein Wunder!"

"Schau Er, lieber Mensch, ist es nicht gut, daß ich hier sitzen geblieben? Es ist alles einerlei, glaub' Er mir. Heute sind es siebzig Jahre, da
saß ich hier vor der Tür, ich war eine flinke Magd und sang gern alle
10   Lieder. Da sang ich auch das Lied vom Jüngsten Gericht, wie heute, da
die Runde vorbeiging, und da warf mir ein Grenadier im Vorübergehen
eine Rose in den Schoß—die Blätter habe ich noch in meiner Bibel
liegen—, das war meine erste Bekanntschaft mit meinem seligen Mann.
Am andern Morgen hatte ich die Rose vorgesteckt in der Kirche, und da
15   fand er mich, und es ward bald richtig. Drum hat es mich gar sehr
gefreut, daß mir heute wieder eine Rose ward. Es ist ein Zeichen, daß
ich zu ihm kommen soll, und darauf freu' ich mich herzlich. Vier Söhne
und eine Tochter sind mir gestorben, vorgestern hat mein Enkel seinen
Abschied genommen—Gott helfe ihm und erbarme sich seiner!—, und
20   morgen verläßt mich eine andere gute Seele, aber was sag' ich morgen,
ist es nicht schon Mitternacht vorbei?"

"Es ist zwölfe vorüber", erwiderte ich, verwundert über ihre Rede.

"Gott gebe ihr Trost und Ruhe die vier Stündlein, die sie noch
hat", sagte die Alte und ward still, indem sie die Hände faltete.

25   Ich konnte nicht sprechen, so erschütterten mich ihre Worte und
ihr ganzes Wesen. Da sie aber ganz stille blieb und der Taler des Of-
fiziers noch in ihrer Schürze lag, sagte ich zu ihr: "Mutter, steckt den
Taler zu Euch, Ihr könntet ihn verlieren."

"Den wollen wir nicht weglegen, den wollen wir meiner Befreun-
30   deten schenken in ihrer letzten Not!" erwiderte sie. "Den ersten Taler
nehm' ich morgen wieder mit nach Haus, der gehört meinem Enkel, der
soll ihn genießen. Ja seht, es ist immer ein herrlicher Junge gewesen,
und hielt etwas auf seinen Leib und auf seine Seele!—Ich habe gebetet
den ganzen Weg, es ist nicht möglich, der liebe Herr läßt ihn gewiß
35   nicht verderben. Unter allen Burschen war er immer der reinlichste und
fleißigste in der Schule, aber auf die Ehre war er vor allem ganz er-

---

[11]stund = stand ; bergunter = den Berg hinunter

staunlich. Sein Leutnant hat auch immer gesprochen: 'Wenn meine Schwadron Ehre im Leib hat, so sitzt sie bei dem Finkel im Quartier.'[12]

"Er war unter den Ulanen. Als er zum erstenmal aus Frankreich zurück kam, erzählte er allerlei schöne Geschichten, aber immer war von der Ehre dabei die Rede. Sein Vater und sein Stiefbruder waren bei dem Landsturm und kamen oft mit ihm wegen der Ehre in Streit, denn was er zuviel hatte, hatten sie nicht genug. Gott verzeih' mir meine schwere Sünde, ich will nicht schlecht von ihnen reden, jeder hat sein Bündel zu tragen: aber meine selige Tochter, *seine* Mutter, hat sich zu Tode gearbeitet bei dem Faulpelz, sie konnte nicht erschwingen, seine Schulden zu tilgen.

"Der Ulane erzählte von den Franzosen, und als der Vater und Stiefbruder sie ganz schlecht machen wollten, sagte der Ulane: 'Vater, das versteht Ihr nicht, sie haben doch viel Ehre im Leibe.'

"Da ward der Stiefbruder tückisch und sagte: 'Wie kannst du deinem Vater so viel von der Ehre vorschwatzen? war er doch Unteroffizier im N ... schen Regiment[13] und muß es besser als du verstehen, der nur Gemeiner ist.']

" 'Ja', sagte da der alte Finkel, der nun auch rebellisch ward, 'das war ich und habe manchem vorlauten Burschen fünfundzwanzig[14] aufgezählt; hätte ich nur Franzosen in der Kompanie gehabt, die sollten sie noch besser gefühlt haben mit ihrer Ehre.'

"Die Rede tat dem Ulanen gar weh, und er sagte: 'Ich will ein Stückchen von einem französischen Unteroffizier erzählen, das gefällt mir besser. Unterm vorigen Könige sollten auf einmal die Prügel bei der französischen Armee eingeführt werden. Der Befehl des Kriegsministers wurde zu Straßburg bei einer großen Parade bekanntgemacht, und die Truppen hörten in Reih' und Glied die Bekanntmachung mit stillem Grimm an. Da aber noch am Schluß der Parade ein Gemeiner einen Exzeß machte, wurde sein Unteroffizier vorkommandiert, ihm zwölf Hiebe zu geben. Es wurde ihm mit Strenge gefohlen, und er mußte es tun. Als er aber fertig war, nahm er das Gewehr des Mannes, den er geschlagen hatte, stellte es vor sich auf die Erde, und drückte mit dem Fuße los, daß ihm die Kugel durch den Kopf fuhr und er tot niedersank. Das wurde an den König berichtet, und der Befehl, Prügel zu geben,

---

[12]**sitzt ... Quartier** it resides in Finkel
[13]**war ... Regiment** for wasn't he a noncommissioned officer in the Regiment of N ... ?
[14]**fünfundzwanzig** twenty-five strokes (of the lash)

ward gleich zurückgenommen. Seht, Vater, das war ein Kerl, der Ehre
im Leibe hatte!'

" 'Ein Narr war es', sprach der Bruder.

" 'Freß deine Ehre, wenn du Hunger hast!' brummte der Vater.

5   "Da nahm mein Enkel seinen Säbel und ging aus dem Hause und
kam zu mir in mein Häuschen, und erzählte mir alles und weinte die
bitteren Tränen. Ich konnte ihm nicht helfen. Die Geschichte, die er
mir erzählte, konnte ich zwar nicht ganz verwerfen, aber ich sagte ihm
doch immer zuletzt: 'Gib Gott allein die Ehre!'

10   "Ich gab ihm noch den Segen, denn sein Urlaub war am andern
Tag aus, und er wollte noch eine Meile umreiten nach dem Orte, wo ein
Patchen von mir auf dem Edelhofe diente, auf die er gar viel hielt, er
wollte einmal mit ihr hausen.

"Sie werden auch wohl bald zusammen kommen, wenn Gott mein
15   Gebet erhört. Er hat seinen Abschied schon genommen, mein Patchen
wird ihn heut' erhalten, und die Aussteuer hab ich auch schon beisammen,
es soll auf der Hochzeit weiter niemand sein, als ich."

Da ward die Alte wieder still und schien zu beten. Ich war in allerlei
Gedanken über die Ehre, und ob ein Christ den Tod des Unteroffiziers
20   schön finden dürfe? Ich wollte, es sagte mir einmal einer Hinreichendes
darüber.

Als der Wächter ein Uhr anrief, sagte die Alte: "Nun habe ich noch
zwei Stunden. Ei, Er ist noch da, warum geht Er nicht schlafen? Er wird
morgen nicht arbeiten können und mit seinem Meister Händel kriegen;
25   von welchem Handwerk ist Er denn, mein guter Mensch?"

Da wußte ich nicht recht, wie ich es ihr deutlich machen sollte,
daß ich ein Schriftsteller sei. Ich bin ein Gestudierter[15] durfte ich nicht
sagen, ohne zu lügen. Es ist wunderbar, daß ein Deutscher immer sich
ein wenig schämt, zu sagen: er sei ein Schriftsteller. Zu Leuten aus den
30   untern Ständen sagt man es am ungernsten, weil diesen gar leicht die
Schriftgelehrten und Pharisäer aus der Bibel dabei einfallen. Der Name
Schriftsteller ist nicht so eingebürgert bei uns, wie das *homme de lettres*
bei den Franzosen, welche überhaupt als Schriftsteller zünftig sind und in
ihren Arbeiten mehr hergebrachtes Gesetz haben, ja bei denen man auch
35   fragt: *où avez-vous fait votre Philosophie,* wo haben Sie Ihre Philosophie
gemacht?, wie denn ein Franzose selbst viel mehr von einem gemachten
Manne hat. Doch diese nicht deutsche Sitte ist es nicht allein, welche

---

[15]**Gestudierter** professional man

das Wort Schriftsteller so schwer auf der Zunge macht, wenn man am Tore um seinen Charakter gefragt wird, sondern eine gewisse innere Scham hält uns zurück, ein Gefühl, welches jeden befällt, der mit freien und geistigen Gütern, mit unmittelbaren Geschenken des Himmels Handel treibt. Gelehrte brauchen sich weniger zu schämen als Dichter, 5 denn sie haben gewöhnlich Lehrgeld gegeben, sind meist in Ämtern des Staates, spalten an groben Klötzen oder arbeiten in Schächten, wo viel wilde Wasser auszupumpen sind.[16] Aber ein sogenannter Dichter ist am übelsten daran, weil er meistens aus dem Schulgarten nach dem Parnaß entlaufen,[17] und es ist auch wirklich ein verdächtig Ding um einen 10 Dichter von Profession, der es nicht nur nebenher ist. Man kann sehr leicht zu ihm sagen: Mein Herr, ein jeder Mensch hat, wie Hirn, Herz, Magen, Milz, Leber und dergleichen, auch eine Poesie im Leibe, wer aber eines dieser Glieder überfüttert, verfüttert oder mästet, und es über alle andre hinüber treibt, ja es gar zum Erwerbzweige macht, der 15 muß sich schämen vor seinem ganzen übrigen Menschen.[18] Einer, der von der Poesie lebt, hat das Gleichgewicht verloren, und eine übergroße Gänsleber, sie mag noch so gut schmecken, setzt doch immer eine kranke Gans voraus. Alle Menschen, welche ihr Brot nicht im Schweiß ihres Angesichts verdienen, müssen sich einigermaßen schämen; und das 20 fühlt einer, der noch nicht ganz in der Tinte war,[19] wenn er sagen soll, er sei ein Schriftsteller. So dachte ich allerlei, und besann mich, was ich der Alten sagen sollte, welche, über mein Zögern verwundert, mich anschaute und sprach:

"Welch ein Handwerk Er treibt, frage ich. Warum will Er mir's 25 nicht sagen? Treibt Er kein ehrlich Handwerk, so greif Er's noch an, es hat einen goldenen Boden.[20] Er ist doch nicht etwa ein Henker oder Spion, der mich ausholen will? Meinethalben sei Er, wer Er will, sag' Er's, wer Er ist! Wenn Er bei Tage so hier säße, würde ich glauben, Er sei ein Lehnerich, so ein Tagedieb, der sich an die Häuser lehnt, damit er 30 nicht umfällt vor Faulheit."

---

[16]**spalten . . . sind** split rude logs or labor in pits where much water must be pumped out. (*The approximate English equivalent would be: are hewers of wood and drawers of water.*)

[17]**weil . . . entlaufen** because usually he has escaped from the (*cultivated, protected*) garden of school (*directly*) to Parnassus (*the idyllic, impractical realm of the poetic muse*)

[18]**muß . . . Menschen** must stand ashamed before all the rest of himself

[19]**der . . . war** who is not yet completely (steeped) in ink. (*There is a play on words here in that* "in der Tinte sitzen" *is equivalent to the English slang expression* "be in the soup.")

[20]**es . . . Boden** *a proverb;* "trade lays the foundation for all prosperity."

Da fiel mir ein Wort ein, das mir vielleicht eine Brücke zu ihrem Verständnis schlagen könnte: "Liebe Mutter", sagte ich, "ich bin ein Schreiber."

"Nun", sagte sie, "das hätte Er gleich sagen sollen. Er ist also ein Mann von der Feder, dazu gehören feine Köpfe und schnelle Finger, und ein gutes Herz, sonst wird einem draufgeklopft.[21] Ein Schreiber ist Er? Kann Er mir dann wohl eine Bittschrift aufsetzen an den Herzog, die aber gewiß erhört wird und nicht bei den vielen anderen liegen bleibt?"

"Eine Bittschrift, liebe Mutter", sprach ich, "kann ich Ihr wohl aufsetzen, und ich will mir alle Mühe geben, daß sie recht eindringlich abgefaßt sein soll."

"Nun, das ist brav von Ihm", erwiderte sie. "Gott lohn' es Ihm, und lasse Ihn älter werden, als mich, und gebe Ihm auch in Seinem Alter einen so geruhigen Mut und eine so schöne Nacht mit Rosen und Talern, wie mir, und auch einen Freund, der Ihm eine Bittschrift macht, wenn es Ihm nottut. Aber jetzt gehe Er nach Haus, lieber Freund, und kaufe Er sich einen Bogen Papier und schreibe Er die Bittschrift; ich will hier auf Ihn warten. Noch eine Stunde, dann gehe ich zu meiner Pate, Er kann mitgehen; sie wird sich auch freuen an der Bittschrift. Sie hat gewiß ein gut Herz, aber Gottes Gerichte sind wunderbar!"

Nach diesen Worten ward die Alte wieder still, senkte den Kopf und schien zu beten. Der Taler lag noch auf ihrem Schoße. Sie weinte. "Liebe Mutter, was fehlt Euch, was tut Euch so weh? Ihr weinet?" sprach ich.

"Nun, warum soll ich denn nicht weinen, ich weine auf den Taler, ich weine auf die Bittschrift, auf alles weine ich. Aber es hilft nichts, es ist doch alles viel, viel besser auf Erden, als wir Menschen es verdienen, und gallenbittre Tränen sind noch viel zu süße. Sehe Er nur einmal das goldne Kamel da drüben, an der Apotheke. Wie doch Gott alles so herrlich und wunderbar geschaffen hat; aber der Mensch erkennt es nicht. Und ein solch' Kamel geht eher durch ein Nadelöhr, als ein Reicher in das Himmelreich.—Aber, was sitzt Er denn immer da, gehe Er, den Bogen Papier zu kaufen, und bringe Er mir die Bittschrift."

"Liebe Mutter", sagte ich, "wie kann ich Euch die Bittschrift machen, wenn Ihr mir nicht sagt, was ich hineinschreiben soll."

"Das muß ich Ihm sagen?" erwiderte sie, "dann ist es freilich keine Kunst, und wundre ich mich nicht mehr, daß Er sich einen Schreiber zu

---

[21]**sonst ... draufgeklopft** otherwise you get your fingers rapped

nennen schämte, wenn man Ihm alles sagen soll. Nun, ich will mein
mögliches tun. Setz' Er in die Bittschrift, daß zwei Liebende beieinander
ruhen sollen, und daß sie Einen nicht auf die Anatomie bringen sollen,
damit man seine Glieder beisammen hat, wenn es heißt: 'Ihr Toten, ihr
Toten sollt auferstehn, ihr sollt vor das Jüngste Gerichte gehn.'" Da fing   5
sie wieder bitterlich an zu weinen.

Ich ahnte, ein schweres Leid müsse auf ihr lasten, aber sie fühlte bei
der Bürde ihrer Jahre nur in einzelnen Momenten sich schmerzlich
gerührt. Sie weinte, ohne zu klagen, ihre Worte waren immer gleich
ruhig und kalt. Ich bat sie nochmals, mir die ganze Veranlassung zu   10
ihrer Reise in die Stadt zu erzählen, und sie sprach:

"Mein Enkel, der Ulane, von dem ich Ihm erzählte, hatte doch mein
Patchen sehr lieb, wie ich Ihm vorher sagte, und sprach der schönen
Annerl, wie die Leute sie ihres glatten Spiegels wegen nannten, immer von
der Ehre vor, und sagte ihr immer: sie solle auf ihre Ehre halten und auch   15
auf seine Ehre. Da kriegte dann das Mädchen etwas ganz Apartes in ihr
Gesicht und ihre Kleidung von der Ehre. Sie war feiner und manierlicher,
als alle anderen Dirnen. Alles saß ihr knapper am Leib, und wenn sie ein
Bursche einmal ein wenig derb beim Tanze anfaßte, oder sie etwa höher
als den Steg der Baßgeige schwang, so konnte sie bitterlich darüber bei   20
mir weinen, und sprach dabei immer, es sei wider ihre Ehre. Ach, das
Annerl ist ein eignes Mädchen immer gewesen. Manchmal, wenn kein
Mensch es sich versah, fuhr sie mit beiden Händen nach ihrer Schürze,
und riß sie sich vom Leib, als ob Feuer drin sei, und dann fing sie gleich
entsetzlich an zu weinen. Aber das hat seine Ursache, es hat sie mit   25
Zähnen hingerissen, der Feind ruht nicht. Wäre das Kind nur nicht
stets so hinter der Ehre her gewesen, und hätte sich lieber an unsern
lieben Gott gehalten, hätte ihn nie von sich gelassen, in aller Not, und
hätte seinetwillen Schande und Verachtung ertragen statt ihrer Men-
schenehre: der Herr hätte sich gewiß erbarmt, und wird es auch noch.   30
Ach, sie kommen gewiß zusammen. Gottes Wille geschehe!

"Der Ulane stand wieder in Frankreich, er hatte lange nicht geschrieben, und wir glaubten ihn fast tot und weinten oft um ihn. Er war
aber im Hospital an einer schweren Blessur krank gelegen, und als er
wieder zu seinen Kameraden kam und zum Unteroffizier ernannt wurde,   35
fiel ihm ein, daß ihm vor zwei Jahren sein Stiefbruder so übers Maul
gefahren,[22] er sei nur ein Gemeiner und der Vater Korporal, und dann die

---

[22]**so . . . gefahren** had shouted him down so

Geschichte von dem französischen Unteroffizier, und wie er seinem Annerl von der Ehre so viel geredet, als er Abschied genommen. Da verlor er seine Ruhe und kriegte das Heimweh und sagte zu seinem Rittmeister, der ihn um sein Leid fragte: 'Ach, Herr Rittmeister, es ist,

5 als ob es mich mit den Zähnen nach Hause zöge.'
"Da ließen sie ihn heimreiten mit seinem Pferde, denn alle seine Offiziere trauten ihm. Er kriegte auf drei Monate Urlaub, und sollte mit der Remonte wieder zurückkommen. Er eilte, so sehr er konnte, ohne seinem Pferde wehe zu tun, welches er besser pflegte als jemals, weil es

10 ihm war anvertraut worden. An einem Tage trieb es ihn ganz entsetzlich, nach Hause zu eilen. Es war der Tag vor dem Sterbetage seiner Mutter, und es war ihm immer, als laufe sie vor seinem Pferde her und riefe: 'Kasper, tue mir eine Ehre an!' Ach, ich saß an diesem Tag auf ihrem Grabe ganz allein, und dachte auch, wenn der Kasper doch bei mir

15 wäre! Ich hatte Blümlein Vergißnichtmein in einen Kranz gebunden und an das eingesunkene Kreuz gehängt, und maß mir den Platz umher aus, und dachte: Hier will ich liegen, und da soll Kasper liegen, wenn ihm Gott sein Grab in der Heimat schenkt, daß wir fein beisammen sind, wenn's heißt: 'Ihr Toten, ihr Toten sollt auferstehn, ihr sollt zum Jüng-

20 sten Gerichte gehn!' Aber Kasper kam nicht, ich wußte auch nicht, daß er so nahe war und wohl hätte kommen können. Es trieb ihn auch gar sehr zu eilen, denn er hatte wohl oft an diesen Tag in Frankreich gedacht, und hatte einen kleinen Kranz von schönen Goldblumen von daher mitgebracht, um das Grab seiner Mutter zu schmücken, und auch einen

25 Kranz für Annerl, den sollte sie sich bis zu ihrem Ehrentage bewahren."
Hier ward die Alte still und schüttelte den Kopf; als ich aber die letzten Worte wiederholte: "Den sollte sie sich bis zu ihrem Ehrentage bewahren"—fuhr sie fort: "Wer weiß, ob ich es nicht erflehen kann, ach, wenn ich den Herzog nur wecken dürfte!"

30 "Wozu?" fragte ich, "welch' Anliegen habt Ihr denn, Mutter?"
Da sagte sie ernst: "Oh, was läge am ganzen Leben, wenn's kein End' nähme; was läge am Leben, wenn es nicht ewig wäre!" und fuhr dann in ihrer Erzählug fort: "Kasper wäre noch recht gut zu Mittag in unserem Dorf angekommen, aber morgens hatte ihm sein Wirt im Stalle

35 gezeigt, daß sein Pferd gedrückt sei,²³ und dabei gesagt: 'Mein Freund, das macht dem Reiter keine Ehre.' Das Wort hatte Kasper tief empfunden, er legte deswegen den Sattel hohl und leicht auf, tat alles, ihm die Wunde

---

²³**gedrückt sei** had saddle sores

zu heilen, und setzte seine Reise, das Pferd am Zügel führend, zu Fuße fort.

"So kam er am späten Abend bis an eine Mühle, eine Meile von unserm Dorf, und weil er den Müller als einen alten Freund seines Vaters kannte, sprach er bei ihm ein, und wurde wie ein recht lieber 5 Gast aus der Fremde empfangen. Kasper zog sein Pferd in den Stall, legte den Sattel und sein Felleisen in einen Winkel, und ging nun zu dem Müller in die Stube. Da fragte er nach den Seinigen, und hörte, daß ich alte Großmutter noch lebe, daß sein Vater und sein Stiefbruder gesund seien, und daß es recht gut mit ihnen gehe. Sie wären erst gestern mit 10 Getreide auf der Mühle gewesen; sein Vater habe sich auf den Roß- und Ochsenhandel gelegt[24] und gedeihe dabei recht gut, auch halte er jetzt etwas auf seine Ehre, und gehe nicht mehr so zerrissen umher.

"Darüber war der gute Kasper nun herzlich froh, und da er nach dem schönen Annerl fragte, sagte ihm der Müller: er kenne sie nicht, aber 15 wenn es die sei, die auf dem Rosenhofe[25] gedient habe, die hätte sich, wie er gehört, in der Hauptstadt vermietet, weil sie da eher etwas lernen könne und mehr Ehre dabei sei; so habe er vor einem Jahre von dem Knecht auf dem Rosenhofe gehört. Das freute den Kasper auch. Wenn es ihm gleich leid tat, daß er sie nicht gleich sehen sollte, so hoffte er sie 20 doch in der Hauptstadt bald recht fein und schmuck zu finden, daß es ihm, als einem Unteroffizier, auch eine rechte Ehre sei, mit ihr am Sonntage spazieren zu gehen.

"Nun erzählte er dem Müller noch mancherlei aus Frankreich; sie aßen und tranken miteinander, er half ihm Korn aufschütten, und dann 25 brachte ihn der Müller in die Oberstube zu Bett, und legte sich selbst unten auf einigen Säcken zur Ruhe.

"Das Geklapper der Mühle und die Sehnsucht nach der Heimat ließen den guten Kasper, wenn er gleich sehr müde war, nicht fest einschlafen. Er war sehr unruhig und dachte an seine selige Mutter und an 30 das schöne Annerl, und an die Ehre, die ihm bevorstehe, wenn er als Unteroffizier vor die Seinigen treten würde. So entschlummerte er endlich leis' und wurde von ängstlichen Träumen oft aufgeschreckt. Es war ihm mehrmals, als trete seine selige Mutter zu ihm und bäte ihn händeringend um Hilfe; dann war es ihm, als sei er gestorben und würde 35 begraben, gehe aber selbst zu Fuß als Toter mit zu Grabe, und schön Annerl gehe ihm zur Seite; er weinte heftig, daß ihn seine Kameraden

---

[24]**sich ... gelegt** had taken up trading in horses and oxen
[25]**Rosenhof** *name of a farm or estate*

nicht begleiteten, und da er auf den Kirchhof komme, sei sein Grab neben
dem seiner Mutter; und Annerls Grab sei auch dabei, und er gebe Annerl
das Kränzlein, das er ihr mitgebracht, und hänge das der Mutter an ihr
Grab, und dann habe er sich umgeschaut und niemand mehr gesehen als
5   mich, und die Annerl, die habe einer an der Schürze ins Grab gerissen,
und er sei dann auch ins Grab gestiegen, und habe gesagt: Ist denn
niemand hier, der mir die letzte Ehre antut, und mir ins Grab schießen
will als einem braven Soldaten? und habe er sein Pistol gezogen, und sich
selbst ins Grab geschossen.

10   "Über den Schuß wachte er mit großem Schrecken auf, denn es war
ihm, als klirrten die Fenster davon. Er sah sich um in der Stube; da
hörte er noch einen Schuß fallen, und hörte Getöse in der Mühle und
Geschrei durch das Geklapper. Er sprang aus dem Bett und griff nach
seinem Säbel. In dem Augenblicke ging seine Tür auf, und er sah beim
15   Vollmondscheine zwei Männer mit berußten Gesichtern mit Knitteln
auf sich zustürzen. Aber er setzte sich zur Wehre und hieb den einen
über den Arm, und so entflohen beide, indem sie die Türe, welche nach
außen aufging und einen Riegel draußen hatte, hinter sich verriegelten.
Kasper versuchte umsonst, ihnen nachzukommen, endlich gelang es ihm
20   eine Tafel in der Tür einzutreten. Er eilte durch das Loch die Treppe
hinunter, und hörte das Wehgeschrei des Müllers, den er geknebelt
zwischen den Kornsäcken liegend fand. Kasper band ihn los, und eilte
dann gleich in den Stall, nach seinem Pferd und dem Felleisen, aber
beides war geraubt. Mit großem Jammer eilte er in die Mühle zurück und
25   klagte dem Müller sein Unglück, daß ihm all sein Hab und Gut und das
ihm anvertraute Pferd gestohlen sei, über welches letztere er sich gar
nicht zufrieden geben konnte.

"Der Müller aber stand mit einem vollen Geldsack vor ihm, er hatte
ihn in der Oberstube aus dem Schranke geholt und sagte zu dem Ulanen:
30   'Lieber Kasper, sei Er zufrieden, ich verdanke Ihm die Rettung meines
Vermögens. Auf diesen Sack, der oben in Seiner Stube lag, hatten es die
Räuber gemünzt,[26] und Seiner Verteidigung danke ich alles, mir ist
nichts gestohlen. Die Sein Pferd und Sein Felleisen im Stalle fanden,
müssen ausgestellte Diebeswachen gewesen sein,[27] sie zeigten durch die
35   Schüsse an, daß Gefahr da sei, weil sie wahrscheinlich am Sattelzeug
erkannten, daß ein Kavallerist im Hause herberge. Nun soll Er meinet-

---

[26]**Auf ... gemünzt** This bag was what the robbers had their mind on
[27]**müssen ... sein** must have been men placed as a lookout by the thieves

halben keine Not haben, ich will mir alle Mühe geben und kein Geld
sparen, Ihm Seinen Gaul wieder zu finden, und finde ich ihn nicht, so
will ich Ihm einen kaufen, so teuer er sein mag.'

"Kasper sagte: 'Geschenkt nehme ich nichts, das ist gegen meine
Ehre; aber wenn Er mir im Notfalle siebzig Taler vorschießen will, so   5
kriegt er meine Verschreibung, ich schaffe sie in zwei Jahren wieder.'

"Hierüber wurden sie einig, und der Ulane trennte sich von ihm,
um nach seinem Dorfe zu eilen, wo auch ein Gerichtshalter der umlie-
genden Edelleute wohnt, bei dem er die Sache berichten wollte. Der
Müller blieb zurück, um seine Frau und seinen Sohn zu erwarten, welche   10
auf einem Dorf in der Nähe bei einer Hochzeit waren. Dann wollte er
dem Ulanen nachkommen, und die Anzeige vor Gericht auch machen.

"Er kann sich denken, lieber Herr Schreiber, mit welcher Betrübnis
der arme Kasper den Weg nach unserm Dorf eilte, zu Fuß und arm, wo er
hatte stolz einreiten wollen; einundfünfzig Taler, die er erbeutet hatte,   15
sein Patent als Unteroffizier, sein Urlaub und die Kränze auf seiner Mutter
Grab und für die schöne Annerl waren ihm gestohlen. Es war ihm ganz
verzweifelt zumut. Und so kam er um ein Uhr in der Nacht in seiner
Heimat an, und pochte gleich an der Türe des Gerichtshalters, dessen
Haus das erste vor dem Dorf ist. Er ward eingelassen und machte seine   20
Anzeige, und gab alles an, was ihm geraubt worden war. Der Gerichtshalter trug ihm auf, er solle gleich zu seinem Vater gehen, welches der
einzige Bauer im Dorfe sei, der Pferde habe, und solle mit diesem und
seinem Bruder in der Gegend herum patrouillieren, ob er vielleicht den
Räubern auf die Spur komme; indessen wollte er andere Leute zu Fuß   25
aussenden und den Müller, wenn er komme, um die weiteren Umstände
vernehmen.

"Kasper ging nun von dem Gerichtshalter weg nach dem väter-
lichen Hause. Da er aber an meiner Hütte vorüber mußte, und durch das
Fenster hörte, daß ich ein geistliches Lied sang, wie ich denn vor Ge-   30
danken an seine selige Mutter nicht schlafen konnte, so pochte er an
und sagte: 'Gelobt sei Jesus Christus! Liebe Großmutter, Kasper ist
hier.'

"Ach! wie fuhren mir die Worte durch Mark und Bein,[28] ich stürzte
an das Fenster, öffnete es und küßte und drückte ihn mit unendlichen   35
Tränen. Er erzählte mir sein Unglück mit großer Eile, und sagte, welchen
Auftrag er an seinen Vater vom Gerichtshalter habe; er müsse darum

---

[28]**wie . . . Bein** how those words thrilled me

jetzt gleich hin, um den Dieben nachzusetzen, denn seine Ehre hänge davon ab, daß er sein Pferd wieder erhalte.

"Ich weiß nicht, aber das Wort Ehre fuhr mir recht durch alle Glieder,[29] denn ich wußte schwere Gerichte, die ihm bevorstanden. 'Tue
5 deine Pflicht und gib Gott allein die Ehre', sagte ich; und er eilte von mir nach Finkels Hof, der am anderen Ende des Dorfes liegt. Ich sank, als er fort war, auf die Knie und betete zu Gott, er möge ihn doch in seinen Schutz nehmen; ach! betete mit einer Angst wie niemals, und mußte dabei immer sagen: 'Herr, dein Wille geschehe wie im Himmel, so auf Erden.'
10 "Der Kasper lief zu seinem Vater mit einer entsetzlichen Angst. Er stieg hinten über den Gartenzaun, er hörte die Pumpe gehen, er hörte im Stall wiehern, das fuhr ihm durch die Seele;[30] er stand still. Er sah im Mondscheine, daß zwei Männer sich wuschen, es wollte ihm das Herz brechen.
15 "Der eine sprach: 'Das verfluchte Zeug geht nicht herunter.'[31] Da sagte der andere: 'Komm erst in den Stall, dem Gaul den Schwanz abzuschlagen und die Mähnen zu verschneiden. Hast du das Felleisen auch tief genug unterm Mist begraben?' 'Ja', sagte der andere.

"Da gingen sie nach dem Stall, und Kasper, vor Jammer wie ein
20 Rasender, sprang hervor und schloß die Stalltüre hinter ihnen, und schrie: 'Im Namen des Herzogs! Ergebt euch; wer sich widersetzt, den schieße ich nieder!' Ach, da hatte er seinen Vater und seinen Stiefbruder als die Räuber seines Pferdes gefangen. 'Meine Ehre, meine Ehre ist verloren!' schrie er, 'ich bin der Sohn eines ehrlosen Diebes.'
25 "Als die beiden im Stalle diese Worte hörten, ist ihnen bös zumute geworden; sie schrien: 'Kasper, lieber Kasper, um Gottes willen, bringe uns nicht ins Elend. Kasper, du sollst ja alles wieder haben, um deiner seligen Mutter willen, deren Sterbetag heute ist, erbarme dich deines Vaters und Bruders.'
30 "Kasper aber war wie verzweifelt, er schrie nur immer: 'Meine Ehre, meine Pflicht!' Und da sie nun mit Gewalt die Tür erbrechen wollten und ein Fach in der Lehmwand einstießen, um zu entkommen, schoß er ein Pistol in die Luft und schrie: 'Hilfe, Hilfe, Diebe, Hilfe!'

"Die Bauern, von dem Gerichtshalter erweckt, welche schon heran-
35 nahten, um sich über die verschiedenen Wege zu bereden, auf denen sie

---

[29]**fuhr . . . Glieder** gave me a chill
[30]**fuhr . . . Seele** cut him to the quick
[31]**geht nicht herunter** won't come off

die Einbrecher in die Mühle verfolgen wollten, stürzten auf den Schuß und das Geschrei ins Haus. Der alte Finkel flehte immer noch, der Sohn solle ihm die Tür öffnen, der aber sagte: 'Ich bin ein Soldat und muß der Gerechtigkeit dienen.'

"Da traten der Gerichtshalter und die Bauern heran. Kasper sagte: 'Um Gottes Barmherzigkeit willen, Herr Gerichtshalter, mein Vater, mein Bruder sind selbst die Diebe, o daß ich nie geboren wäre! hier im Stalle hab ich sie gefangen, mein Felleisen liegt im Miste vergraben. Da sprangen die Bauern in den Stall und banden den alten Finkel und seinen Sohn und schleppten sie in ihre Stube. Kasper aber grub das Felleisen hervor und nahm die zwei Kränze heraus, und ging nicht in die Stube, er ging nach dem Kirchhof an das Grab seiner Mutter.

"Der Tag war angebrochen. Ich war auf der Wiese gewesen und hatte für mich und für Kasper zwei Kränze von Blümelein Vergißnichtmein geflochten; ich dachte: er soll mit mir das Grab seiner Mutter schmücken, wenn er von seinem Ritte zurückkommt. Da hörte ich allerlei ungewohnten Lärm im Dorf, und weil ich das Getümmel nicht mag und am liebsten allein bin, so ging ich ums Dorf herum nach dem Kirchhofe. Da fiel ein Schuß,[32] ich sah den Dampf in die Höhe steigen, ich eilte auf den Kirchhof, o du lieber Heiland! erbarme dich sein. Kasper lag tot auf dem Grabe seiner Mutter. Er hatte sich die Kugel durch das Herz geschossen, auf welches er sich das Kränzlein, das er für schön Annerl mitgebracht, am Knopfe befestigt hatte, durch diesen Kranz hatte er sich ins Herz geschossen. Den Kranz für die Mutter hatte er schon an das Kreuz befestigt. Ich meinte, die Erde täte sich unter mir auf bei dem Anblick. Ich stürzte über ihn hin und schrie immer: 'Kasper, o du unglückseliger Mensch, was hast du getan? Ach, wer hat dir denn dein Elend erzählt? O warum habe ich dich von mir gelassen, ehe ich dir alles gesagt! Gott, was wird dein armer Vater, dein Bruder sagen, wenn sie dich so finden.'

"Ich wußte nicht, daß er sich wegen diesen das Leid angetan; ich glaubte, es habe eine ganz andere Ursache. Da kam es noch ärger. Der Gerichtshalter und die Bauern brachten den alten Finkel und seinen Sohn mit Stricken gebunden. Der Jammer erstickte mir die Stimme in der Kehle, ich konnte kein Wort sprechen. Der Gerichtshalter fragte mich: ob ich meinen Enkel nicht gesehen? Ich zeigte hin, wo er lag. Er trat zu ihm, er glaubte, er weine auf dem Grabe; er schüttelte ihn: da sah

---

[32]**fiel ein Schuß** a shot rang out

er das Blut niederstürzen. 'Jesus Maria!' rief er aus, 'der Kasper hat Hand an sich gelegt.' Da sahen die beiden Gefangenen sich schrecklich an; man nahm den Leib des Kaspers und trug ihn neben ihnen her nach dem Hause des Gerichtshalters. Es war ein Wehgeschrei im ganzen Dorfe, die
5 Bauernweiber führten mich nach. Ach, das war wohl der schrecklichste Weg in meinem Leben!"

Da ward die Alte wieder still, und ich sagte zu ihr: "Liebe Mutter, Euer Leid ist entsetzlich, aber Gott hat Euch auch recht lieb; die er am härtesten schlägt, sind seine liebsten Kinder. Sagt mir nun, liebe Mutter,
10 was Euch bewogen hat, den weiten Weg hierher zu gehen, und um was Ihr die Bittschrift einreichen wollt?"

"Ei, das kann Er sich doch wohl denken", fuhr sie ganz ruhig fort, "um ein ehrliches Grab für Kasper und die schöne Annerl, der ich das Kränzlein zu ihrem Ehrentage mitbringe. Es ist ganz mit Kaspers Blut
15 unterlaufen, seh' Er einmal!"

Da zog sie einen kleinen Kranz von Flittergold aus ihrem Bündel, und zeigte ihn mir. Ich konnte bei dem anbrechenden Tage sehen, daß er vom Pulver geschwärzt und mit Blut besprengt war. Ich war ganz zerrissen von dem Unglücke der guten Alten, und die Größe und Festigkeit,
20 womit sie es trug, erfüllte mich mit Verehrung. "Ach, liebe Mutter", sagte ich, "wie werdet Ihr der armen Annerl aber ihr Elend beibringen, daß sie nicht gleich vor Schrecken tot niedersinkt, und was ist denn das für ein Ehrentag, zu welchem Ihr dem Annerl den traurigen Kranz bringt?"

25 "Lieber Mensch", sprach sie, "komme Er nur mit, Er kann mich zu ihr begleiten, ich kann doch nicht geschwind fort, so werden wir sie gerade noch zu rechter Zeit finden. Ich will Ihm unterwegs noch alles erzählen."

Nun stand sie auf und betete ihren Morgensegen ganz ruhig und
30 brachte ihre Kleider in Ordnung, und ihren Bündel hängte sie dann an meinen Arm. Es war zwei Uhr des Morgens, der Tag graute und wir wandelten durch die stillen Gassen.

"Seh' Er", erzählte die Alte fort, "als der Finkel und sein Sohn eingesperrt waren, mußte ich zum Gerichtshalter auf die Gerichtsstube.
35 Der tote Kasper wurde auf einen Tisch gelegt und mit seinem Ulanenmantel bedeckt hereingetragen, und nun mußte ich alles dem Gerichtshalter sagen, was ich von ihm wußte und was er mir heute morgen durch das Fenster gesagt hatte. Das schrieb er alles in sein Papier nieder, das vor ihm lag. Dann sah er die Schreibtafel durch, die sie bei Kasper
40 gefunden; da standen mancherlei Rechnungen drin, einige Geschichten

von der Ehre und auch die von dem französischen Unteroffizier, und hinter ihr war mit Bleistift etwas geschrieben."

Da gab mir die Alte die Brieftasche, und ich las folgende letzte Worte des unglücklichen Kaspers: "Auch ich kann meine Schande nicht überleben. Mein Vater und mein Bruder sind Diebe, sie haben mich 5 selbst bestohlen; mein Herz brach mir, aber ich mußte sie gefangennehmen und den Gerichten übergeben, denn ich bin ein Soldat meines Fürsten, und meine Ehre erlaubt mir keine Schonung. Ich habe meinen Vater und Bruder der Rache übergeben, um der Ehre willen. Ach! bitte doch jedermann für mich, daß man mir hier, wo ich gefallen bin, ein 10 ehrliches Grab neben meiner Mutter vergönne. Das Kränzlein, durch welches ich mich erschossen, soll die Großmutter der schönen Annerl schicken und sie von mir grüßen. Ach! sie tut mir leid durch Mark und Bein, aber sie soll doch den Sohn eines Diebes nicht heiraten, denn sie hat immer viel auf Ehre gehalten. Liebe, schöne Annerl, mögest du nicht so 15 sehr erschrecken über mich, gib dich zufrieden, und wenn du mir jemals ein wenig gut warst,[33] so rede nicht schlecht von mir. Ich kann ja nichts für meine Schande! Ich hatte mir so viele Mühe gegeben, in Ehren zu bleiben mein Leben lang, ich war schon Unteroffizier und hatte den besten Ruf bei der Schwadron, ich wäre gewiß noch einmal Offizier 20 geworden, und Annerl, dich hätte ich doch nicht verlassen, und hätte keine Vornehmere gefreit—aber der Sohn eines Diebes, der seinen Vater aus Ehre selbst fangen und richten lassen muß, kann seine Schande nicht überleben. Annerl, liebes Annerl, nimm doch ja das Kränzlein, ich bin dir immer treu gewesen, so Gott mir gnädig sei! Ich gebe dir nun deine 25 Freiheit wieder, aber tue mir die Ehre, und heirate nie einen, der schlechter wäre, als ich. Und wenn du kannst, so bitte für mich: daß ich ein ehrliches Grab neben meiner Mutter erhalte. Und wenn du hier in unserm Ort sterben solltest, so lasse dich auch bei uns begraben; die gute Großmutter wird auch zu uns kommen, da sind wir alle beisammen. 30 Ich habe fünfzig Taler in meinem Felleisen, die sollen auf Interessen gelegt werden für dein erstes Kind. Meine silberne Uhr soll der Herr Pfarrer haben, wenn ich ehrlich begraben werde. Mein Pferd, die Uniform und Waffen gehören dem Herzoge, diese meine Brieftasche gehört dein. Adies, herztausender Schatz, Adies, liebe Großmutter, betet für mich und 35 lebt alle wohl.—Gott erbarme sich meiner.—Ach, meine Verzweiflung ist groß!"

Ich konnte diese letzten Worte eines gewiß edeln unglücklichen

---

[33]**wenn ... warst** if you were ever a little bit fond of me

Menschen nicht ohne bittere Tränen lesen. "Der Kasper muß ein gar guter Mensch gewesen sein, liebe Mutter", sagte ich zu der Alten, welche nach diesen Worten stehenblieb und meine Hand drückte und mit tief bewegter Stimme sagte:

5 "Ja, es war der beste Mensch auf der Welt. Aber die letzten Worte von der Verzweiflung hätte er nicht schreiben sollen, die bringen ihn um³⁴ sein ehrliches Grab, die bringen ihn auf die Anatomie. Ach, lieber Schreiber, wenn Er hierin nur helfen könnte."

"Wieso, liebe Mutter?" fragte ich, "was können diese letzten Worte
10 dazu beitragen?"

"Ja, gewiß", erwiderte sie, "der Gerichtshalter hat es mir selbst gesagt. Es ist ein Befehl an alle Gerichte ergangen, daß nur Selbstmörder aus Melancholie ehrlich sollen begraben werden; alle aber, die aus Verzweiflung Hand an sich gelegt, sollen auf die Anatomie, und der
15 Gerichtshalter hat mir gesagt, daß er den Kasper, weil er selbst seine Verzweiflung eingestanden, auf die Anatomie schicken müsse."

"Das ist ein wunderlich Gesetz", sagte ich, "denn man könnte wohl bei jedem Selbstmord einen Prozeß anstellen: ob er aus Melancholie oder Verzweiflung entstanden, der so lange dauern müßte, daß der Richter
20 und die Advokaten darüber in Melancholie und Verzweiflung fielen und auf die Anatomie kämen. Aber seid nur getröstet, liebe Mutter, unser Herzog ist ein so guter Herr, wenn er die ganze Sache hört, wird er dem armen Kasper gewiß sein Plätzchen neben der Mutter vergönnen."

"Das gebe Gott!" erwiderte die Alte; "sehe Er nun, lieber Mensch,
25 als der Gerichtshalter alles zu Papier gebracht hatte, gab er mir die Brieftasche und den Kranz für die schöne Annerl, und so bin ich dann gestern hierhergelaufen, damit ich ihr an ihrem Ehrentage den Trost noch mit auf den Weg geben kann.—Der Kasper ist zu rechter Zeit gestorben, hätte er alles gewußt, er wäre närrisch geworden vor Betrüb-
30 nis."

"Was ist es denn nun mit der schönen Annerl?" fragte ich die Alte.

"Bald sagt Ihr, sie habe nur noch wenige Stunden, bald sprecht Ihr von ihrem Ehrentag, und sie werde Trost gewinnen durch Eure traurige Nachricht. Sagt mir doch alles heraus, will sie Hochzeit halten mit einem
35 andern, ist sie tot, krank? Ich muß alles wissen, damit ich es in die Bittschrift setzen kann."

Da erwiderte die Alte: "Ach, lieber Schreiber, es ist nun so! Gottes

---

³⁴**bringen ihn um** will deprive him of

Wille geschehe! Sehe Er, als Kasper kam, war ich doch nicht recht froh, als Kasper sich das Leben nahm, war ich doch nicht recht traurig; ich hätte es nicht überleben können, wenn Gott sich meiner nicht erbarmt gehabt hätte mit größerem Leid. Ja, ich sage Ihm: es war mir ein Stein vor das Herz gelegt, wie ein Eisbrecher, und alle die Schmerzen, die wie Grundeis gegen mich stürzten und mir das Herz gewiß abgestoßen hätten, die zerbrachen an diesem Stein und trieben kalt vorüber. Ich will Ihm etwas erzählen, das ist betrübt:

"Als mein Patchen, die schöne Annerl, ihre Mutter verlor, die eine Base von mir war und sieben Meilen von uns wohnte, war ich bei der kranken Frau. Sie war die Witwe eines armen Bauern, und hatte in ihrer Jugend einen Jäger lieb gehabt, ihn aber wegen seines wilden Lebens nicht genommen. Der Jäger war endlich in solch' Elend gekommen, daß er auf Tod und Leben wegen eines Mordes gefangen saß. Das erfuhr meine Base auf ihrem Krankenlager, und es tat ihr so weh, daß sie täglich schlimmer wurde, und endlich in ihrer Todesstunde, als sie mir die liebe schöne Annerl als mein Patchen übergab und Abschied von mir nahm, noch in den letzten Augenblicken zu mir sagte: 'Liebe Anne Margaret, wenn du durch das Städtchen kommst, wo der arme Jürge gefangen liegt, so lasse ihm sagen durch den Gefangenwärter, daß ich ihn bitte auf meinem Todesbett: er solle sich zu Gott bekehren, und daß ich herzlich für ihn gebetet habe in meiner letzten Stunde, und daß ich ihn schön grüßen lasse.'—Bald nach diesen Worten starb die gute Base, und als sie begraben war, nahm ich die kleine Annerl, die drei Jahre alt war, auf den Arm und ging mit ihr nach Haus.

"Vor dem Städtchen, durch das ich mußte, kam ich an der Scharfrichterei, vorüber, und weil der Meister berühmt war als ein Viehdoktor, sollte ich einige Arznei mitnehmen für unsern Schulzen. Ich trat in die Stube und sagte dem Meister, was ich wollte, und er antwortete, daß ich ihm auf den Boden folgen solle, wo er die Kräuter liegen habe, und ihm helfen aussuchen. Ich ließ Annerl in der Stube und folgte ihm. Als wir zurück in die Stube traten, stand Annerl vor einem kleinen Schranke, der an der Wand befestigt war, und sprach: 'Großmutter, da ist eine Maus drin, hört, wie es klappert, da ist eine Maus drin!'

"Auf diese Rede des Kindes machte der Meister ein sehr ernsthaftes Gesicht, riß den Schrank auf und sprach: 'Gott sei uns gnädig!', denn er sah sein Richtschwert, das allein in dem Schrank an einem Nagel hing, hin und her wanken. Er nahm das Schwert herunter und mir schauderte. 'Liebe Frau', sagte er, 'wenn Ihr das kleine liebe Annerl liebhabt, so

erschreckt nicht, wenn ich ihr mit meinem Schwerte rings um das Häls-
chen die Haut ein wenig aufritze; denn das Schwert hat vor ihm gewankt,
es hat nach seinem Blute verlangt, und wenn ich ihm den Hals damit
nicht ritze, so steht dem Kinde groß Elend im Leben bevor.'

5 "Da faßte er das Kind, welches entsetzlich zu schreien begann, ich
schrie auch und riß das Annerl zurück. Indem trat der Bürgermeister
des Städtchens herein, der von der Jagd kam und dem Richter einen
kranken Hund zur Heilung bringen wollte. Er fragte nach der Ursache
des Geschreis. Annerl schrie: 'Er will mich umbringen!' Ich war außer
10 mir vor Entsetzen. Der Richter erzählte dem Bürgermeister das Ereignis.
Dieser verwies ihm seinen Aberglauben, wie er es nannte, heftig und
unter scharfen Drohungen. Der Richter blieb ganz ruhig dabei und
sprach: 'So haben's meine Väter gehalten, so halt ich's.'

"Da sprach der Bürgermeister: 'Meister Franz, wenn Ihr glaubt,
15 Euer Schwert habe sich gerührt, weil ich Euch hiermit anzeige, daß
morgen früh um sechs Uhr der Jäger Jürge von Euch soll geköpft werden,
so wollt' ich es noch verzeihen; aber daß Ihr daraus etwas auf dies liebe
Kind schließen wollt, das ist unvernünftig und toll. Es könnte so etwas
einen Menschen in Verzweiflung bringen, wenn man es ihm später in
20 seinem Alter sagte, daß es ihm in seiner Jugend geschehen sei. Man soll
keinen Menschen in Versuchung führen.' 'Aber auch keines Richters
Schwert', sagte Meister Franz vor sich, und hing sein Schwert wieder in
den Schrank.

"Nun küßte der Bürgermeister das Annerl und gab ihm eine Semmel
25 aus seiner Jagdtasche, und da er mich gefragt, wer ich sei, wo ich her
komme und wo ich hin wolle? und ich ihm den Tod meiner Base erzählt
hatte, und auch den Auftrag an den Jäger Jürge, sagte er mir: 'Ihr sollt
ihn ausrichten, ich will Euch selbst zu ihm führen. Er hat ein hartes
Herz, vielleicht wird ihn das Andenken einer guten Sterbenden in seinen
30 letzten Stunden rühren.' Da nahm der gute Herr mich und Annerl auf
seinen Wagen, der vor der Türe hielt, und fuhr mit uns in das Städtchen
hinein.

"Er hieß mich zu seiner Köchin gehn; da kriegten wir gutes Essen,
und gegen Abend ging er mit mir zu dem armen Sünder. Und als ich dem
35 die letzten Worte meiner Base erzählte, fing er bitterlich an zu weinen und
schrie: 'Ach, Gott! wenn sie mein Weib geworden, wäre es nicht so weit
mit mir gekommen.' Dann begehrte er, man solle den Herrn Pfarrer doch
noch einmal zu ihm bitten, er wolle mit ihm beten. Das versprach ihm
der Bürgermeister und lobte ihn wegen seiner Sinnesveränderung, und

fragte ihn: ob er vor seinem Tode noch einen Wunsch hätte, den er ihm erfüllen könne. Da sagte der Jäger Jürge: 'Ach, bittet hier die gute alte Mutter, daß sie doch morgen mit dem Töchterlein ihrer seligen Base bei meinem Rechte[35] zugegen sein möge, das wird mir das Herz stärken in meiner letzten Stunde.' Da bat mich der Bürgermeister, und so graulich 5 es mir war, so konnte ich es dem armen elenden Menschen nicht abschlagen. Ich mußte ihm die Hand geben und es ihm feierlich versprechen, und er sank weinend auf das Stroh. Der Bürgermeister ging dann mit mir zu seinem Freunde, dem Pfarrer, dem ich nochmals alles erzählen mußte, ehe er sich ins Gefängnis begab. 10

Die Nacht mußte ich mit dem Kinde in des Bürgermeisters Haus schlafen, und am andern Morgen ging ich den schweren Gang zu der Hinrichtung des Jägers Jürge. Ich stand neben dem Bürgermeister im Kreis, und sah, wie er das Stäblein brach.[36] Da hielt der Jäger noch eine schöne Rede, und alle Leute weinten, und er sah mich und die kleine 15 Annerl, die vor mir stand, gar beweglich[37] an, und dann küßte er den Meister Franz, der Pfarrer betete mit ihm, die Augen wurden ihm verbunden und er kniete nieder. Da gab ihm der Richter den Todesstreich. Jesus, Maria, Joseph! schrie ich aus; denn der Kopf des Jürge flog gegen Annerl zu und biß mit seinen Zähnen dem Kinde in sein Röckchen, das 20 ganz entsetzlich schrie. Ich riß meine Schürze vom Leibe und warf sie über den scheußlichen Kopf, und Meister Franz eilte herbei, riß ihn los und sprach: 'Mutter, Mutter, was habe ich gestern morgen gesagt; ich kenne mein Schwert, es ist lebendig!'

"Ich war niedergesunken vor Schreck, das Annerl schrie entsetzlich. 25 Der Bürgermeister war ganz bestürzt und ließ mich und das Kind nach seinem Hause fahren. Da schenkte mir seine Frau andere Kleider für mich und das Kind, denn die unsrigen waren von Jürges Blut besprizt, und nachmittags schenkte uns der Bürgermeister noch Geld, und viele Leute des Städtchens auch, die Annerl sehen wollten, so daß ich an zwanzig 30 Taler und viele Kleider für sie bekam. Am Abend kam der Pfarrer ins Haus und redete mir lange zu, daß ich das Annerl nur recht in der Gottesfurcht erziehen sollte, und auf alle die betrübten Zeichen gar nichts geben, das seien nur Schlingen des Satans, die man verachten müsse, und dann schenkte er mir noch eine schöne Bibel für das Annerl, die sie noch 35

---

[35]**bei ... Rechte** at my execution
[36]**sah ... brach** saw him give the sign for the execution. (*The breaking of a rod was a traditional signal meaning: "Let the execution proceed."*)
[37]**gar beweglich** deeply moved

hat; und dann ließ uns der gute Bürgermeister am andern Morgen noch an drei Meilen weit nach Haus fahren. Ach, du mein Gott, und alles ist doch eingetroffen!" sagte die Alte und schwieg.

Eine schauerliche Ahnung ergriff mich, die Erzählung der Alten hatte mich ganz zermalmt. "Um Gottes willen, Mutter!" rief ich aus, "was ist es mit der armen Annerl geworden, ist denn gar nicht zu helfen?"

"Es hat sie mit den Zähnen dazu gerissen", sagte die Alte. "Heut wird sie gerichtet; aber sie hat es in der Verzweiflung getan, die Ehre, die Ehre lag ihr im Sinne. Sie war zu Schanden gekommen aus Ehrfurcht, sie wurde verführt von einem Vornehmen, er hat sie sitzen lassen, sie hat ihr Kind erstickt in derselben Schürze, die ich damals über den Kopf des Jägers Jürge warf, und die sie mir heimlich entwendet hat. Ach, es hat sie mit den Zähnen dazu gerissen, sie hat es in der Verwirrung getan. Der Verführer hatte ihr die Ehe versprochen und gesagt: der Kasper sei in Frankreich geblieben.[38] Dann ist sie verzweifelt und hat das Böse getan, und hat sich selbst bei den Gerichten angegeben. Um vier Uhr wird sie gerichtet. Sie hat mir geschrieben: ich möchte noch zu ihr kommen; das will ich nun tun und ihr das Kränzlein und den Gruß von dem armen Kasper bringen, und die Rose, die ich heut' nacht erhalten, das wird sie trösten. Ach, lieber Schreiber, wenn Er es nur in der Bittschrift auswirken kann: daß ihr Leib und auch der Kasper dürfen auf unsern Kirchhof gebracht werden."

"Alles, alles will ich versuchen!" rief ich aus. "Gleich will ich nach dem Schlosse laufen; mein Freund, der Ihr die Rose gab, hat die Wache dort, er soll mir den Herzog wecken. Ich will vor sein Bett knien und ihn um Pardon für Annerl bitten."

"Pardon?" sagte die Alte kalt. "Es hat sie ja mit Zähnen dazu gezogen; hör' Er, lieber Freund, Gerechtigkeit ist besser als Pardon; was hilft aller Pardon auf Erden, wir müssen doch alle vor das Gericht:

'Ihr Toten, ihr Toten sollt auferstehn,
Ihr sollt vor das Jüngste Gerichte gehn.'

Seht, sie will keinen Pardon, man hat ihn ihr angeboten, wenn sie den Vater des Kindes nennen wolle. Aber das Annerl hat gesagt: 'Ich habe sein Kind ermordet und will sterben, und ihn nicht unglücklich machen; ich muß meine Strafe leiden, daß ich zu meinem Kinde komme, aber ich kann ihn verderben, wenn ich ihn nenne.' Darüber wurde ihr das Schwert

---

[38]**geblieben = gestorben**

zuerkannt.[39] Gehe Er zum Herzog, und bitte Er für Kasper und Annerl um ein ehrlich Grab. Gehe Er gleich. Seh' Er: dort geht der Herr Pfarrer ins Gefängnis; ich will ihn ansprechen, daß er mich mit hinein zum schönen Annerl nimmt. Wenn Er sich eilt, so kann Er uns draußen am Gerichte vielleicht den Trost noch bringen: mit dem ehrlichen Grabe   5
für Kasper und Annerl."

Unter diesen Worten waren wir mit dem Prediger zusammengetroffen. Die Alte erzählte ihr Verhältnis zu der Gefangenen und er nahm sie freundlich mit zum Gefängnis. Ich aber eilte nun, wie ich noch nie gelaufen, nach dem Schloß, und es machte mir einen tröstenden Eindruck,   10
es war mir wie ein Zeichen der Hoffnung, als ich an Graf Grossingers Hause vorüberstürzte und aus einem offenen Fenster des Gartenhauses eine liebliche Stimme zur Laute singen hörte:

"Die Gnade sprach von Liebe,
Die Ehre aber wacht,   15
Und wünscht voll Lieb' der Gnade
In Ehren gute Nacht.

Die Gnade nimmt den Schleier,
Wenn Liebe Rosen gibt,
Die Ehre grüßt den Freier,   20
Weil sie die Gnade liebt."

Ach, ich hatte der guten Wahrzeichen noch mehr! Einhundert Schritte weiter fand ich einen weißen Schleier auf der Straße liegend; ich raffte ihn auf, er war voll von duftenden Rosen. Ich hielt ihn in der Hand und lief weiter mit dem Gedanken: Ach, Gott, das ist die Gnade. Als ich um   25
die Ecke bog, sah ich einen Mann, der sich in seinem Mantel verhüllte, als ich an ihm vorübereilte, und mir heftig den Rücken wandte, um nicht gesehen zu werden. Er hätte es nicht nötig gehabt, ich sah und hörte nichts in meinem Innern als: Gnade, Gnade! und stürzte durch das Gittertor in den Schloßhof. Gott sei Dank, der Fähnrich, Graf Gros-   30
singer, der unter den blühenden Kastanienbäumen vor der Wache auf und ab ging, trat mir schon entgegen.

"Lieber Graf", sagte ich mit Ungestüm, "Sie müssen mich gleich zum Herzoge bringen, gleich auf der Stelle, oder alles ist zu spät, alles ist verloren!"   35

---

[39]**Darüber ... zuerkannt** Thereupon she was sentenced to die by the sword. (*This was a more honorable mode of execution than either the wheel or the gallows.*)

Er schien verlegen über diesen Antrag und sagte: "Was fällt Ihnen ein, zu dieser ungewohnten Stunde? Es ist nicht möglich. Kommen Sie zur Parade, da will ich Sie vorstellen."

Mir brannte der Boden unter den Füßen. "Jetzt", rief ich aus,
5 "oder nie! Es muß sein! Es betrifft das Leben eines Menschen."

"Es kann jetzt nicht sein", erwiderte Grossinger scharf absprechend.[40] "Es betrifft meine Ehre; es ist mir untersagt, heute nacht irgendeine Meldung zu tun."

Das Wort Ehre machte mich verzweifeln. Ich dachte an Kaspers
10 Ehre, an Annerls Ehre, und sagte: "Die vermaledeite Ehre! Gerade um die letzte Hilfe zu leisten, welche so eine Ehre übriggelassen, muß ich zum Herzoge. Sie müssen mich melden, oder ich schreie laut nach dem Herzoge."

"So Sie sich rühren",[41] sagte Grossinger heftig, "lasse ich Sie in die
15 Wache werfen. Sie sind ein Phantast, Sie kennen keine Verhältnisse."

"O ich kenne Verhältnisse, schreckliche Verhältnisse! Ich muß zum Herzoge, jede Minute ist unerkauflich!" versetzte ich. "Wollen Sie mich nicht gleich melden, so eile ich allein zu ihm."

Mit diesen Worten wollte ich nach der Treppe, die zu den Gemä-
20 chern des Herzogs hinaufführte, als ich den nämlichen, in einen Mantel Verhüllten, der mir begegnete, nach dieser Treppe eilend, bemerkte. Grossinger drehte mich mit Gewalt um, daß ich diesen nicht sehen sollte. "Was machen Sie, Törichter!" flüsterte er mir zu. "Schweigen Sie, ruhen Sie. Sie machen mich unglücklich."

25 "Warum halten Sie den Mann nicht zurück, der da hinaufging?" sagte ich. "Er kann nichts Dringenderes vorzubringen haben als ich. Ach, es ist so dringend, ich muß, ich muß! Es betrifft das Schicksal eines unglücklichen, verführten, armen Geschöpfes."

Grossinger erwiderte: "Sie haben den Mann hinaufgehen sehen;
30 wenn Sie je ein Wort davon äußern, so kommen Sie vor meine Klinge. Gerade, weil er hinaufging, können Sie nicht hinauf, der Herzog hat Geschäfte mit ihm."

Da erleuchteten sich die Fenster des Herzogs. "Gott, er hat Licht, er ist auf!" sagte ich. "Ich muß ihn sprechen, um des Himmels willen,
35 lassen Sie mich, oder ich schreie Hilfe."

Grossinger faßte mich beim Arm und sagte: "Sie sind betrunken, kommen Sie in die Wache; ich bin Ihr Freund, schlafen Sie aus und

---

[40]**scharf absprechend** in a sharp tone of denial
[41]**So ... rühren** If you make a move

sagen Sie mir das Lied, das die Alte heute nacht an der Türe sang, als ich
die Runde führte; das Lied interessiert mich sehr."

Gerade wegen der Alten und den Ihrigen[42] muß ich mit dem Herzoge
sprechen!" rief ich aus.

"Wegen der Alten?" versetzte Grossinger. "Wegen der sprechen   5
Sie mit mir, die großen Herren haben keinen Sinn für so etwas. Geschwind kommen Sie nach der Wache."

Er wollte mich fortziehen, da schlug die Schloßuhr halb vier. Der
Klang schnitt mir wie ein Schrei der Not durch die Seele, und ich schrie
aus voller Brust zu den Fenstern des Herzogs hinauf: "Hilfe! um Gottes   10
willen, Hilfe für ein elendes, verführtes Geschöpf!"

Da ward Grossinger wie unsinnig. Er wollte mir den Mund
zuhalten, aber ich rang mit ihm; er stieß mich in den Nacken, er schimpf-
te; ich fühlte, ich hörte nichts. Er rief nach der Wache; der Korporal
eilte mit etlichen Soldaten herbei, mich zu greifen. Aber in dem Augen-   15
blicke ging des Herzogs Fenster auf, und es rief herunter: "Fähnrich Graf
Grossinger, was ist das für ein Skandal? Bringen Sie den Menschen
herauf, gleich auf der Stelle!"

Ich wartete nicht auf den Fähnrich; ich stürzte die Treppe hinauf,
ich fiel nieder zu den Füßen des Herzogs, der mich betroffen und unwillig   20
aufstehen hieß. Er hatte Stiefel und Sporen an und doch einen Schlafrock,
den er sorgfältig über der Brust zusammenhielt.

Ich trug dem Herzog alles, was mir die Alte von dem Selbstmorde
des Ulanen, von der Geschichte der schönen Annerl erzählt hatte, so
gedrängt vor, als es die Not erforderte, und flehte ihn wenigstens um   25
einen Aufschub der Hinrichtung auf wenige Stunden und um ein ehrliches
Grab für die beiden Unglücklichen an, wenn Gnade unmöglich sei.

"Ach, Gnade, Gnade!" rief ich aus, indem ich den gefundenen
weißen Schleier voll Rosen aus dem Busen zog; "dieser Schleier, den ich
auf meinem Wege hierher gefunden, schien mir Gnade zu verheißen."   30

Der Herzog griff mit Ungestüm nach dem Schleier und war heftig
bewegt; er drückte den Schleier in seinen Händen, und als ich die Worte
aussprach: "Euere Durchlaucht! Dieses arme Mädchen ist ein Opfer
falscher Ehrsucht; ein Vornehmer hat sie verführt und ihr die Ehe
versprochen. Ach, sie ist so gut, daß sie lieber sterben will, als ihn nen-   35
nen"—da unterbrach mich der Herzog mit Tränen in den Augen und
sagte: "Schweigen Sie, um Himmels willen, schweigen Sie!"

---

[42]**den Ihrigen** those who are dear to her

Und nun wendete er sich zu dem Fähnrich, der an der Türe stand, und sagte mit dringender Eile: "Fort, eilend zu Pferde mit diesem Menschen hier; reiten Sie das Pferd tot; nur nach dem Gerichte hin. Heften Sie diesen Schleier an Ihren Degen, winken und schreien Sie
5   Gnade, Gnade! Ich komme nach."
Grossinger nahm den Schleier. Er war ganz verwandelt, er sah aus wie ein Gespenst vor Angst und Eile. Wir stürzten in den Stall, saßen zu Pferd und ritten im Galopp; er stürmte wie ein Wahnsinniger zum Tore hinaus. Als er den Schleier an seine Degenspitze heftete, schrie er:
10 "Herr Jesus, meine Schwester!"
Ich verstand nicht, was er wollte. Er stand hoch im Bügel und wehte und schrie: "Gnade, Gnade!" Wir sahen auf dem Hügel die Menge um das Gericht versammelt. Mein Pferd scheute vor dem wehenden Tuch. Ich bin ein schlechter Reiter, ich konnte den Grossinger nicht einholen;
15 er flog im schnellsten Karriere: ich strengte alle Kräfte an. Trauriges Schicksal! Die Artillerie exerzierte in der Nähe; der Kanonendonner machte es unmöglich, unser Geschrei aus der Ferne zu hören. Grossinger stürzte, das Volk stob auseinander, ich sah in den Kreis, ich sah einen Stahlblitz in der frühen Sonne—ach Gott, es war der Schwertblitz des
20 Richters!
Ich sprengte heran, ich hörte das Wehklagen der Menge.
"Pardon, Pardon!" schrie Grossinger und stürzte mit wehendem Schleier durch den Kreis wie ein Rasender. Aber der Richter hielt ihm das blutende Haupt der schönen Annerl entgegen, das ihn wehmütig
25 anlächelte. Da schrie er: "Gott sei mir gnädig!" und fiel auf die Leiche hin zur Erde. "Tötet mich, tötet mich, ihr Menschen! Ich habe sie verführt, ich bin ihr Mörder!"
Eine rächende Wut ergriff die Menge. Die Weiber und Jungfrauen drangen heran und rissen ihn von der Leiche und traten ihn mit Füßen,
30 er wehrte sich nicht; die Wachen konnten das wütende Volk nicht bändigen. Da erhob sich das Geschrei: "Der Herzog, der Herzog!"
Er kam im offenen Wagen gefahren; ein blutjunger Mensch, den Hut tief ins Gesicht gedrückt, in einen Mantel gehüllt, saß neben ihm. Die Menschen schleiften Grossinger herbei: "Jesus, mein Bruder!"
35 schrie der junge Offizier mit der weiblichsten Stimme aus dem Wagen.
Der Herzog sprach bestürzt zu ihm: "Schweigen Sie!" Er sprang aus dem Wagen, der junge Mensch wollte folgen; der Herzog drängte ihn schier unsanft zurück; aber so beförderte sich die Entdeckung, daß der

junge Mensch die als Offizier verkleidete Schwester Grossingers sei. Der Herzog ließ den mißhandelten, blutenden, ohnmächtigen Grossinger in den Wagen legen, die Schwester nahm keine Rücksicht mehr, sie warf ihren Mantel über ihn. Jedermann sah sie in weiblicher Kleidung. Der Herzog war verlegen; aber er sammelte sich und befahl, den Wagen 5 sogleich umzuwenden, und die Gräfin mit ihrem Bruder nach ihrer Wohnung zu fahren. Dieses Ereignis hatte die Wut der Menge einigermaßen gestillt.

Der Herzog sagte laut zu dem wachthabenden Offiziere: Die Gräfin Grossinger hat ihren Bruder an ihrem Hause vorbeireiten sehen, den 10 Pardon zu bringen, und wollte diesem freudigen Ereignis beiwohnen; als ich zu demselben Zwecke vorüber fuhr, stand sie am Fenster und bat mich, sie in meinem Wagen mitzunehmen, ich konnte es dem gutmütigen Kinde nicht abschlagen. Sie nahm einen Mantel und Hut ihres Bruders, um kein Aufsehen zu erregen, und hat, von dem unglücklichen Zufall 15 überrascht, die Sache gerade dadurch zu einem abenteuerlichen Skandale gemacht. Aber wie konnten Sie, Herr Leutnant, den unglücklichen Grafen Grossinger nicht vor dem Pöbel schützen? Es ist ein gräßlicher Fall, daß er, mit dem Pferde stürzend, zu spät kam; er kann doch aber nichts dafür. Ich will die Mißhandler des Grafen verhaftet und bestraft 20 wissen."[43]

Auf die Rede des Herzogs erhob sich ein allgemeines Geschrei: "Er ist ein Schurke, er ist der Verführer, der Mörder der schönen Annerl gewesen; er hat es selbst gesagt, der elende, der schlechte Kerl!"

Als dies von allen Seiten her tönte und auch der Prediger und der 25 Offizier und die Gerichtspersonen es bestätigten, war der Herzog so tief erschüttert, daß er nichts sagte als: "Entsetzlich, entsetzlich, oh, der elende Mensch!"

Nun trat der Herzog blaß und bleich in den Kreis; er wollte die Leiche der schönen Annerl sehen. Sie lag auf dem grünen Rasen in einem 30 schwarzen Kleide mit weißen Schleifen. Die alte Großmutter, welche sich um alles, was vorging, nicht bekümmerte, hatte ihr das Haupt auf den Rumpf gelegt und die schreckliche Trennung mit ihrer Schürze bedeckt. Sie war beschäftigt, ihr die Hände über die Bibel zu falten, welche der Pfarrer in dem kleinen Städtchen der kleinen Annerl geschenkt 35 hatte; das goldene Kränzlein band sie ihr auf den Kopf und steckte die

---

[43]**Ich ... wissen** I want to be assured that those who have mistreated the count have been arrested and punished.

Rose vor die Brust, welche ihr Grossinger in der Nacht gegeben hatte,
ohne zu wissen, wem er sie gab.

Der Herzog sprach bei diesem Anglick: "Schönes, unglückliches
Annerl! Schändlicher Verführer, du kamst zu spät!—Arme alte Mutter,
du bist ihr allein treu geblieben bis in den Tod!"

Als er mich bei diesen Worten in seiner Nähe sah, sprach er zu mir;
"Sie sagten mir von einem letzten Willen des Korporal Kasper, haben Sie
ihn bei sich?"

Da wendete ich mich zu der Alten und sagte: "Arme Mutter, gebt
mir die Brieftasche Kaspers; Seine Durchlaucht wollen seinen letzten
Willen lesen."

Die Alte, welche sich um nichts bekümmerte, sagte mürrisch: "Ist
Er auch wieder da? Er hätte lieber ganz zu Hause bleiben können. Hat
Er die Bittschrift? Jetzt ist es zu spät. Ich habe dem armen Kinde den
Trost nicht geben können, daß sie zu Kasper in ein ehrliches Grab soll;
ach, ich hab es ihr vorgelogen, aber sie hat mir nicht geglaubt!"

Der Herzog unterbrach sie und sprach: "Ihr habt nicht gelogen,
gute Mutter. Der Mensch hat sein möglichstes getan, der Sturz des
Pferdes ist an allem schuld. Aber sie soll ein ehrliches Grab haben bei
ihrer Mutter und bei Kasper, der ein braver Kerl war. Es soll ihnen
beiden eine Leichenpredigt gehalten werden über die Worte: 'Gebt Gott
allein die Ehre!' Der Kasper soll als Fähnrich begraben werden, seine
Schwadron soll ihm dreimal ins Grab schießen, und des Verderbers
Grossingers Degen soll auf seinen Sarg gelegt werden."

Nach diesen Worten ergriff er Grossingers Degen, der mit dem
Schleier noch an der Erde lag, nahm den Schleier herunter, bedeckte
Annerl damit und sprach: "Dieser unglückliche Schleier, der ihr so gern
Gnade gebracht hätte, soll ihr die Ehre wiedergeben. Sie ist ehrlich und
begnadigt gestorben, der Schleier soll mit ihr begraben werden."

Den Degen gab er dem Offizier der Wache mit den Worten: "Sie
werden heute noch meine Befehle wegen der Bestattung des Ulanen und
dieses armen Mädchens bei der Parade empfangen."

Nun las er auch die letzten Worte Kaspers laut mit vieler Rührung.
Die alte Großmutter umarmte mit Freudentränen seine Füße, als wäre
sie das glücklichste Weib. Er sagte zu ihr: "Gebe Sie sich zufrieden, Sie
soll eine Pension haben bis an Ihr seliges Ende, ich will Ihrem Enkel und
der Annerl einen Denkstein setzen lassen."

Nun befahl er dem Prediger, mit der Alten und einem Sarge, in
welchen die Gerichtete gelegt wurde, nach seiner Wohnung zu fahren
und sie dann nach ihrer Heimat zu bringen und das Begräbnis zu be-

sorgen. Da währenddem seine Adjutanten mit Pferden gekommen waren, sagte er noch zu mir: "Geben Sie meinem Adjutanten Ihren Namen an, ich werde Sie rufen lassen. Sie haben einen schönen menschlichen Eifer gezeigt."

Der Adjutant schrieb meinen Namen in seine Schreibtafel und machte 5 mir ein verbindliches Kompliment. Dann sprengte der Herzog, von den Segenswünschen der Menge begleitet, in die Stadt.

Die Leiche der schönen Annerl ward nun mit der guten alten Groß- mutter in das Haus des Pfarrers gebracht, und in der folgenden Nacht fuhr dieser mit ihr nach der Heimat zurück. Der Offizier traf, mit dem 10 Degen Grossingers und einer Schwadron Ulanen, auch daselbst am folgenden Abend ein. Da wurde nun der brave Kasper, mit Grossingers Degen auf der Bahre und dem Fähnrichs-Patent, neben der schönen Annerl zur Seite seiner Mutter begraben. Ich war auch hingeeilt und führte die alte Mutter, welche kindisch vor Freude war, aber wenig 15 redete; und als die Ulanen dem Kasper zum drittenmal ins Grab schossen, fiel sie mir tot in die Arme. Gott gebe ihnen allen eine freudige Aufer- stehung!

> Sie sollen treten auf die Spitzen,
> Wo die lieben Engelein sitzen,   20
> Wo kommt der liebe Gott gezogen,
> Mit einem schönen Regenbogen;
> Da sollen ihre Seelen vor Gott bestehn,
> Wann wir werden zum Himmel eingehn! Amen.

Als ich in die Hauptstadt zurückkam, hörte ich: Graf Grossinger 25 sei gestorben, er habe Gift genommen. In meiner Wohnung fand ich einen Brief von ihm. Er sagte mir darin:

"Ich habe Ihnen viel zu danken. Sie haben meine Schande, die mir lange das Herz abnagte, zutage gebracht. Jenes Lied der Alten kannte ich wohl; die Annerl hatte es mir oft vorgesagt, sie war ein unbeschreiblich 30 edles Geschöpf. Ich war ein elender Verbrecher. Sie hatte ein schrift- liches Eheversprechen von mir gehabt, und hat es verbrannt. Sie diente bei einer alten Tante von mir, sie litt oft an Melancholie. Ich habe mich durch gewisse medizinische Mittel, die etwas Magisches haben, ihrer Seele bemächtigt.—Gott sei mir gnädig!—Sie haben auch die Ehre 35 meiner Schwester gerettet. Der Herzog liebt sie, ich war sein Günstling— die Geschichte hat ihn erschüttert—Gott helfe mir! Ich habe Gift ge- nommen.

Josef Graf Grossinger."

Die Schürze der schönen Annerl, in welche ihr der Kopf des Jägers Jürge bei seiner Enthauptung gebissen, ist auf der herzoglichen Kunstkammer bewahrt worden. Man sagt: die Schwester des Grafen Grossinger werde der Herzog mit dem Namen: "Voile de Grâce", auf deutsch: "Gnadenschleier", in den Fürstenstand erheben und sich mit ihr vermählen. Bei der nächsten Revue in der Gegend von D . . . . soll das Monument auf den Gräbern der beiden unglücklichen Ehrenopfer auf dem Kirchhofe des Dorfes errichtet und eingeweiht werden. Der Herzog wird mit der Fürstin selbst zugegen sein. Er ist ausnehmend zufrieden damit; die Idee soll von der Fürstin und dem Herzoge zusammen erfunden sein. Es stellt die falsche und wahre Ehre vor, die sich vor einem Kreuze beiderseits gleich tief zur Erde beugen; die Gerechtigkeit steht mit dem geschwungenen Schwerte zur einen Seite, die Gnade zur andern Seite und wirft einen Schleier heran. Man will[44] im Kopfe der Gerechtigkeit Ähnlichkeit mit dem Herzog, in dem Kopfe der Gnade Ähnlichkeit mit dem Gesichte der Fürstin finden.

---

[44]**man will** people claim

Theodor Storm

1817-1888 ❀❀❀

Hans Theodor Woldsen Storm spent his whole adult life, with the exception of several years of political exile, as an attorney and a district judge in and near his native town of Husum on the North Sea in Schleswig. His experiences and observations, as lawyer and judge, as father of a large family, and as a devoted collector of the tales and legends of his native province, gave him the subject matter for more than fifty *Novellen*. *Der Schimmelreiter*, the best of all his stories, was completed shortly before his death.

From Storm's large production of poems we select the following because of its similarity in landscape and mood to *Der Schimmelreiter*.

Meeresstrand

Ans Haff nun fliegt die Möwe,
Und Dämmerung bricht herein;
Über die feuchten Watten
Spiegelt der Abendschein.

Graues Geflügel huschet
Neben dem Wasser her;
Wie Träume liegen die Inseln
Im Nebel auf dem Meer.

Ich höre des gärenden Schlammes
Geheimnisvollen Ton,
Einsames Vogelrufen—
So war es immer schon.

Noch einmal schauert leise
Und schweiget dann der Wind;
Vernehmlich werden die Stimmen,
Die über der Tiefe sind.

Der Schimmelreiter

✿✿✿✿ WAS ICH ZU BERICHTEN beabsichtige, ist mir vor reichlich einem halben Jahrhundert im Hause meiner Urgroßmutter, der alten Frau Senator Feddersen, kund geworden, während ich, an ihrem Lehnstuhl sitzend, mich mit dem Lesen eines Zeitschriftenheftes beschäftigte. Noch fühl' ich es gleich einem Schauer, wie dabei die linde Hand der über 5 Achtzigjährigen mitunter liebkosend über das Haupthaar ihres Urenkels hinglitt. Sie selbst und jene Zeit sind längst begraben; vergebens auch habe ich seitdem jenen Blättern nachgeforscht, und ich kann daher um so weniger weder die Wahrheit der Tatsachen verbürgen, als, wenn jemand sie bestreiten wollte, dafür aufstehen; nur so viel kann ich versi- 10 chern, daß ich sie seit jener Zeit, obwohl sie durch keinen äußeren Anlaß in mir aufs neue belebt wurden, niemals aus dem Gedächtnis verloren habe.

I

Es war im dritten Jahrzehnt unseres Jahrhunderts[1] an einem Oktobernachmittag—so begann der damalige Erzähler—, als ich bei starkem 15 Unwetter auf einem nordfriesischen[2] Deich entlang ritt. Zur Linken hatte ich jetzt schon seit über einer Stunde die öde, bereits von allem Vieh geleerte Marsch,[3] zur Rechten, und zwar in unbehaglichster Nähe, das

---

[1]**unseres Jahrhunderts** *the nineteenth century.*
[2]**nordfriesisch** North Frisian. *North Friesland (or Frisia) comprises the western coast of the province of Schleswig-Holstein.*
[3]**die Marsch** *lowlands protected by dikes.*

37

Wattenmeer[4] der Nordsee; zwar sollte man vom Deiche aus auf Halligen[5] und Inseln sehen können; aber ich sah nichts als die gelbgrauen Wellen, die unaufhörlich wie mit Wutgebrüll an den Deich hinaufschlugen und mitunter mich und das Pferd mit schmutzigem Schaum bespritzten;
5 dahinter wüste Dämmerung, die Himmel und Erde nicht unterscheiden ließ; denn auch der halbe Mond der jetzt in her Höhe stand, war meist von treibendem Wolkendunkel überzogen.

Es war eiskalt; meine verklommenen Hände konnten kaum den Zügel halten, und ich verdachte es nicht den Krähen und Möwen, die
10 sich fortwährend krächzend und gackernd vom Sturm ins Land hineintreiben ließen. Die Nachtdämmerung hatte begonnen, und schon konnte ich nicht mehr mit Sicherheit die Hufe meines Pferdes erkennen; keine Menschenseele war mir begegnet, ich hörte nichts als das Geschrei der Vögel, wenn sie mich oder meine treue Stute fast mit den langen Flügeln
15 streiften, und das Toben von Wind und Wasser. Ich leugne nicht, ich wünschte mich mitunter in sicheres Quartier.

Das Wetter dauerte jetzt in den dritten Tag, und ich hatte mich schon über Gebühr von einem mir besonders lieben Verwandten auf seinem Hofe halten lassen. Heute aber ging es nicht länger; ich hatte
20 Geschäfte in der Stadt, die auch jetzt wohl noch ein paar Stunden weit nach Süden vor mir lag. Am Nachmittag war ich davongeritten. "Wart nur, bis du ans Meer kommst", hatte mein Vetter noch aus seiner Haustür mir nachgerufen; "du kehrst noch wieder um; dein Zimmer wird dir vorbehalten!"

25 Und wirklich, einen Augenblick, als eine schwarze Wolkenschicht es pechfinster um mich machte und gleichzeitig die heulenden Böen mich samt meiner Stute vom Deich herabzudrängen suchten, fuhr es mir wohl durch den Kopf: "Sei kein Narr! Kehr um und setz dich zu deinen Freunden ins warme Nest." Dann aber fiel's mir ein, der Weg zurück
30 war wohl noch länger als der nach meinem Reiseziel; und so trabte ich weiter, den Kragen meines Mantels um die Ohren ziehend.

Jetzt aber kam auf dem Deiche etwas gegen mich heran; ich hörte nichts; aber immer deutlicher, wenn der halbe Mond ein karges Licht herabließ, glaubte ich eine dunkle Gestalt zu erkennen, und bald, da sie
35 näher kam, sah ich es, sie saß auf einem Pferde, einem hochbeinigen

---

[4]das Wattenmeer (*also* das Watt *or* die Watte) *sandy or muddy beach which is covered by water at high tide, laid bare at low.*
[5]die Hallig *small, low, undiked island. Some* Halligen *are under water at high tide.*

hageren Schimmel; ein dunkler Mantel flatterte um ihre Schultern, und im Vorbeifliegen sahen mich zwei brennende Augen aus einem bleichen Antlitz an.

Wer war das? Was wollte der?—Und jetzt fiel mir bei,[6] ich hatte keinen Hufschlag, kein Keuchen des Pferdes vernommen; und Roß und   5
Reiter waren doch hart an mir vorbeigefahren!

In Gedanken darüber ritt ich weiter, aber ich hatte nicht lange Zeit zum Denken, schon fuhr es von rückwärts wieder an mir vorbei; mir war, als[7] streifte mich der fliegende Mantel, und die Erscheinung war, wie das erstemal, lautlos an mir vorüber gestoben. Dann sah ich sie fern   10
und ferner vor mir; dann war's, als säh' ich plötzlich ihren Schatten an der Binnenseite des Deiches hinuntergehen.

Etwas zögernd ritt ich hinterdrein. Als ich jene Stelle erreicht hatte, sah ich hart am Deich im Koge[8] unten das Wasser einer großen Wehle[9] blinken.   15

Das Wasser war, trotz des schützenden Deiches, auffallend unbewegt; der Reiter konnte es nicht getrübt haben; ich sah nichts weiter von ihm. Aber ein anderes sah ich, das ich mit Freuden jetzt begrüßte: vor mir, von unten aus dem Koge, schimmerten eine Menge zerstreuter Lichtscheine zu mir herauf; sie schienen aus jenen langgestreckten friesischen   20
Häusern zu kommen, die vereinzelt auf mehr oder minder hohen Werften[10] lagen; dicht vor mir aber auf halber Höhe des Binnendeiches lag ein großes Haus derselben Art; an der Südseite, rechts von der Haustür, sah ich alle Fenster erleuchtet; dahinter gewahrte ich Menschen und glaubte trotz des Sturmes sie zu hören. Mein Pferd war schon von selbst   25
auf den Weg am Deich hinabgeschritten, der mich vor die Tür des Hauses führte. Ich sah wohl, daß es ein Wirtshaus war.

Ich band mein Pferd an und überwies es dann dem Knechte, der mir beim Eintritt in den Flur entgegenkam. "Ist hier Versammlung?" fragte ich ihn, da mir jetzt deutlich ein Geräusch von Menschenstimmen und   30
Gläserklirren aus der Stubentür entgegendrang.

"Is wull so wat", entgegnete der Knecht auf Plattdeutsch—

---

[6]**beifallen** = **einfallen** occur to

[7]**mir war als** it seemed to me as if. **Als,** *followed immediately by a verb in the subjunctive, is equivalent to* **als ob.** *The construction is particularly frequent in this story.*

[8]**der Kog** polder, *a piece of land reclaimed from the sea by the building of dikes.*

[9]**die Wehle** polder water, *a pool of standing water behind a dike.*

[10]**die Werft(e)** *a mound or hillock thrown up in the* **Marsch** *as a building site secure from floods. Houses, even villages, are built on such* **Werften.**

"Diekgraf un Gevollmächtigten un wecke von de annern Interessenten!
Dat is um't hoge Water!"[11]

Als ich eintrat, sah ich etwa ein Dutzend Männer an einem Tische
sitzen, der unter den Fenstern entlang lief; eine Punschbowle stand
5   darauf, und ein besonders stattlicher Mann schien die Herrschaft über
sie zu führen.

Ich grüßte und bat, mich zu ihnen setzen zu dürfen, was bereitwillig
gestattet wurde. "Sie halten hier die Wacht!" sagte ich, mich zu jenem
Manne wendend; "es ist bös Wetter draußen; die Deiche werden ihre
10 Not haben!"[12]

"Gewiß", erwiderte er; "wir, hier an der Ostseite, aber glauben,
jetzt außer Gefahr zu sein; nur drüben an der anderen Seite ist's nicht
sicher; die Deiche sind dort meist noch mehr nach altem Muster; unser
Hauptdeich ist schon im vorigen Jahrhundert umgelegt![13]—Uns ist
15 vorhin da draußen kalt geworden, und Ihnen", setzte er hinzu, "wird es
ebenso gegangen sein;[14] aber wir müssen hier noch ein paar Stunden
aushalten; wir haben sichere Leute draußen, die uns Bericht erstatten."

Und ehe ich meine Bestellung bei dem Wirte machen konnte, war schon
ein dampfendes Glas mir hingeschoben.

20 Ich erfuhr bald, daß mein freundlicher Nachbar der Deichgraf sei;
wir waren ins Gespräch gekommen, und ich hatte begonnen, ihm meine
seltsame Begegnung auf dem Deiche zu erzählen. Er wurde aufmerksam,
und ich bemerkte plötzlich, daß alles Gespräch umher verstummt war.
"Der Schimmelreiter!" rief einer aus der Gesellschaft, und eine Bewegung
25 des Erschreckens ging durch die übrigen.

Der Deichgraf war aufgestanden. "Ihr braucht nicht zu erschrecken",
sprach er über den Tisch hin: "das ist nicht bloß für uns; Anno siebzehn[15]
hat's auch denen drüben gegolten; mögen sie auf alles vorgefaßt sein!"

---

[11]auf Plattdeutsch in Low German. Es ist wohl so etwas, der Deichgraf und
die Gevollmächtigten und welche von den anderen Interessenten! Das ist wegen
des hohen Wassers! Deichgraf: dike reeve, *a civil officer in charge of dikes;* Gevollmächtigter: committeeman, *member of a board of supervisors who exercise control over the
work of the dikereeve;* Interessenten: *landowners who derive benefit from the building and
maintenance of dikes.*

[12]werden ... haben will have a hard time of it

[13]umgelegt reconstructed in the last (*i.e., eighteenth*) century. *The reconstruction of
this dike will be a main theme of the story.* Die andere Seite *refers to a large island to the
west.*

[14]wird ... sein *Future perfect expresses past probability:* you have probably had the
same experience

[15]Anno siebzehn in 1817

Mich wollte nachträglich ein Grauen überlaufen:[16] "Verzeiht!" sprach ich, "was ist das mit dem Schimmelreiter?"

Abseits hinter dem Ofen, ein wenig gebückt, saß ein kleiner hagerer Mann in einem abgeschabten schwarzen Röcklein. Er hatte mit keinem Worte an der Unterhaltung der anderen teilgenommen, aber seine bei[17] dem spärlichen grauen Haupthaar noch immer mit dunklen Wimpern besäumten Augen zeigten deutlich, daß er nicht zum Schlaf hier sitze.

Gegen diesen streckte der Deichgraf seine Hand: "Unser Schulmeister", sagte er mit erhobener Stimme, "wird von uns hier Ihnen das am besten erzählen können; freilich nur in seiner Weise und nicht so richtig, wie zu Haus meine alte Wirtschafterin Antje Vollmers es beschaffen würde."

"Ihr scherzet, Deichgraf!" kam die etwas kränkliche Stimme des Schulmeisters hinter dem Ofen hervor, "daß Ihr mir Euern dummen Drachen wollt zur Seite stellen!"[18]

"Ja, ja, Schulmeister!" erwiderte der andere; "aber bei den Drachen sollen derlei Geschichten am besten in Verwahrung sein!"[19]

"Freilich!" sagte der kleine Herr; "wir sind hierin nicht ganz derselben Meinung"; und ein überlegenes Lächeln glitt über das feine Gesicht.

"Sie sehen wohl", raunte der Deichgraf mir ins Ohr, "er ist immer noch ein wenig hochmütig; er hat in seiner Jugend einmal Theologie studiert und ist nur einer verfehlten Brautschaft wegen hier in seiner Heimat als Schulmeister behangen geblieben."[20]

Dieser war inzwischen aus seiner Ofenecke hervorgekommen und hatte sich neben mich an den langen Tisch gesetzt. "Erzählt, erzählt nur, Schulmeister", riefen ein paar der Jüngeren aus der Gesellschaft.

"Nun freilich", sagte der Alte, sich zu mir wendend, "will ich gern zu Willen sein,[21] aber es ist viel Aberglaube dazwischen und eine Kunst, es ohne diesen zu erzählen."

"Ich muß Euch bitten, den nicht auszulassen", erwiderte ich:

---

[16]**mich . . . überlaufen** I almost felt a belated chill of horror
[17]**bei** despite
[18]**daß . . . stellen** by trying to compare your stupid old hag with me
[19]**bei . . . sein** such stories are said to be better preserved by the old hags than by anyone else
[20]**ist . . . geblieben** got hung up here as schoolmaster in his home town only because of an unhappy love affair
[21]**will . . . sein** I am willing

"traut mir nur zu, daß ich schon selbst die Spreu vom Weizen sondern werde!"[22]

Der Alte sah mich mit verständnisvollem Lächeln an:[23] "Nun also!" sagte er. "In der Mitte des vorigen Jahrhunderts, oder vielmehr, um
5   genauer zu bestimmen, vor und nach derselben, gab es hier einen Deichgrafen, der von Deich- und Sielsachen[24] mehr verstand, als Bauern und Hofbesitzer sonst zu verstehen pflegen;[25] aber es reichte doch wohl kaum, denn was die studierten Fachleute darüber niedergeschrieben, davon hatte er wenig gelesen; sein Wissen hatte er nur selber ausgesonnen.
10   Er hatte ein paar Fennen,[26] wo er Raps und Bohnen baute, auch eine Kuh graste, ging unterweilen im Herbst und Frühjahr auch aufs Landmessen[27] und saß im Winter, wenn der Nordwest von draußen kam und an seinen Läden rüttelte, in seiner Stube. Der Junge saß meist und sah über seine Fibel oder Bibel weg dem Vater zu, wie er maß und berech-
15   nete, und grub sich mit der Hand in seinen blonden Haaren. Und eines Abends fragte er den Alten, warum denn das, was er eben hingeschrieben hatte, gerade so sein müsse und nicht anders sein könne, und stellte dann eine eigene Meinung darüber auf. Aber der Vater, der darauf nicht zu antworten wußte, schüttelte den Kopf und sprach: 'Das kann ich dir
20   nicht sagen; genug, es ist so, und du selber irrst dich. Willst du mehr wissen, so suche[28] morgen aus der Kiste, die auf unserem Boden steht, ein Buch; einer, der Euklid hieß,[29] hat's geschrieben: das wird's dir sagen!'

Der Junge war tags darauf zum Boden gelaufen und hatte auch bald
25   das Buch gefunden; denn viele Bücher gab es überhaupt nicht im Hause; aber der Vater lachte, als er es vor ihm auf den Tisch legte. Es war ein holländischer Euklid, und Holländish, wenngleich es doch halb Deutsch

---

[22]**die ... werde** separate the chaff from the wheat

[23]*Note the attitude of these two men toward the element of superstition in the tale which is to follow.*

[24]**Deich- und Sielsachen** matters pertaining to dikes and sluices

[25]**zu ... pflegen** usually understand

[26]**die Fenne** *a piece of land in the* **Marsch** *bounded by ditches.*

[27]**ging ... Landmessen** went ... on surveying jobs

[28]**Willst ... suche** ... If you want to know more, (then) hunt ... *Inversion of word order, with the finite verb in initial position, is often used, instead of a clause beginning with* **wenn,** *to express a conditional idea. When this construction is used, the main clause, which forms the conclusion of the condition, is usually introduced by* **so** *(or* **dann**). *The* **so** *(or* **dann**) *may either be omitted in English or rendered by* then. *The construction occurs frequently.*

[29]**einer ... hieß** a man named Euclid (*Founder of the science of geometry. In German his name is stressed on the second syllable.*)

war, verstanden alle beide nicht. 'Ja, ja', sagte er, 'das Buch ist noch von meinem Vater, der verstand es; ist denn kein Deutscher da?'

Der Junge, der von wenig Worten war, sah den Vater ruhig an and sagte nur: 'Darf ich's behalten? Ein Deutscher ist nicht da.'

Und als der Alte nickte, wies er noch ein zweites, halbzerrissenes Büchlein vor, 'Auch das?' fragte er wieder.

'Nimm sie alle beide!' sagte Tede Haien; 'sie werden dir nicht viel nützen.'

Aber das zweite Buch war eine kleine holländische Grammatik, und da der Winter noch lange nicht vorüber war, so hatte es, als endlich die Stachelbeeren in ihrem Garten wieder blühten, dem Jungen schon so weit geholfen, daß er den Euklid, welcher damals stark im Schwange war, fast überall verstand.

Es ist mir nicht unbekannt, Herr," unterbrach sich der Erzähler, "daß dieser Umstand auch von Hans Mommsen erzählt wird; aber vor dessen Geburt ist hier bei uns schon die Sache von Hauke Haien—so hieß der Knabe—berichtet worden. Ihr wisset auch wohl, es braucht nur einmal ein Größerer zu kommen, so wird ihm alles aufgeladen, was in Ernst oder Schimpf seine Vorgänger einst mögen verübt haben.[30]

Als der Alte sah, daß der Junge weder für Kühe noch Schafe Sinn hatte und kaum gewahrte, wenn die Bohnen blühten, was doch die Freude von jedem Marschmann ist, und weiterhin bedachte, daß die kleine Stelle wohl mit einem Bauer und einem Jungen, aber nicht mit einem Halbgelehrten und einem Knecht bestehen könne, ingleichen, daß er auch selber nicht auf einen grünen Zweig gekommen sei,[31] so schickte er seinen großen Jungen an den Deich, wo er mit anderen Arbeitern von Ostern bis Martini[32] Erde karren mußte. 'Das wird ihn bald vom Euklid kurieren', sprach er bei sich selber.

Und der Junge karrte; aber den Euklid hatte er allzeit in der Tasche, und wenn die Arbeiter ihr Frühstück oder Vesper aßen, saß er auf seinem umgestülpten Schubkarren mit dem Buche in der Hand. Und wenn im Herbst die Fluten höher stiegen und manch ein Mal die Arbeit eingestellt werden mußte, dann ging er nicht mit den anderen nach Haus, sondern blieb, die Hände über die Knie gefaltet, an der abfallenden Seeseite des Deiches sitzen und sah stundenlang zu, wie die trüben

---

[30]**so ... haben** then all that his predecessors may sometime have done, either in earnest or in jest, is ascribed to him
[31]**nicht ... sei** had never prospered
[32]**Martini** Martinmas (November 11)

Nordseewellen immer höher an die Grasnarbe des Deiches hinaufschlugen; erst wenn ihm die Füße überspült waren und der Schaum ihm ins
Gesicht spritzte, rückte er ein paar Fuß höher und blieb dann wieder
sitzen. Er hörte weder das Klatschen des Wassers noch das Geschrei der
5 Möwen und Strandvögel, die um oder über ihm flogen und ihn fast mit
ihren Flügeln streiften, mit den schwarzen Augen in die seinen blitzend;
er sah auch nicht, wie vor ihm über die weite, wilde Wasserwüste sich
die Nacht ausbreitete; was er allein hier sah, war der brandende Saum
des Wassers, der, als die Flut stand,[33] mit hartem Schlage immer wieder
10 dieselbe Stelle traf und vor seinen Augen die Grasnarbe des steilen
Deiches auswusch.

Nach langem Hinstarren nickte er wohl langsam mit dem Kopfe
oder zeichnete, ohne aufzusehen, mit der Hand eine weiche Linie in die
Luft, als ob er dem Deiche damit einen sanfteren Abfall geben wollte.
15 Wurde[34] es so dunkel, daß alle Erdendinge vor seinen Augen verschwanden und nur die Flut ihm in die Ohren donnerte, dann stand er
auf und trabte halbdurchnäßt nach Hause.

Als er so eines Abends zu seinem Vater in die Stube trat, der an
seinen Meßgeräten putzte, fuhr dieser auf: 'Was treibst du draußen? Du
20 hättest ja versaufen können; die Wasser beißen heute in den Deich.'

Hauke sah ihn trotzig an.

'Hörst du mich nicht? Ich sag', du hättst versaufen können.'

'Ja', sagte Hauke; 'ich bin doch nicht versoffen!'

'Nein', erwiderte nach einer Weile der Alte und sah ihm wie ab-
25 wesend ins Gesicht—'diesmal noch nicht.'

'Aber', sagte Hauke wieder, 'unsere Deiche sind nichts wert!'

'Was für was,[35] Junge?'

'Die Deiche, sag' ich!'

'Was sind die Deiche?'

30 'Sie taugen nichts, Vater!' erwiderte Hauke.

Der Alte lachte ihm ins Gesicht. 'Was denn Junge? Du bist wohl
das Wunderkind aus Lübeck!'[36]

---

[33]*Between the rising and the falling tide there is a period when the water level appears to be
stationary.*
[34]*See note 28.*
[35]**Was** ... **was** What's that you're saying?
[36]*Christian Heinrich Heineken, the Wonder Child of Lübeck, died at the age of four years
in 1725. He is said to have spoken High German, Low German, French, and Latin fluently; to
have had considerable knowledge of mathematics, geography, and history; to have been able to sing
two hundred hymns from memory; and at an audience at the Danish court to have delivered twelve
original addresses.*

Aber der Junge ließ sich nicht irren.[37] 'Die Wasserseite ist zu steil', sagte er; 'wenn es einmal kommt, wie es mehr als einmal schon gekommen ist, so können wir hier auch hinterm Deich ersaufen!'

Der Alte holte seinen Kautabak aus der Tasche, drehte einen Schrot ab und schob ihn hinter die Zähne. 'Und wieviel Karren hast du heut geschoben?' fragte er ärgerlich; denn er sah wohl, daß auch die Deicharbeit bei dem Jungen die Denkarbeit nicht hatte vertreiben können.

'Weiß nicht, Vater', sagte dieser, 'so,[38] was die anderen machten; vielleicht ein halbes Dutzend mehr; aber—die Deiche müssen anders werden!'

'Nun', meinte der Alte und stieß ein Lachen aus; 'du kannst es ja vielleicht zum Deichgraf bringen;[39] dann mach sie anders!'

'Ja, Vater?' erwiderte der Junge.

Der Alte sah ihn an und schluckte ein paarmal; dann ging er aus der Tür; er wußte nicht, was er dem Jungen antworten sollte.

II

Auch als zu Ende Oktobers die Deicharbeit vorbei war, blieb der Gang nordwärts nach dem Haf hinaus für Hauke Haien die beste Unterhaltung; den Allerheiligentag, um den herum die Äquinoktialstürme zu tosen pflegen, von dem wir sagen, daß Friesland ihn wohl beklagen mag, erwartete er wie heut die Kinder das Christfest. Stand eine Springflut bevor,[40] so konnte man sicher sein, er lag trotz Sturm und Wetter weit draußen am Deiche mutterseelenallein; und wenn die Möwen gackerten, wenn die Wasser gegen den Deich tobten und beim Zurückrollen ganze Fetzen von der Grasdecke mit ins Meer hinabrissen, dann hätte man Haukes zorniges Lachen hören können. 'Ihr könnt nichts Rechtes', schrie er in den Lärm hinaus, 'so wie die Menschen auch nichts können!' Und endlich, oft im Finsteren, trabte er aus der weiten Öde den Deich entlang nach Hause, bis seine aufgeschossene Gestalt die niedrige Tür unter seines Vaters Rohrdach erreicht hatte und darunter durch in das kleine Zimmer schlüpfte.

Manchmal hatte er eine Faust voll Kleierde mitgebracht; dann setzte er sich neben den Alten, der ihn jetzt gewähren ließ, und knetete

---

[37]ließ . . . irren wouldn't give up
[38]so about
[39]du . . . bringen why, perhaps you'll get to be Dikereeve yourself some day
[40]Stand . . . bevor If a spring tide was expected. *When sun and moon are in opposition or conjunction, as at new moon and full, there is a greater tide than usual, which is called spring tide.*

bei dem Schein der dünnen Unschlittkerze allerlei Deichmodelle, legte
sie in ein flaches Gefäß mit Wasser und suchte darin die Ausspülung der
Wellen nachzumachen, oder er nahm seine Schiefertafel und zeichnete
darauf das Profil der Deiche nach der Seeseite, wie es nach seiner Meinung
5   sein mußte.

Mit denen zu verkehren, die mit ihm auf der Schulbank gesessen
hatten, fiel ihm nicht ein; auch schien es, als ob ihnen an dem Träumer
nichts gelegen sei.[41] Als es wieder Winter geworden und der Frost
hereingebrochen war, wanderte er noch weiter, wohin er früher nie
10 gekommen, auf den Deich hinaus, bis die unabsehbare eisbedeckte Fläche
der Watten[42] vor ihm lag.

Im Februar bei dauerndem Frostwetter wurden angetriebene Leichen
aufgefunden; draußen am offenen Haf auf den gefrorenen Watten hatten
sie gelegen. Ein junges Weib, die dabei gewesen war, als man sie in das
15 Dorf geholt hatte, stand redselig vor dem alten Haien: 'Glaubt nicht,
daß sie wie Menschen aussahen', rief sie; 'nein, wie die Seeteufel! So
große Köpfe', und sie hielt die ausgespreizten Hände von weitem gegeneinander, 'gnidderschwarz und blank, wie frischbacken Brot! Und die
Krabben hatten sie angeknabbert; und die Kinder schrien laut, als sie
20 sie sahen!'

Dem alten Haien war so was just nichts Neues: 'Sie haben wohl seit
November schon in See getrieben!' sagte er gleichmütig.

Hauke stand schweigend daneben, aber sobald er konnte, schlich
er sich auf den Deich hinaus; es war nicht zu sagen, wollte er noch nach
25 weiteren Toten suchen, oder zog ihn nur das Grauen, das noch auf den
jetzt verlassenen Stellen brüten mußte. Er lief weiter und weiter, bis er
einsam in der Öde stand, wo nur Winde über den Deich wehten, wo
nichts war als die klagenden Stimmen der großen Vögel, die rasch vor-
überschossen; zu seiner Linken die leere weite Marsch, zur anderen Seite
30 der unabsehbare Strand mit seiner jetzt vom Eise schimmernden Fläche
der Watten; es war, als liege die ganze Welt in weißem Tod.

Hauke blieb oben auf dem Deiche stehen, und seine scharfen Augen
schweiften weit umher; aber von Toten war nichts mehr zu sehen; nur
wo die unsichtbaren Wattströme sich darunter drängten, hob und senkte
35 die Eisfläche sich in stromartigen Linien.

Er lief nach Hause; aber an einem der nächsten Abende war er

---

[41]**als . . . sei** as if they had no interest in this dreamer, either
[42]**das Watt** (*or* **die Watte**) *See note 4.*

wiederum da draußen. Auf jenen Stellen war jetzt das Eis gespalten; wie
Rauchwolken stieg es aus den Rissen, und über das ganze Watt spann sich
ein Netz von Dampf und Nebel, das sich seltsam mit der Dämmerung des
Abends mischte. Hauke sah mit starren Augen darauf hin; denn in dem
Nebel schritten dunkle Gestalten auf und ab, sie schienen ihm so groß   5
wie Menschen. Würdevoll, aber mit seltsamen, erschreckenden Gebärden;
mit langen Nasen und Hälsen sah er sie fern an den rauchenden Spalten
auf und ab spazieren; plötzlich begannen sie wie Narren unheimlich auf
und ab zu springen, die großen über die kleinen und die kleinen gegen die
großen; dann breiteten sie sich aus und verloren alle Form.   10
    Was wollen die? Sind es die Geister der Ertrunkenen? dachte
Hauke. 'Hoiho!' schrie er laut in die Nacht hinaus; aber die draußen
kehrten sich nicht an seinen Schrei, sondern trieben ihr wunderliches
Wesen fort.
    Da kamen ihm die furchtbaren norwegischen Seegespenster in den   15
Sinn, von denen ein alter Kapitän ihm einst erzählt hatte, die statt des
Angesichts einen stumpfen Pull von Seegras auf dem Nacken tragen;
aber er lief nicht fort, sondern bohrte die Hacken seiner Stiefel fest in den
Klei des Deiches und sah starr dem possenhaften Unwesen zu, das in der
einfallenden Dämmerung vor seinen Augen fortspielte. 'Seid ihr auch   20
hier bei uns?' sprach er mit harter Stimme; 'ihr sollt mich nicht vertreiben!'
    Erst als die Finsternis alles bedeckte, schritt er steifen, langsamen
Schrittes heimwärts. Aber hinter ihm drein kam es wie Flügelrauschen
und hallendes Geschrei. Er sah nicht um; aber er ging auch nicht schneller   25
und kam erst spät nach Hause; doch niemals soll er seinem Vater oder
einem anderen davon erzählt haben. Erst viele Jahre später hat er sein
blödes Mädchen, womit später der Herrgott ihn belastete, um dieselbe
Tages- und Jahreszeit mit sich auf den Deich hinaus genommen, und
dasselbe Wesen soll sich derzeit draußen auf den Watten gezeigt haben;   30
aber er hat ihr gesagt, sie solle sich nicht fürchten, das seien nur die
Fischreiher und die Krähen, die im Nebel so groß und fürchterlich erschienen; die holten sich die Fische aus den offenen Spalten.
    Weiß Gott, Herr!" unterbrach sich der Schulmeister; "es gibt auf
Erden allerlei Dinge, die ein ehrlich Christenherz verwirren können;   35
aber der Hauke war weder ein Narr noch ein Dummkopf."
    Da ich nichts erwiderte, wollte er fortfahren; aber unter den übrigen
Gästen, die bisher lautlos zugehört hatten, nur mit dichterem Tabaksqualm das niedrige Zimmer füllend, entstand eine plötzliche Bewegung;

erst einzelne, dann fast alle wandten sich dem Fenster zu. Draußen—man
sah es durch die unverhangenen Fenster—trieb der Sturm die Wolken,
und Licht und Dunkel jagten durcheinander;[43] aber auch mir war es,[44]
als hätte ich den hageren Reiter auf seinem Schimmel vorbeisausen
5   gesehen.

"Wart Er[45] ein wenig, Schulmeister!" sagte der Deichgraf leise.

"Ihr braucht Euch nicht zu fürchten, Deichgraf!" erwiderte der
kleine Erzähler, "ich habe ihn nicht geschmäht, und hab' auch keine
Ursach'"; und er sah mit seinen kleinen, klugen Augen zu ihm auf.

10 "Ja, ja", meinte der andere; "laß Er Sein Glas nur wieder füllen."
Und nachdem das geschehen war und die Zuhörer, meist mit etwas
verdutzten Gesichtern, sich wieder zu ihm gewandt hatten, fuhr er in
seiner Geschichte fort: "So für sich, und am liebsten nur mit Wind und
Wasser und mit den Bildern der Einsamkeit verkehrend,[46] wuchs Hauke
15 zu einem langen, hageren Burschen auf. Er war schon über ein Jahr lang
eingesegnet;[47] da wurde es auf einmal anders mit ihm, und das kam von
dem alten weißen Angorakater, welchen der alten Trin Jans einst ihr
später verunglückter Sohn von seiner spanischen Seereise mitgebracht
hatte. Trin wohnte ein gut Stück hinaus auf dem Deiche in einer kleinen
20 Kate, und wenn die Alte in ihrem Hause herumarbeitete, so pflegte diese
Unform von einem Kater vor der Haustür zu sitzen und in den Som-
mertag und nach den vorüberfliegenden Kiebitzen hinauszublinzeln.
Ging Hauke vorbei, so mauzte der Kater ihn an,[48] und Hauke nickte
ihm zu; die beiden wußten, was sie miteinander hatten.[49]
25 Nun aber war's einmal im Frühjahr, und Hauke lag nach seiner
Gewohnheit oft draußen am Deich, schon weiter unten dem Wasser zu,
zwischen Strandnelken[50] und dem duftenden Seewermut, und ließ sich
von der schon kräftigen Sonne bescheinen. Er hatte sich tags zuvor
droben auf der Geest[51] die Taschen voll von Kieseln gesammelt, und als
30 in der Ebbezeit die Watten bloßgelegt waren und die kleinen grauen

[43]Licht . . . durcheinander light and shadow scudded past in confusion
[44]mir war es it seemed to me
[45]wart Er *polite address* = warten Sie
[46]So . . . verkehrend Thus by himself, preferring to consort only with wind and
water and with the images of solitude
[47]eingesegnet confirmed. *Confirmation usually takes place at about age fourteen or
fifteen.*
[48]Ging . . . an See note 28.
[49]was . . . hatten had an understanding with each other
[50]Strandnelken beach pinks; Seewermut sea vermouth
[51]Geest (Dial.) *the higher ground rising well back from the sea, above the low, flat* **Marsch**
and forming a ridge parallel to the shore.

Strandläufer schreiend darüberhin huschten, holte er jählings einen
Stein hervor und warf ihn nach den Vögeln. Er hatte das von Kindesbeinen an geübt, und meistens blieb einer auf dem Schlicke[52] liegen;
aber ebenso oft war er dort auch nicht zu holen; Hauke hatte schon daran
gedacht, den Kater mitzunehmen und als apportierenden Jagdhund zu   5
dressieren. Aber es gab auch hier und dort feste Stellen oder Sandlager;
solchenfalls lief er hinaus und holte sich seine Beute selbst. Saß der Kater
bei seiner Rückkehr noch vor der Haustür, dann schrie das Tier[53] vor
nicht zu bergender Raubgier[54] so lange, bis Hauke ihm einen der erbeu-
teten Vögel zuwarf.   10

Als er heute, seine Jacke auf der Schulter, heimging, trug er nur
einen ihm noch unbekannten, aber wie mit bunter Seide und Metall
gefiederten Vogel mit nach Hause, und der Kater mauzte wie gewöhnlich, als er ihn kommen sah. Aber Hauke wollte seine Beute—es mag ein
Eisvogel gewesen sein—diesmal nicht hergeben und kehrte sich nicht an 15
die Gier des Tieres. 'Umschicht!' rief er ihm zu, 'heute mir, morgen dir;
das hier ist kein Katerfressen!' Aber der Kater kam vorsichtigen Schrittes
herangeschlichen; Hauke stand und sah ihn an, der Vogel hing an seiner
Hand, und der Kater blieb mit erhobener Tatze stehen. Doch der Bursche
schien seinen Katzenfreund noch nicht so ganz zu kennen; denn während 20
er ihm seinen Rücken zugewandt hatte und eben fürbaß wollte,[55] fühlte
er mit einem Ruck die Jagdbeute sich entrissen, und zugleich schlug eine
scharfe Kralle ihm ins Fleisch. Ein Grimm, wie gleichfalls eines Raub-
tieres, flog dem jungen Menschen ins Blut; er griff wie rasend um sich[56]
und hatte den Räuber schon am Genick gepackt. Mit der Faust hielt er 25
das mächtige Tier empor und würgte es, daß die Augen ihm aus den
rauhen Haaren vorquollen, nicht achtend, daß die starken Hintertatzen
ihm den Arm zerfleischten. 'Hoiho!' schrie er und packte ihn noch
fester; 'wollen sehen, wer's von uns beiden am längsten aushält!'

Plötzlich fielen die Hinterbeine der großen Katze schlaff herunter, 30
und Hauke ging ein paar Schritte zurück und warf sie gegen die Kate
der Alten. Da sie sich nicht rührte, wandte er sich und setzte seinen Weg
nach Hause fort.

Aber der Angorakater war das Kleinod seiner Herrin; er war ihr

---

[52]**Schlick** (Dial.) *the muddy bottom of the sea laid bare at ebb tide.*
[53]**Saß ... Tier** *See note 28.*
[54]**vor ... Raubgier** with a greed for prey that could not be concealed
[55]**eben ... wollte** was just about to go on
[56]**flog ... sich** surged through the young man's veins; he whirled around like
mad with a grasping motion

Geselle und das einzige, was ihr Sohn, der Matrose, ihr nachgelassen hatte, nachdem er hier an der Küste seinen jähen Tod gefunden hatte, da er im Sturm seiner Mutter beim Porrenfangen hatte helfen wollen. Hauke mochte kaum hundert Schritte weiter getan haben, während er mit einem Tuch das Blut aus seinen Wunden auffing, als schon von der Kate her ihm ein Geheul und Zetern in die Ohren gellte. Da wandte er sich und sah davor das alte Weib am Boden liegen; das greise Haar flog ihr im Winde um das rote Kopftuch: 'Tot!' rief sie, 'tot!' und erhob dräuend ihren mageren Arm gegen ihn: 'Du sollst verflucht sein! Du hast ihn totgeschlagen, du nichtsnutziger Strandläufer; du warst nicht wert, ihm seinen Schwanz zu bürsten!' Sie warf sich über das Tier und wischte zärtlich mit ihrer Schürze ihm das Blut fort, das noch aus Nase und Schnauze rann; dann hob sie aufs neue an zu zetern.

'Bist du bald fertig?' rief Hauke ihr zu, 'dann laß dir sagen: ich will dir einen Kater schaffen, der mit Maus- und Rattenblut zufrieden ist!'

Darauf ging er, scheinbar auf nichts mehr achtend, fürbaß. Aber die tote Katze mußte ihm doch im Kopfe Wirrsal machen, denn er ging, als er zu den Häusern gekommen war, an dem seines Vaters und auch an den übrigen vorbei und eine weite Strecke noch nach Süden auf dem Deich der Stadt zu.

Inmittelst wanderte auch Trin Jans auf demselben in der gleichen Richtung; sie trug in einem alten blaukarierten Kissenüberzug eine Last in ihren Armen, die sie sorgsam, als wär's ein Kind, umklammerte; ihr greises Haar flatterte in dem leichten Frühlingswind. 'Was schleppt Sie da, Trina?' fragte ein Bauer, der ihr entgegen kam. 'Mehr als dein Haus und Hof', erwiderte die Alte; dann ging sie eifrig weiter. Als sie dem unten liegenden Hause des alten Haien nahe kam, ging sie den Akt, wie man bei uns die Trift- und Fußwege nennt, die schräg an der Seite des Deiches hinab- oder hinaufführen, zu den Häusern hinunter.

Der alte Tede Haien stand eben vor der Tür und sah ins Wetter: 'Na, Trin!' sagte er, als sie pustend vor ihm stand und ihren Krückstock in die Erde bohrte, 'was bringt Sie Neues in Ihrem Sack?'

'Erst laß mich in die Stube, Tede Haien! dann soll Er's sehen!' und ihre Augen sahen ihn mit seltsamem Funkeln an.

'So komm Sie!' sagte der Alte. Was gingen ihn die Augen des dummen Weibes an.[57]

Und als beide eingetreten waren, fuhr sie fort: 'Bring Er den alten

---

[57]**Was ... an** What did he care about ...

Tabakskasten und das Schreibzeug von dem Tisch—Was hat Er denn immer zu schreiben?—So; und nun wisch Er ihn sauber ab!'

Und der Alte, der fast neugierig wurde, tat alles, was sie sagte; dann nahm sie den blauen Überzug bei beiden Zipfeln und schüttete daraus den großen Katerleichnam auf den Tisch. 'Da hat Er ihn!' rief sie; 5 'Sein Hauke hat ihn totgeschlagen.' Hierauf aber begann sie ein bitterliches Weinen; sie streichelte das dicke Fell des toten Tieres, legte ihm die Tatzen zusammen, neigte ihre lange Nase über dessen Kopf und raunte ihm unverständliche Zärtlichkeiten in die Ohren.

Tede Haien sah dem zu. 'So', sagte er; 'Hauke hat ihn totgeschlagen?' 10 Er wußte nicht, was er mit dem heulenden Weibe machen sollte.

Die Alte nickte ihn grimmig an: 'Ja, ja; so Gott,[58] das hat er getan!' und sie wischte sich mit ihrer von Gicht verkrümmten Hand das Wasser aus den Augen. 'Kein Kind, kein Lebigs[59] mehr!' klagte sie. 'Und Er weiß es ja auch wohl, uns Alten, wenn's nach Allerheiligen kommt, 15 frieren abends im Bett die Beine, und statt zu schlafen, hören wir den Nordwest an unseren Fensterläden rappeln. Ich hör's nicht gern, Tede Haien, er kommt daher, wo mein Junge mir im Schlick versank.'

Tede Haien nickte, und die Alte streichelte das Fell ihres toten Katers: 'Der aber', begann sie wieder, 'wenn ich winters am Spinnrad 20 saß, dann saß er bei mir und spann auch und sah mich an mit seinen grünen Augen! Und kroch ich, wenn's mir kalt wurde, in mein Bett—es dauerte nicht lang, so sprang er zu mir und legte sich auf meine frierenden Beine, und wir schliefen so warm mitsammen, als hätte ich noch meinen jungen Schatz im Bett!' Die Alte, als suche sie bei dieser Erinnerung nach 25 Zustimmung, sah den neben ihr am Tische stehenden Alten mit ihren funkelnden Augen an.

Tede Haien aber sagte bedächtig: 'Ich weiß Ihr einen Rat,[60] Trin Jans', und er ging nach seiner Schatulle und nahm eine Silbermünze aus der Schublade—'Sie sagt, daß Hauke Ihr das Tier vom Leben gebracht 30 hat,[61] und ich weiß, Sie lügt nicht; aber hier ist ein Krontaler von Christian dem Vierten; damit kauf Sie sich ein gegerbtes Lammfell für Ihre kalten Beine! Und wenn unsere Katze nächstens Junge wirft,[62] so mag Sie sich das größte davon aussuchen; das zusammen tut wohl einen

---

[58]**so Gott** as God is my witness
[59]**Lebigs = Lebendiges**
[60]**Ich . . . Rat** I know what I can do for you
[61]**vom . . . hat** put to death
[62]**Junge wirft** has kittens

altersschwachen Angorakater! Und nun nehm Sie das Vieh und bring
Sie es meinethalb an den Racker in der Stadt, und halt Sie das Maul,
daß es hier auf meinem ehrlichen Tisch gelegen hat!'

Während dieser Rede hatte das Weib schon nach dem Taler gegriffen
5 und ihn in einer kleinen Tasche geborgen, die sie unter ihren Röcken
trug; dann stopfte sie den Kater wieder in das Bettbühr, wischte mit ihrer
Schürze die Blutflecken von dem Tisch und stakte zur Tür hinaus.
'Vergeß Er mir nur den jungen Kater nicht!' rief sie noch zurück.

Eine Weile später, als der alte Haien in dem engen Stüblein auf und
10 ab schritt, trat Hauke herein und warf seinen bunten Vogel auf den
Tisch; als er aber auf der weiß gescheuerten Platte den noch kennbaren
Blutfleck sah, fragte er, wie beiläufig: 'Was ist denn das?'

Der Vater blieb stehen: 'Das ist Blut, was du hast fließen machen!'

Dem Jungen schoß es doch heiß ins Gesicht:[63] 'Ist denn Trin Jans
15 mit ihrem Kater hier gewesen?'

Der Alte nickte: 'Weshalb hast du ihr den totgeschlagen?'

Hauke entblößte seinen blutigen Arm. 'Deshalb', sagte er; 'er hatte
mir den Vogel fortgerissen!'

Der Alte sagte nichts hierauf; er begann eine Zeitlang wieder auf
20 und ab zu gehen; dann blieb er vor dem Jungen stehen und sah eine
Weile wie abwesend auf ihn hin. 'Das mit dem Kater hab' ich rein
gemacht', sagte er dann; 'aber, siehst du, Hauke, die Kate ist hier zu
klein; zwei Herren können darauf nicht sitzen—es ist nun Zeit, du mußt
dir einen Dienst besorgen!'[64]

25 'Ja, Vater', entgegnete Hauke; 'hab' dergleichen auch gedacht.'

'Warum?' fragte der Alte.

'Ja, man wird grimmig in sich, wenn man's nicht an einem ordentlichen Stück Arbeit auslassen kann.'

'So?' sagte der Alte, 'und darum hast du den Angorer totgeschlagen?
30 Das könnte leicht noch schlimmer werden!'

'Er mag wohl recht haben, Vater; aber der Deichgraf hat seinen
Kleinknecht fortgejagt; das könnt ich schon verrichten!'

Der Alte begann wieder auf und ab zu gehen und spritzte dabei die
schwarze Tabaksjauche von sich; 'Der Deichgraf ist ein Dummkopf,
35 dumm wie 'ne Saatgans! Er ist nur Deichgraf, weil sein Vater und
Großvater es gewesen sind, und wegen seiner neunundzwanzig Fennen.

---

[63]**Dem ... Gesicht** The boy flushed in spite of himself
[64]**du ... besorgen** you must get yourself a job

Wenn Martini herankommt und hernach die Deich- und Sielrechnungen[65] abgetan werden müssen, dann füttert er den Schulmeister mit Gansbraten und Met und Weizenkringeln und sitzt dabei und nickt, wenn der mit seiner Feder die Zahlenreihen hinunterläuft und sagt: Ja, Ja, Schulmeister, Gott vergönn's Ihm! Was kann Er rechnen?[66] Wenn aber einmal der Schulmeister nicht kann oder auch nicht will, dann muß er selber dran und sitzt und schreibt und streicht wieder aus, und der große dumme Kopf wird ihm rot und heiß, und die Augen quellen wie Glaskugeln, als wollte das bißchen Verstand da hinaus.'

Der Junge stand gerade auf vor dem Vater und wunderte sich, was der reden könne: so hatte er's noch nicht von ihm gehört. 'Ja, Gott tröst!' sagte er, 'dumm ist er wohl; aber seine Tochter Elke, die kann rechnen!'

Der Alte sah ihn scharf an. 'Ahoi, Hauke', rief er; 'was weißt du von Elke Volkerts?'

'Nichts, Vater; der Schulmeister hat's mir nur erzählt.'

Der Alte antwortete nicht darauf; er schob nur bedächtig seinen Tabaksknoten aus einer Backe hinter die andere.

'Und du denkst', sagte er dann, 'du wirst dort auch mitrechnen können?'

'O ja, Vater, das möcht' schon gehen', erwiderte der Sohn, und ein ernstes Zucken lief um seinen Mund.

Der Alte schüttelte den Kopf. 'Nein, aber meinethalb; versuch einmal dein Glück!'

'Dank auch, Vater!' sagte Hauke und stieg zu seiner Schlafstatt auf dem Boden; hier setzte er sich auf die Bettkante und sann, weshalb ihn denn sein Vater um Elke Volkerts angerufen habe. Er kannte sie freilich, das ranke achtzehnjährige Mädchen mit dem bräunlichen schmalen Antlitz und den dunklen Brauen, die über den trotzigen Augen und der schmalen Nase ineinanderliefen; doch hatte er noch kaum ein Wort mit ihr gesprochen; nun, wenn er zu dem alten Tede Volkerts ging, wollte er sie doch besser darauf ansehen; was es mit dem Mädchen auf sich habe.[67] Und gleich jetzt wollte er gehen, damit kein anderer ihm die Stelle abjage; es war ja kaum noch Abend. Und so zog er seine Sonntagsjacke und seine besten Stiefel an und machte sich guten Mutes auf den Weg.

Das langgestreckte Haus des Deichgrafen war durch seine hohe

---

[65]**Deich- und Sielrechnungen** accounts in the administration of dikes and sluices
[66]**Gott . . . rechnen** God bless you! How you can figure!
[67]**besser . . . habe** take a better look at the girl to see what it was all about

Werfte, besonders durch den höchsten Baum des Dorfes, eine gewaltige
Esche, schon von weitem sichtbar; der Großvater des jetzigen, der
erste Deichgraf des Geschlechtes, hatte in seiner Jugend eine solche
osten der Haustür hier gesetzt; aber die beiden ersten Anpflanzungen
5 waren vergangen, und so hatte er an seinem Hochzeitsmorgen diesen
dritten Baum gepflanzt, welcher noch jetzt mit seiner immer mächtiger
werdenden Blätterkrone in dem hier unablässigen Winde wie von alten
Zeiten[68] rauschte.

Als nach einer Weile der lang aufgeschossene Hauke die hohe
10 Werfte hinaufstieg, welche an den Seiten mit Rüben und Kohl bepflanzt
war, sah er droben die Tochter des Hauswirts neben der niedrigen
Haustür stehen. Ihr einer etwas hagerer Arm hing schlaff herab, die
andere Hand schien im Rücken nach dem Eisenring zu greifen, von denen
je einer zu beiden Seiten der Tür in der Mauer war, damit, wer vor das
15 Haus ritt, sein Pferd daran befestigen könne. Die Dirne schien von dort
ihre Augen über den Deich hinaus nach dem Meer zu haben,[69] wo an
dem stillen Abend die Sonne eben in das Wasser hinabsank und zugleich
das bräunliche Mädchen mit ihrem letzten Schein vergoldete.

Hauke stieg etwas langsamer an der Werfte hinan und dachte bei
20 sich: So ist sie nicht so dösig![70] dann war er oben. 'Guten Abend auch!'
sagte er, zu ihr tretend; 'wonach guckst du denn mit deinen großen
Augen, Jungfer Elke?'

'Nach dem', erwiderte sie, 'was hier alle Abend vor sich geht, aber
nicht alle Abend just zu sehen ist.' Sie ließ den Ring aus der Hand fallen,
25 daß er klingend gegen die Mauer schlug. 'Was willst du, Hauke Haien?'
fragte sie.

'Was dir hoffentlich nicht zuwider ist', sagte er. 'Dein Vater hat
seinen Kleinknecht fortgejagt, da dachte ich bei euch in Dienst.'

Sie ließ ihre Blicke an ihm herunterlaufen: 'Du bist noch so was
30 schlanterig, Hauke!' sagte sie; 'aber uns dienen zwei feste Augen besser
als zwei feste Arme!' Sie sah ihn dabei fast düster an, aber Hauke hielt
ihr tapfer stand.[71] 'So komm', fuhr sie fort; 'der Wirt ist in der Stube,
laß uns hineingehen!'

III

Am anderen Tage trat Tede Haien mit seinem Sohne in das geräu-

---

[68]**wie ... Zeiten** as if telling tales of olden times
[69]**schien ... haben** seemed to be looking ...
[70]**So ... dösig** Standing there like that she isn't so bad!
[71]**hielt ... stand** did not flinch

mige Zimmer des Deichgrafen; die Wände waren mit glasierten Kacheln
bekleidet, auf denen hier ein Schiff mit vollen Segeln oder ein Angler an
einem Uferplatz, dort ein Rind das kauend vor einem Bauernhause lag,
den Beschauer vergnügen konnte; unterbrochen war diese dauerhafte
Tapete durch ein mächtiges Wandbett mit jetzt zugeschobenen Türen 5
und einen Wandschrank, der durch seine beiden Glastüren allerlei Porzel-
lan- und Silbergeschirr erblicken ließ; neben der Tür zum anstoßenden
Pesel[72] war hinter einer Glasscheibe eine holländische Schlaguhr in die
Wand gelassen.

Der starke, etwas schlagflüssige Hauswirt saß am Ende des blank 10
gescheuerten Tisches im Lehnstuhl auf seinem bunten Wollenpolster.
Er hatte seine Hände über dem Bauch gefaltet und starrte aus seinen
runden Augen befriedigt auf das Gerippe einer fetten Ente; Gabel und
Messer ruhten vor ihm auf dem Teller.

'Guten Tag, Deichgraf!' sagte Haien, und der Angeredete drehte 15
langsam Kopf und Augen zu ihm hin.

'Ihr seid es, Tede?' entgegnete er, und der Stimme war die verzehrte
fette Ente anzuhören,[73] 'setzt Euch; es ist ein gut Stück von Euch zu mir
herüber!'

'Ich komme, Deichgraf', sagte Tede Haien, indem er sich auf die an 20
der Wand entlang laufende Bank dem anderen im Winkel gegenübersetzte.
'Ihr habt Verdruß mit Euerem Kleinknecht gehabt und seid mit meinem
Jungen einig geworden, ihn an dessen Stelle zu setzen!'

Der Deichgraf nickte: 'Ja, ja, Tede; aber—was meint Ihr mit Verdruß? Wir Marschleute haben, Gott tröst uns, was dagegen einzuneh- 25
men!'[74] und er nahm das vor ihm liegende Messer und klopfte wie liebkosend auf das Gerippe der armen Ente. 'Das war mein Leibvogel',
setzte er behaglich lachend hinzu; 'sie fraß mir aus der Hand!'

'Ich dachte', sagte der alte Haien, das letzte überhörend, 'der Bengel
hätte Euch Unheil im Stall gemacht.' 30

'Unheil? Ja, Tede; freilich Unheil genug! Der dicke Mopsbraten[75]
hatte die Kälber nicht gebörnt;[76] aber er lag vollgetrunken auf dem
Heuboden, und das Viehzeug schrie die ganze Nacht vor Durst, daß ich

---

[72]**Pesel** (Dial.) *a chamber, usually adjacent to the living room, reserved for special social occasions.*

[73]**der . . . anzuhören** his voice sounded like that of a man who had just eaten a fat duck

[74]**was . . . einzunehmen** a remedy for that

[75]**dicke Mopsbraten** little fatty

[76]**gebörnt** (Dial.) watered

bis Mittag nachschlafen mußte; dabei kann die Wirtschaft nicht bestehen!'

'Nein, Deichgraf; aber dafür ist keine Gefahr bei meinem Jungen.'

Hauke stand, die Hände in den Seitentaschen, am Türpfosten, hatte
den Kopf im Nacken und studierte an den Fensterrähmen ihm gegenüber.
Der Deichgraf hatte die Augen zu ihm gehoben und nickte hinüber:
'Nein, nein, Tede'; und er nickte nun auch dem Alten zu; 'Euer Hauke
wird mir die Nachtruh' nicht verstören; der Schulmeister hat's mir
schon vordem gesagt, der sitzt lieber vor der Rechentafel als vor einem
Glas mit Branntwein.'

Hauke hörte nicht auf diesen Zuspruch, denn Elke war in die
Stube getreten und nahm mit ihrer leichten Hand die Reste der Speisen
von dem Tisch, ihn mit ihren dunklen Augen flüchtig streifend. Da
fielen seine Blicke auch auf sie. 'Bei Gott und Jesus', sprach er bei sich
selber, 'sie sieht auch so nicht dösig aus!'[77]

Das Mädchen war hinausgegangen. 'Ihr wisset, Tede', begann der
Deichgraf wieder, 'unser Herrgott hat mir einen Sohn versagt!'

'Ja, Deichgraf; aber laßt Euch das nicht kränken', entgegnete der
andere, 'denn im dritten Gliede soll der Familienverstand ja verschleißen;
Euer Großvater, das wissen wir noch alle, war einer, der das Land geschützt hat!'

Der Deichgraf, nach einigem Besinnen, sah schier verdutzt aus:
'Wie meint Ihr das, Tede Haien?' sagte er und setzte sich in seinem
Lehnstuhl auf; 'ich bin ja doch im dritten Gliede!'

'Ja so! Nicht für ungut, Deichgraf; es geht nur so die Rede!'[78] Und
der hagere Tede Haien sah den alten Würdenträger mit etwas boshaften
Augen an.

Der aber sprach unbekümmert: 'Ihr müßt Euch von alten Weibern
dergleichen Torheit nicht aufschwatzen lassen,[79] Tede Haien; Ihr kennt
nur meine Tochter nicht, die rechnet mich selber dreimal um und um![80]
Ich wollt' nur sagen, Euer Hauke wird außer im Felde auch hier in
meiner Stube mit Feder oder Rechenstift so manches profitieren können,
was ihm nicht schaden wird!'

'Ja, ja, Deichgraf, das wird er; da habt Ihr völlig recht!' sagte der
alte Haien und begann dann noch einige Vergünstigungen bei dem

---

[77]**sie ... aus** she doesn't look bad here, either
[78]**nicht ... Rede** no offense meant; it's just a saying
[79]**Ihr ... lassen** You mustn't listen to such foolish old wives' tales
[80]**dreimal ... um** three times over

Mietkontrakt sich auszubedingen, die abends vorher von seinem Sohne
nicht bedacht waren. So sollte dieser außer seinen leinenen Hemden im
Herbst auch noch acht Paar wollene Strümpfe als Zugabe seines Lohnes
genießen; so wollte er selbst ihn im Frühling acht Tage bei der eigenen
Arbeit haben, und was dergleichen mehr war.[81] Aber der Deichgraf war   5
zu allem willig; Hauke Haien schien ihm eben der rechte Kleinknecht.

'Nun, Gott tröst dich, Junge', sagte der Alte, da sie eben das Haus
verlassen hatten, 'wenn der dir die Welt klarmachen soll!'

Aber Hauke erwiderte ruhig: 'Laß Er nur, Vater; es wird schon
alles werden.'[82]   10

IV

Und Hauke hatte so unrecht nicht gehabt; die Welt, oder was ihm
die Welt bedeutete, wurde ihm klarer, je länger sein Aufenthalt in diesem
Hause dauerte; vielleicht um so mehr, je weniger ihm eine überlegene
Einsicht zu Hilfe kam, und je mehr er auf seine eigene Kraft angewiesen
war, mit der er sich von jeher beholfen hatte. Einer freilich war im   15
Hause, für den er nicht der Rechte zu sein schien; das war der Großknecht
Ole Peters, ein tüchtiger Arbeiter und ein maulfertiger Geselle. Ihm war
der träge, aber dumme und stämmige Kleinknecht von vorhin besser nach
seinem Sinn gewesen, dem er ruhig die Tonne Hafer auf den Rücken
hatte laden, und den er nach Herzenslust hatte herumstoßen können.   20
Dem noch stilleren, aber ihn geistig überragenden Hauke vermochte er
in solcher Weise nicht beizukommen; er hatte eine gar zu eigene Art,
ihn anzublicken. Trotzdem verstand er es, Arbeiten für ihn auszusuchen,
die seinem noch nicht gefesteten Körper hätten gefährlich werden
können, und Hauke, wenn der Großknecht sagte: 'Da hättest du den   25
dicken Niß nur sehen sollen, dem ging es von der Hand!'[83] faßte nach
Kräften an und brachte es, wenn auch mit Mühsal, doch zu Ende. Ein
Glück war es für ihn, daß Elke selbst oder durch ihren Vater das meistens
abzustellen wußte.

Man mag wohl fragen, was mitunter ganz fremde Menschen anein-   30
ander bindet; vielleicht—sie waren beiden geborene Rechner, und das
Mädchen konnte ihren Kameraden in der groben Arbeit nicht verderben
sehen.

Der Zwiespalt zwischen Groß- und Kleinknecht wurde auch im

---

[81]**was ... war** other similar things
[82]**es ... werden** everything will be all right
[83]**dem ... Hand** he did it handily

Winter nicht besser, als nach Martini die verschiedenen Deichrech-
nungen zur Revision eingelaufen waren.

Es war an einem Maiabend, aber es war Novemberwetter; von
drinnen im Hause hörte man draußen hinterm Deich die Brandung
5 donnern. 'He, Hauke', sagte der Hausherr, 'komm herein; nun magst du
weisen, ob du rechnen kannst!'

'Uns' Weert',[84] entgegnete dieser—denn so nennen hier die Leute
ihre Herrschaft—; 'ich soll aber erst das Jungvieh füttern!'

'Elke!' rief der Deichgraf; 'wo bist du, Elke!—Geh zu Ole und sag
10 ihm, er sollte das Jungvieh füttern; Hauke soll rechnen!'

Und Elke eilte in den Stall und machte dem Großknecht die Bestellung, der eben damit beschäftigt war, das über Tag gebrauchte Pferdegeschirr wieder an seinen Platz zu hängen.

Ole Peters schlug mit einer Trense gegen den Ständer, neben dem
15 er sich beschäftigte, als wolle er sie kurz und klein haben:[85] 'Hol der
Teufel den verfluchten Schreiberknecht!'

Sie hörte die Worte noch, bevor sie die Stalltür wieder geschlossen
hatte.

'Nun?' fragte der Alte, als sie in die Stube trat.

20 'Ole wollte es schon besorgen', sagte die Tochter, ein wenig sich
die Lippen beißend, und setzte sich Hauke gegenüber auf einen grobge-
schnitzten Holzstuhl, wie sie noch derzeit hier an Winterabenden im Hause
selbst gemacht wurden. Sie hatte aus einem Schubkasten einen weißen
Strumpf mit rotem Vogelmuster genommen, an dem sie nun weiter-
25 strickte; die langbeinigen Kreaturen darauf mochten Reiher oder Störche
bedeuten sollen. Hauke saß ihr gegenüber in seiner Rechnerei vertieft,
der Deichgraf selbst ruhte in seinem Lehnstuhl und blinzelte schläfrig
nach Haukes Feder; auf dem Tisch brannten, wie immer im Deich-
grafenhause, zwei Unschlittkerzen, und vor den beiden in Blei gefaßten
30 Fenstern waren von außen die Läden vorgeschlagen und von innen
zugeschroben; mochte der Wind nun poltern, wie er wollte. Mitunter
hob Hauke seinen Kopf von der Arbeit und blickte einen Augenblick
nach den Vogelstrümpfen oder nach dem schmalen ruhigen Gesicht des
Mädchens.

35 Da tat es aus dem Lehnstuhl plötzlich einen lauten Schnarcher,[86] und

---

[84]**uns' Weert** (Dial.) *a title of address from employee to employer.*
[85]**als ... haben** as if he wanted to break it to bits
[86]**tat ... Schnarcher** there came a loud snore

ein Blick und ein Lächeln flog zwischen den beiden jungen Menschen hin und wieder; dann folgte allmählich ein ruhigeres Atmen; man konnte wohl ein wenig plaudern; Hauke wußte nur nicht, was.

Als sie aber das Strickzeug in die Höhe zog und die Vögel sich nun in ihrer ganzen Länge zeigten, flüsterte er über den Tisch hinüber: 'Wo 5 hast du das gelernt, Elke?'

'Was gelernt?' fragte das Mädchen zurück.

'Das Vogelstricken?' sagte Hauke.

'Das? Von Trin Jans draußen am Deich; sie kann allerlei; sie war vorzeiten einmal bei meinem Großvater hier im Dienst.' 10

'Da warst du aber wohl noch nicht geboren?' sagte Hauke.

'Ich denk' wohl nicht; aber sie ist noch oft ins Haus gekommen.'

'Hat denn die die Vögel gern?' fragte Hauke; 'ich meint', sie hielt es nur mit Katzen!'[87]

Elke schüttelte den Kopf: 'Sie zieht ja Enten und verkauft sie; aber 15 im vorigen Frühjahr, als du den Angorer totgeschlagen hattest, sind ihr hinten im Stall die Ratten dazwischen gekommen;[88] nun will sie sich vorn am Hause einen anderen bauen.'

'So', sagte Hauke und zog einen leisen Pfiff durch die Zähne, 'dazu hat sie von der Geest sich Lehm und Steine hergeschleppt! Aber dann 20 kommt sie in den Binnenweg;[89]—hat sie denn Konzession?'

'Weiß ich nicht', meinte Elke. Aber er hatte das letzte Wort so laut gesprochen, daß der Deichgraf aus seinem Schlummer auffuhr. 'Was Konzession?' fragte er und sah fast wild von einem zu der anderen. 'Was soll die Konzession?' 25

Als aber Hauke ihm dann die Sache vorgetragen hatte, klopfte er ihm lachend auf die Schulter: 'Ei was, der Binnenweg ist breit genug; Gott tröst den Deichgrafen, sollt' er sich auch noch um die Entenställe kümmern!'

Hauke fiel es aufs Herz, daß er die Alte mit ihren jungen Enten den 30 Ratten sollte preisgegeben haben, und er ließ sich mit dem Einwand abfinden.[90] 'Aber, uns' Weert', begann er wieder, 'es tät' wohl dem und

---

[87]**hielt ... Katzen** was interested only in cats
[88]**dazwischen gekommen** got in
[89]**kommt ... Binnenweg** she will encroach upon the roadway along the landward side of the dike
[90]**Hauke ... abfinden** Hauke's conscience was hurting him because he was said to have exposed the old woman with her young ducklings to the rats, and he made no objection to the protest.

jenem[91] ein kleiner Zwicker gut, und wollet Ihr ihn nicht selber greifen, so zwicket den Gevollmächtigten, der auf die Deichordnung passen soll!' 'Wie, was sagt der Junge?' und der Deichgraf setzte sich vollends auf, und Elke ließ ihren künstlichen Strumpf sinken und wandte das
5 Ohr hinüber.

'Ja, uns' Weert', fuhr Hauke fort, 'Ihr habt doch schon die Frühlings-schau gehalten; aber trotzdem hat Peter Jansen auf seinem Stück das Unkraut auch noch heute nicht gebuscht; im Sommer werden die Stieglit-zer da wieder lustig um die roten Distelblumen spielen! Und dicht
10 daneben, ich weiß nicht, wem's gehört, ist an der Außenseite eine ganze Wiege in dem Deich; bei schön Wetter liegt es immer voll von kleinen Kindern, die sich darin wälzen; aber—Gott bewahr uns vor Hochwas-ser!'

Die Augen des alten Deichgrafen waren immer größer geworden.
15 'Und dann—' sagte Hauke wieder.

'Was dann noch, Junge?' fragte der Deichgraf; 'bist du noch nicht fertig?' und es klang, als sei die Rede seines Kleinknechts ihm schon zuviel geworden.

'Ja, dann, uns' Weert', sprach Hauke weiter, 'Ihr kennt die dicke
20 Vollina, die Tochter vom Gevollmächtigten Harders, die immer ihres Vaters Pferde aus der Fenne holt—wenn sie nur eben mit ihren runden Waden auf der alten gelben Stute sitzt, hü hopp! so geht's allemal schräg an der Dossierung den Deich hinan!'

Hauke bemerkte erst jetzt, daß Elke ihre klugen Augen auf ihn
25 gerichtet hatte und leise ihren Kopf schüttelte.

Er schwieg, aber ein Faustschlag, den der Alte auf den Tisch tat, dröhnte ihm in die Ohren; 'da soll das Wetter dreinschlagen!'[92] rief er, und Hauke erschrak beinahe über die Bärenstimme, die plötzlich hier hervorbrach: 'Zur Brüche! Notier mir das dicke Mensch zur Brüche,[93]
30 Hauke! Die Dirne hat mir im letzten Sommer drei junge Enten weg-gefangen! Ja, ja, notier nur', wiederholte er, als Hauke zögerte; 'ich glaub' sogar, es waren vier!'

'Ei, Vater', sagte Elke, 'war's nicht die Otter, die die Enten nahm?'

'Eine große Otter!' rief der Alte schnaufend; 'werd' doch die dicke
35 Vollina und eine Otter auseinanderkennen! Nein, nein, vier Enten,

---

[91]**dem und jenem** one person and another, *i.e.*, some people
[92]**da . . . dreinschlagen** may the lightning strike her
[93]**Zur . . . Brüche** A fine! Put that fat hussy down for a fine. (**Mensch** *is ordinarily masculine. Neuter gender here indicates contempt.*)

Hauke—aber was du im übrigen schwatzest,[94] der Herr Oberdeichgraf und ich, nachdem wir zusammen in meinem Hause hier gefrühstückt hatten, sind im Frühjahr an deinem Unkraut und an deiner Wiege vorbeigefahren und haben's doch nicht sehen können. Ihr beide aber, und er nickte ein paarmal bedeutsam gegen Hauke und seine Tochter, 'danket Gott, daß ihr nicht Deichgraf seid! Zwei Augen hat man nur, und mit hundert soll man sehen.—Nimm nur die Rechnungen über die Bestikkungsarbeiten,[95] Hauke, und sieh sie nach; die Kerls rechnen oft zu liederlich!'

Dann lehnte er sich wieder in seinen Stuhl zurück, ruckte den schweren Körper ein paarmal und überließ sich bald dem sorgenlosen Schlummer.

Dergleichen wiederholte sich an manchem Abend. Hauke hatte scharfe Augen und unterließ es nicht, wenn sie beisammensaßen, das eine oder andre von schädlichem Tun oder Unterlassen in Deichsachen dem Alten vor die Augen zu rücken, und da dieser sie nicht immer schließen konnte, so kam unversehens ein lebhafterer Geschäftsgang in die Verwaltung, und die, welche früher im alten Schlendrian fortgesündigt hatten und jetzt unerwartet ihre frevlen oder faulen Finger geklopft fühlten, sahen sich unwillig und verwundert um, woher die Schläge denn gekommen seien. Und Ole, der Großknecht, säumte nicht, möglichst weit die Offenbarung zu verbreiten und dadurch gegen Hauke und seinen Vater, der doch die Mitschuld tragen mußte, in diesen Kreisen einen Widerwillen zu erregen; die andern aber, welche nicht getroffen waren, oder denen es um die Sache selbst zu tun war,[96] lachten und hatten ihre Freude, daß der Junge den Alten doch einmal etwas in Trab gebracht habe. 'Schad' nur', sagten sie, 'daß der Bengel nicht den gehörigen Klei unter den Füßen hat; das gäbe später sonst einmal wieder einen Deichgrafen, wie vordem sie dagewesen sind; aber die paar Demat seines Alten, die täten's denn doch nicht!'

Als im nächsten Herbst der Herr Amtmann und Oberdeichgraf zur Schauung kam, sah er sich den alten Tede Volkerts von oben bis unten an, während dieser ihn zum Frühstück nötigte. 'Wahrhaftig, Deichgraf', sagte er, 'ich dacht's mir schon, Ihr seid in der Tat um ein Halbstieg

---

[94]**was ... schwatzest** the other stuff that you are chattering about

[95]**Nimm ... Bestickungsarbeiten** Take up the accounts for the work done in covering the dikes with straw

[96]**denen ... war** who were concerned about the matter itself (*i.e., the proper care of the dikes.*)

Jahre jünger geworden; Ihr habt mir diesmal mit all Euern Vorschlägen
warm gemacht; wenn wir mit alledem nur heute fertig werden!'

    'Wird schon, wird schon, gestrenger Herr Oberdeichgraf', erwiderte
der Alte schmunzelnd; 'der Gansbraten da wird schon die Kräfte stärken!

5 Ja, Gott sei Dank, ich bin noch allezeit frisch und munter!' Er sah sich
in der Stube um, ob auch nicht etwa Hauke um die Wege sei; dann setzte
er in würdevoller Ruhe noch hinzu: 'So hoffe ich zu Gott, noch meines
Amtes ein paar Jahre in Segen warten zu können.'

    'Und darauf, lieber Deichgraf', erwiderte sein Vorgesetzer, sich

10 erhebend, 'wollen wir dieses Glas zusammen trinken!'

    Elke, die das Frühstück bestellt hatte, ging eben, während die
Gläser aneinanderklangen, mit leisem Lachen aus der Stubentür. Dann
holte sie eine Schüssel Abfall aus der Küche und ging durch den Stall,
um es vor der Außentür dem Federvieh vorzuwerfen. Im Stall stand

15 Hauke Haien und steckte den Kühen, die man der argen Witterung
wegen schon jetzt hatte heraufnehmen müssen, mit der Furke Heu in
ihre Raufen. Als er aber das Mädchen kommen sah, stieß er die Furke in
den Grund. 'Nu, Elke!' sagte er.

    Sie blieb stehen und nickte ihm zu: 'Ja, Hauke; aber eben hättest

20 du drinnen sein müssen!'

    'Meinst du? Warum denn, Elke?'

    'Der Herr Oberdeichgraf hat den Wirt gelobt!'

    'Den Wirt? Was tut das mir?'

    'Nein, ich mein' den Deichgrafen hat er gelobt!'

25 Ein dunkles Rot flog über das Gesicht des jungen Menschen:
'Ich weiß wohl', sagte er, 'wohin du damit segeln willst!'[97]

    'Werd nur nicht rot, Hauke; du warst es ja doch eigentlich, den der
Oberdeichgraf lobte!'

    Hauke sah sie mit halbem Lächeln an. 'Auch du doch, Elke!' sagte er.

30 Aber sie schüttelte den Kopf: 'Nein, Hauke; als ich allein der Helfer
war, da wurden wir nicht gelobt. Ich kann ja auch nur rechnen; du aber
siehst draußen alles, was der Deichgraf doch wohl selber sehen sollte;
du hast mich ausgestochen!'

    'Ich hab' das nicht gewollt, dich am mindesten', sagte Hauke zaghaft,

35 und er stieß den Kopf einer Kuh zur Seite: 'Komm, Rotbunt, friß mir
nicht die Furke auf, du sollst ja alles haben!'

    'Denk nur nicht, daß mir's leid tut, Hauke', sagte nach kurzem
Sinnen das Mädchen; 'das ist ja Mannessache!'

---

[97] **wohin . . . willst** what you are driving at

Da streckte Hauke ihr den Arm entgegen: 'Elke, gib mir die Hand darauf!'

Ein tiefes Rot schoß unter die dunklen Brauen des Mädchens. 'Warum? Ich lüg' ja nicht!' rief sie.

Hauke wollte antworten; aber sie war schon zum Stall hinaus, und er stand mit seiner Furke in der Hand und hörte nur, wie draußen die Enten und Hühner um sie schnatterten und krähten.

V

Es war im Januar von Haukes drittem Dienstjahr, als ein Winterfest gehalten werden sollte; 'Eisboseln'[98] nennen sie es hier. Ein ständiger Frost hatte beim Ruhen der Küstenwinde alle Gräben zwischen den Fennen mit einer festen ebenen Kristallfläche belegt, so daß die zerschnittenen Landstücke nun eine weite Bahn für das Werfen der kleinen mit Blei ausgegossenen Holzkugeln bildeten, womit das Ziel erreicht werden sollte. Tagaus, tagein wehte ein leichter Nordost; alles war schon in Ordnung; die Geestleute in dem zu Osten über der Marsch belegenen Kirchdorf, die im vorigen Jahre gesiegt hatten, waren zum Wettkampf gefordert und hatten angenommen; von jeder Seite waren neun Werfer aufgestellt; auch der Obmann und die Kretler waren gewählt. Zu letztern, die bei Streitfällen über einen zweifelhaften Wurf miteinander zu verhandeln hatten, wurden allezeit Leute genommen, die ihre Sache ins beste Licht zu rücken verstanden, am liebsten Burschen, die außer gesundem Menschenverstand auch noch ein lustig Mundwerk[99] hatten. Dazu gehörte vor allen Ole Peters, der Großknecht des Deichgrafen. 'Werft nur wie die Teufel', sagte er; 'das Schwatzen tu' ich schon umsonst!'

Es war gegen Abend vor dem Festtag; in der Nebenstube des Kirchspielkruges droben auf der Geest war eine Anzahl von den Werfern erschienen, um über die Aufnahme einiger zuletzt noch Angemeldeten zu beschließen. Hauke Haien war auch unter diesen; er hatte erst nicht

---

[98]**Eisboseln** *an ancient game played on the coast of the North Sea in Holland and Germany. The word means "ice bowling," but the game does not closely resemble other bowling games nor is it played on the ice. It is played only during the ice season, because then the small fields and their bordering canals form a single, broad expanse of frozen surface. The teams are made up of nine men each. The length of the course varies, but is generally measured in miles. The first man on each team hurls a small, lead-filled, wooden ball in the direction of the goal. The referees mark the spot where each ball comes to rest, then the second player on each team takes his turn, and so on until the goal is reached, i.e., until one of the balls is thrown into the whitewashed barrel at the end of the course. The team which gets its ball into the barrel with the smallest number of throws is the winner. The game is generally followed by an evening of merrymaking in which the partisans of the losing team must pay for food and drink for the winning side.*

[99]**lustig Mundwerk** *gift of gab*

wollen, obschon er seiner wurfgeübten Arme sich wohl bewußt war; aber er fürchtete durch Ole Peters, der einen Ehrenposten in dem Spiel bekleidete, zurückgewiesen zu werden; die Niederlage wollte er sich sparen. Aber Elke hatte ihm noch in der elften Stunde den Sinn gewandt:

5 'Er wird's nicht wagen, Hauke', hatte sie gesagt; 'er ist ein Tagelöhnersohn; dein Vater hat Kuh und Pferd und ist dazu der klügste Mann im Dorf!'

'Aber, wenn er's dennoch fertigbringt?'

Sie sah ihn halb lächelnd aus ihren dunklen Augen an. 'Dann',
10 sagte sie, 'soll er sich den Mund wischen, wenn er abends mit seines Wirts Tochter zu tanzen denkt!'—Da hatte Hauke ihr mutig zugenickt.

Nun standen die jungen Leute, die noch in das Spiel hineinwollten, frierend und fußtrampelnd vor dem Kirchspielkrug und sahen nach der Spitze des aus Felsblöcken gebauten Kirchturms hinauf, neben dem das
15 Krughaus lag. Des Pastors Tauben, die sich im Sommer auf den Feldern des Dorfes nährten, kamen eben von den Höfen und Scheuern der Bauern zurück, wo sie sich jetzt ihre Körner gesucht hatten, und verschwanden unter den Schindeln des Turmes, hinter welchen sie ihre Nester hatten; im Westen über dem Haf stand ein glühendes Abendrot.

20 'Wird gut Wetter morgen!' sagte der eine der jungen Burschen und begann heftig auf und ab zu wandern; 'aber kalt! kalt!' Ein zweiter, als er keine Taube mehr fliegen sah, ging in das Haus und stellte sich horchend neben die Tür der Stube, aus der jetzt ein lebhaftes Durcheinanderreden herausscholl; auch des Deichgrafen Kleinknecht war neben ihn
25 getreten. 'Hör, Hauke', sagte er zu diesem; 'nun schreien sie um dich!', und deutlich hörte man von drinnen Ole Peters' knarrende Stimme: 'Kleinknechte und Jungens gehören nicht dazu!'

'Komm', flüsterte der andere und suchte Hauke am Rockärmel an die Stubentür zu ziehen, 'hier kannst du lernen, wie hoch sie dich taxieren!'

30 Aber Hauke riß sich los und ging wieder vor das Haus: 'Sie haben uns nicht ausgesperrt, damit wir's hören sollen!' rief er zurück.

Vor dem Hause stand der dritte der Angemeldeten. 'Ich fürcht', mit mir hat's einen Haken', rief er ihm entgegen; 'ich hab' kaum achtzehn Jahre; wenn sie nur den Taufschein nicht verlangen! Dich, Hauke, wird
35 dein Großknecht schon herauskreteln!'[100]

'Ja, heraus!' brummte Hauke und schleuderte mit dem Fuße einen Stein über den Weg; 'nur nicht hinein!'

---

[100]**Dich . . . herauskreteln** As for you, Hauke, your **Großknecht** will keep you out by his negative talk!

Der Lärm in der Stube wurde stärker; dann allmählich trat eine Stille ein; die draußen hörten wieder den leisen Nordost, der sich oben an der Kirchturmspitze brach. Der Horcher trat wieder zu ihnen. 'Wen hatten sie da drinnen?' fragte der Achtzehnjährige.

'Den da!' sagte jener und wies auf Hauke; 'Ole Peters wollte ihn 5 zum Jungen machen; aber alle schrien dagegen. Und sein Vater hat Vieh und Land, sagte Jeß Hansen. Ja, Land, rief Ole Peters, das man auf dreizehn Karren wegfahren kann!—Zuletzt kam Ole Hensen: Still da! schrie er; ich will's euch lehren: sagt nur, wer ist der erste Mann im Dorf? Da schwiegen sie erst und schienen sich zu besinnen; dann sagte eine 10 Stimme: Das ist doch wohl der Deichgraf! Und alle anderen riefen: Nun ja, unserthalb der Deichgraf!—Und wer ist denn der Deichgraf? rief Ole Hensen wieder; aber nun bedenkt euch recht!—Da begann einer leis zu lachen, und dann wieder einer, bis zuletzt nichts in der Stube war als lauter Lachen. Nun, so ruft ihn, sagte Ole Hensen; ihr wollt doch 15 nicht den Deichgrafen von der Tür stoßen! Ich glaub', sie lachen noch; aber Ole Peters' Stimme war nicht mehr zu hören!' schloß der Bursche seinen Bericht.

Fast in demselben Augenblicke wurde drinnen im Hause die Stubentür aufgerissen, und: 'Hauke! Hauke Haien!' rief es laut und fröhlich 20 in die kalte Nacht hinaus.

Da trabte Hauke in das Haus und hörte nicht mehr, wer denn der Deichgraf sei; was in seinem Kopfe brütete, hat indessen niemand wohl erfahren.

Als er nach einer Weile sich dem Hause seiner Herrschaft nahte, sah 25 er Elke drunten am Heck der Auffahrt stehen; das Mondlicht schimmerte über die unermeßliche weiß bereifte Weidefläche. 'Stehst du hier, Elke?' fragte er.

Sie nickte nur: 'Was ist geworden?' sagte sie; 'hat er's gewagt?'

'Was sollt' er nicht!' 30

'Nun, und?'

'Ja, Elke; ich darf es morgen doch versuchen!'

'Gute Nacht, Hauke!' Und sie lief flüchtig die Werfte hinan und verschwand im Hause.

Langsam folgte er ihr. 35

VI

Auf der weiten Weidefläche, die sich zu Osten an der Landseite des Deiches entlang zog, sah man am Nachmittag darauf eine dunkle Menschenmasse bald unbeweglich stille stehen, bald, nachdem zweimal eine

hölzerne Kugel aus derselben über den durch die Tagessonne jetzt von
Reif befreiten Boden hingeflogen war, abwärts von den hinter ihr liegenden langen und niedrigen Häusern allmählich weiterrücken; die Parteien
der Eisbosler in der Mitte, umgeben von alt und jung, was mit ihnen, sei
5   es in jenen Häusern oder in denen droben auf der Geest, Wohnung oder
Verbleib hatte; die älteren Männer in langen Röcken, bedächtig aus
kurzen Pfeifen rauchend, die Weiber in Tüchern und Jacken, auch wohl
Kinder an den Händen ziehend oder auf den Armen tragend. Aus den
gefrorenen Gräben, welche allmählich überschritten wurden, funkelte
10 durch die scharfen Schilfspitzen der bleiche Schein der Nachmittags-
sonne; es fror mächtig, aber das Spiel ging unablässig vorwärts, und aller
Augen verfolgten immer wieder die fliegende Kugel, denn an ihr hing
heute für das ganze Dorf die Ehre des Tages. Der Kretler der Parteien
trug hier einen weißen, bei den Geestleuten einen schwarzen Stab mit
15 eiserner Spitze; wo die Kugel ihren Lauf geendet hatte, wurde dieser, je
nachdem, unter schweigender Anerkennung oder dem Hohngelächter
der Gegenpartei in den gefrorenen Boden eingeschlagen, und wessen
Kugel zuerst das Ziel erreichte, der hatte für seine Partei das Spiel gewonnen.
20   Gesprochen wurde von all den Menschen wenig; nur wenn ein
Kapitalwurf geschah, hörte man wohl einen Ruf der jungen Männer oder
Weiber; oder von den Alten einer nahm seine Pfeife aus dem Mund und
klopfte damit unter ein paar guten Worten den Werfer auf die Schulter:
'Das war ein Wurf, sagte Zacharies und warf sein Weib aus der Luke!'[101]
25 oder: 'So warf dein Vater auch; Gott tröst ihn in der Ewigkeit!' oder
was sie sonst für Gutes sagten.
Bei seinem ersten Wurfe war das Glück nicht mit Hauke gewesen:
als er eben den Arm hinten ausschwang, um die Kugel fortzuschleudern,
war eine Wolke von der Sonne fortgezogen, die sie vorhin bedeckt hatte,
30 und diese traf mit ihrem vollen Strahl in seine Augen; der Wurf wurde
zu kurz, die Kugel fiel auf einen Graben und blieb im Bummeis stecken.
'Gilt nicht! Gilt nicht! Hauke, noch einmal', riefen seine Partner.
Aber der Kretler der Geestleute sprang dagegen auf: 'Muß wohl
gelten; geworfen ist geworfen!'[102]
35 'Ole! Ole Peters!' schrie die Marschjugend. 'Wo ist Ole? Wo, zum
Teufel, steckt er?'

---

[101]**sagte ... Luke** as Zachariah said as he threw his wife out the attic window
[102]**geworfen ... geworfen** a throw is a throw

Aber er war schon da: 'Schreit nur nicht so! Soll Hauke wo geflickt
werden?[103] Ich dacht's mir schon.'

'Ei was! Hauke muß noch einmal werfen; nun zeig, daß du das Maul
am rechten Fleck hast!'

'Das hab' ich schon!' rief Ole und trat dem Geestkretler gegenüber   5
und redete einen Haufen Gallimathias aufeinander.[104] Aber die Spitzen
und Schärfen, die sonst aus seinen Worten blitzten, waren diesmal nicht
dabei. Ihm zur Seite stand das Mädchen mit den Rätselbrauen und sah
scharf aus zornigen Augen auf ihn hin; aber reden durfte sie nicht, denn
die Frauen hatten keine Stimme in dem Spiel.   10

'Du leierst Unsinn', rief der andere Kretler, 'weil dir der Sinn nicht
dienen kann! Sonne, Mond und Sterne sind für uns alle gleich und allezeit am Himmel; der Wurf war ungeschickt, und alle ungeschickten
Würfe gelten!'

So redeten sie noch eine Weile gegeneinander; aber das Ende war,   15
daß nach Bescheid des Obmanns Hauke seinen Wurf nicht wiederholen
durfte.

'Vorwärts!' riefen die Geestleute, und ihr Kretler zog den schwarzen
Stab aus dem Boden, und der Werfer trat auf seinen Nummerruf dort an
und schleuderte die Kugel vorwärts. Als der Großknecht des Deichgrafen   20
dem Wurfe zusehen wollte, hatte er an Elke Volkerts vorbei müssen:
'Wem zuliebe[105] ließest du heut deinen Verstand zu Hause?' raunte sie
ihm zu.

Da sah er sie fast grimmig an, und aller Spaß war aus seinem breiten
Gesicht verschwunden. 'Dir zulieb!' sagte er, 'denn du hast deinen auch   25
vergessen!'

'Geh nur; ich kenne dich, Ole Peters!' erwiderte das Mädchen, sich
hoch aufrichtend; er aber kehrte den Kopf ab und tat, als habe er das
nicht gehört.

Und das Spiel und der schwarze und der weiße Stab gingen weiter.   30
Als Hauke wieder am Wurf war, flog seine Kugel schon so weit, daß das
Ziel, die große weiß gekalkte Tonne, klar in Sicht kam. Er war jetzt ein
fester junger Kerl, und Mathematik und Wurfkunst hatte er täglich
während seiner Knabenzeit getrieben. 'Oho, Hauke!' rief es aus dem
Haufen; 'das war ja, als habe der Erzengel Michael selbst geworfen!'   35

---

[103]**Soll . . . werden** Does Hauke's performance need some patching up?
[104]**redete . . . aufeinander** talked a heap of nonsense
[105]**Wem zuliebe** For whose benefit

Eine alte Frau mit Kuchen und Branntwein drängte sich durch den
Haufen zu ihm; sie schenkte ein Glas voll und bot es ihm: 'Komm',
sagte sie, 'wir wollen uns vertragen, das heut ist besser, als da du mir die
Katze totschlugst!' Als er sie ansah, erkannte er, daß es Trin Jans war.

5 'Ich dank' dir, Alte', sagte er; 'aber ich trink' das nicht.' Er griff in seine
Tasche und drückte ihr ein frischgeprägtes Markstück in die Hand:
'Nimm das und trink selber das Glas aus, Trin; so haben wir uns ver-
tragen!'

'Hast recht, Hauke!' erwiderte die Alte, indem sie seiner Anweisung

10 folgte; 'hast recht; das ist auch besser für ein altes Weib wie ich!'

'Wie geht's mit deinen Enten?' rief er ihr noch nach, als sie schon
mit ihrem Korbe fortmachte; aber sie schüttelte nur den Kopf, ohne sich
umzuwenden, und patschte mit ihren alten Händen in die Luft. 'Nichts,
nichts, Hauke; da sind zu viele Ratten in euren Gräben; Gott tröst mich;

15 man muß sich anders nähren!' Und somit drängte sie sich in den Menschen-
haufen und bot wieder ihren Schnaps und ihre Honigkuchen an.

Die Sonne war endlich schon hinter den Deich hinabgesunken; statt
ihrer glimmte ein rotvioletter Schimmer empor; mitunter flogen schwarze
Krähen vorüber und waren auf Augenblicke wie vergoldet, es wurde

20 Abend. Auf den Fennen aber rückte der dunkle Menschentrupp noch
immer weiter von den schwarzen, schon fern liegenden Häusern nach
der Tonne zu; ein besonders tüchtiger Wurf mußte sie jetzt erreichen
können. Die Marschleute waren an der Reihe; Hauke sollte werfen.

Die kreidige Tonne zeichnete sich weiß in dem breiten Abend-

25 schatten, der jetzt von dem Deiche über die Fläche fiel. 'Die werdet ihr
uns diesmal wohl noch lassen!' rief einer von den Geestleuten, denn es
ging scharf her;[106] sie waren um mindestens ein halb Stieg im Vorteil.

Die hagere Gestalt des Genannten trat eben aus der Menge; die
grauen Augen sahen aus dem langen Friesengesicht vorwärts nach der

30 Tonne; in der herabhängenden Hand lag die Kugel.

'Der Vogel ist dir wohl zu groß', hörte er in diesem Augenblicke
Ole Peters' Knarrstimme dicht vor seinen Ohren; 'sollen wir ihn um
einen grauen Topf vertauschen?'

Hauke wandte sich und blickte ihn mit festen Augen an: 'Ich werfe

35 für die Marsch!' sagte er. 'Wohin gehörst denn du?'

'Ich denke, auch dahin; du wirfst doch wohl für Elke Volkerts!'

'Beiseit!' schrie Hauke und stellte sich wieder in Positur. Aber Ole
drängte mit dem Kopf noch näher auf ihn zu. Da plötzlich, bevor noch

---

[106]**es . . . her** competition was keen

Hauke selber etwas dagegen unternehmen konnte, packte den Zudringlichen eine Hand und riß ihn rückwärts, daß der Bursche gegen seine lachenden Kameraden taumelte. Es war keine große Hand gewesen, die das getan hatte; denn als Hauke flüchtig den Kopf wandte, sah er neben sich Elke Volkerts ihren Ärmel zurechtzupfen, und die dunklen Brauen 5 standen ihr wie zornig in dem heißen Antlitz.

Da flog es wie eine Stahlkraft in Haukes Arm; er neigte sich ein wenig, er wiegte die Kugel ein paarmal in der Hand; dann holte er aus, und eine Todesstille war auf beiden Seiten; alle Augen folgten der fliegenden Kugel, man hörte ihr Sausen, wie sie die Luft durchschnitt; 10 plötzlich, schon weit vom Wurfplatz, verdeckten sie die Flügel einer Silbermöwe, die, ihren Schrei ausstoßend, vom Deich herüberkam; zugleich aber hörte man es in der Ferne an die Tonne klatschen. 'Hurra für Hauke!' riefen die Marschleute und lärmend ging es durch die Menge: 'Hauke! Hauke Haien hat das Spiel gewonnen!' 15

Der aber, da ihn alle dicht umdrängten, hatte seitwärts nur nach einer Hand gegriffen; auch da sie wieder riefen: 'Was stehst du, Hauke? Die Kugel liegt ja in der Tonne!' nickte er nur und ging nicht von der Stelle; erst als er fühlte, daß sich die kleine Hand fest an die seine schloß, sagte er: 'Ihr mögt schon recht haben; ich glaube auch, ich hab' gewon- 20 nen!'

Dann strömte der ganze Trupp zurück, und Elke und Hauke wurden getrennt und von der Menge auf den Weg zum Kruge fortgerissen, der an des Deichgrafen Werfte nach der Geest hinaufbog. Hier aber entschlüpften beide dem Gedränge, und während Elke auf ihre Kammer ging, 25 stand Hauke hinten vor der Stalltür auf der Werfte und sah, wie der Menschentrupp allmählich nach dort hinaufwanderte, wo im Kirchspielkrug ein Raum für die Tanzenden bereitstand. Das Dunkel breitete sich allmählich über die weite Gegend; es wurde immer stiller um ihn her, nur hinter ihm im Stalle regte sich das Vieh; oben von der Geest her 30 glaubte er schon das Pfeifen der Klarinetten aus dem Kruge zu vernehmen. Da hörte er um die Ecke des Hauses das Rauschen eines Kleides, und kleine feste Schritte gingen den Fußsteig hinab, der durch die Fennen nach der Geest hinaufführte. Nun sah er auch im Dämmer die Gestalt dahinschreiten und sah, daß es Elke war; sie ging auch zum Tanze nach 35 dem Krug. Das Blut schoß ihm in den Hals hinauf; sollte er ihr nicht nachlaufen und mit ihr gehen? Aber Hauke war kein Held den Frauen gegenüber; mit dieser Frage sich beschäftigend, blieb er stehen, bis sie im Dunkel seinem Blick entschwunden war.

Dann, als die Gefahr, sie einzuholen, vorüber war, ging auch er 40

denselben Weg, bis er droben den Krug bei der Kirche erreicht hatte und
das Schwatzen und Schreien der vor dem Hause und auf dem Flur sich
Drängenden und das Schrillen der Geigen und Klarinetten betäubend
ihn umrauschte. Unbeachtet drückte er sich in den 'Gildesaal'; er war
5 nicht groß und so voll, daß man kaum einen Schritt weit vor sich hin-
sehen konnte. Schweigend stellte er sich an den Türpfosten und blickte
in das unruhige Gewimmel; die Menschen kamen ihm wie Narren vor;
er hatte auch nicht zu sorgen, daß jemand noch an den Kampf des Nach-
mittages dachte, und wer vor einer Stunde erst das Spiel gewonnen
10 hatte; jeder sah nur auf seine Dirne und drehte sich mit ihr im Kreis
herum. Seine Augen suchten nur die eine, und endlich—dort! Sie tanzte
mit ihrem Vetter, dem jungen Deichgevollmächtigten; aber schon sah er
sie nicht mehr, nur andere Dirnen aus Marsch und Geest, die ihn nicht
kümmerten. Dann schnappten Violinen und Klarinetten plötzlich ab,
15 und der Tanz war zu Ende; aber gleich begann auch schon ein anderer.
Hauke flog es durch den Kopf, ob denn Elke ihm auch Wort halten, ob
sie nicht mit Ole Peters ihm vorbeitanzen werde. Fast hätte er einen
Schrei bei dem Gedanken ausgestoßen; dann—ja, was wollte er dann?
Aber sie schien bei diesem Tanze gar nicht mitzuhalten, und endlich ging
20 auch der zu Ende, und ein anderer, ein Zweitritt, der eben erst hier in
die Mode gekommen war, folgte. Wie rasend setzte die Musik ein, die
jungen Kerle stürzten zu den Dirnen, die Lichter an den Wänden flirrten.
Hauke reckte sich fast den Hals aus, um die Tanzenden zu erkennen;
und dort, im dritten Paare, das war Ole Peters; aber wer war die Tän-
25 zerin? Ein breiter Marschbursche stand vor ihr und deckte ihr Gesicht!
Doch der Tanz raste weiter, und Ole mit seiner Partnerin drehte sich
heraus. 'Vollina! Vollina Harders!' rief Hauke fast laut und seufzte dann
gleich wieder erleichtert auf. Aber wo blieb Elke? Hatte sie keinen
Tänzer, oder hatte sie alle ausgeschlagen, weil sie nicht mit Ole hatte
30 tanzen wollen?—Und die Musik setzte wieder ab, und ein neuer Tanz
begann; aber wieder sah er Elke nicht! Doch dort kam Ole, noch immer
die dicke Vollina in den Armen! 'Nun, nun', sagte Hauke; 'da wird Jeß
Harders mit seinen fünfundzwanzig Demat auch wohl bald aufs Altenteil
müssen!—Aber wo ist Elke?'
35   Er verließ seinen Türpfosten und drängte sich weiter in den Saal
hinein; da stand er plötzlich vor ihr, die mit einer älteren Freundin in
einer Ecke saß. 'Hauke!' rief sie, mit ihrem schmalen Antlitz zu ihm
aufblickend; 'bist du hier? Ich sah dich doch nicht tanzen!'
'Ich tanzte auch nicht', erwiderte er.

'Weshalb nicht, Hauke?' und sich halb erhebend, setzte sie hinzu: 'Willst du mit mir tanzen? Ich hab' es Ole Peters nicht gegönnt; der kommt nicht wieder!'

Aber Hauke machte keine Anstalt: 'Ich danke, Elke', sagte er; 'ich verstehe das nicht gut genug; sie könnten über dich lachen; und dann . . .' 5
er stockte plötzlich und sah sie nur aus seinen grauen Augen herzlich an, als ob er's ihnen überlassen müsse, das übrige zu sagen.

'Was meinst du, Hauke?' fragte sie leise.

'Ich mein', Elke, es kann ja doch der Tag nicht schöner für mich ausgehen, als er's schon getan hat.' 10

'Ja', sagte sie, 'du hast das Spiel gewonnen.'

'Elke!' mahnte er kaum hörbar.

Da schlug ihr eine heiße Lohe in das Angesicht: 'Geh!' sagte sie; 'was willst du?' und schlug die Augen nieder.

Als aber die Freundin jetzt von einem Burschen zum Tanze fort- 15
gezogen wurde, sagte Hauke lauter: 'Ich dachte, Elke, ich hätt' was Besseres gewonnen!'

Noch ein paar Augenblicke suchten ihre Augen auf dem Boden; dann hob sie sie langsam, und ein Blick, mit der stillen Kraft ihres Wesens, traf in die seinen, der ihn wie Sommerluft durchströmte. 'Tu, wie dir 20
ums Herz ist,[107] Hauke!' sprach sie; 'wir sollten uns wohl kennen!'

Elke tanzte an diesem Abend nicht mehr, und als beide dann nach Hause gingen, hatten sie sich Hand in Hand gefaßt; aus der Himmelshöhe funkelten die Sterne über der schweigenden Marsch; ein leichter Ostwind wehte und brachte strenge Kälte; die beiden aber gingen, ohne viel 25
Tucher und Umhang, dahin, als sei es plötzlich Frühling worden.

VII

Hauke hatte sich auf ein Ding besonnen, dessen passende Verwendung zwar in ungewisser Zukunft lag, mit dem er sich aber eine stille Feier zu bereiten gedachte. Deshalb ging er am nächsten Sonntag in die Stadt zum alten Goldschmied Andersen und bestellte einen starken 30
Goldring. 'Streckt den Finger her, damit wir messen!' sagte der Alte und faßte ihm nach dem Goldfinger. 'Nun', meinte er, 'der ist nicht gar so dick, wie sie bei euch Leuten sonst zu sein pflegen!' Aber Hauke sagte: 'Messet lieber am kleinen Finger!' und hielt ihm den entgegen.

Der Goldschmied sah ihn etwas verdutzt an; aber was kümmerten 35

---

[107]wie . . . ist as you feel in your heart that you should

ihn die Einfälle der jungen Bauernburschen: 'Da werden wir schon so
einen unter den Mädchenringen haben!' sagte er, und Hauke schoß das
Blut durch beide Wangen. Aber der kleine Goldring paßte auf seinen
kleinen Finger, und er nahm ihn hastig und bezahlte ihn mit blankem
5   Silber; dann steckte er ihn unter lautem Herzklopfen, und als ob er
einen feierlichen Akt begehe, in die Westentasche. Dort trug er ihn
seitdem an jedem Tage mit Unruhe und doch mit Stolz, als sei die Westentasche nur dazu da, um einen Ring darin zu tragen.

Er trug ihn über Jahr und Tag,[108] ja der Ring mußte sogar aus dieser
10   noch in eine neue Westentasche wandern; die Gelegenheit zu seiner
Befreiung hatte sich noch immer nicht ergeben wollen. Wohl war's ihm
durch den Kopf geflogen, nur gradenwegs vor seinen Wirt hinzutreten;
sein Vater war ja doch auch ein Eingesessener! Aber wenn er ruhiger
wurde, dann wußte er wohl, der alte Deichgraf würde seinen Kleinknecht
15   ausgelacht haben. Und so lebten er und des Deichgrafen Tochter nebeneinander hin; auch sie in mädchenhaftem Schweigen, und beide doch, als
ob sie allzeit Hand in Hand gingen.

Ein Jahr nach jenem Winterfesttag hatte Ole Peters seinen Dienst
gekündigt und mit Vollina Harders Hochzeit gemacht; Hauke hatte
20   recht gehabt: der Alte war auf Altenteil gegangen, und statt der dicken
Tochter ritt nun der muntere Schwiegersohn die gelbe Stute in die
Fenne und, wie es hieß, rückwärts[109] allzeit gegen den Deich hinan. Hauke
war Großknecht geworden und ein jüngerer an seine Stelle getreten;
wohl hatte der Deichgraf ihn erst nicht wollen aufrücken lassen: 'Klein-
25   knecht ist besser!' hatte er gebrummt; 'ich brauch' ihn hier bei meinen
Büchern!' Aber Elke hatte ihm vorgehalten; 'Dann geht auch Hauke,
Vater!' Da war dem Alten bange geworden, und Hauke war zum Groß-
knecht aufgerückt, hatte aber trotz dessen nach wie vor auch an der
Deichgrafschaft mitgeholfen.

30   Nach einem anderen Jahr aber begann er gegen Elke davon zu
reden, sein Vater werde kümmerlich, und die paar Tage, die der Wirt
ihn im Sommer in dessen Wirtschaft lasse, täten's nun nicht mehr; der
Alte quäle sich, er dürfe das nicht länger ansehen.—Es war ein Som-
merabend; die beiden standen im Dämmerschein unter der großen Esche
35   vor der Haustür. Das Mädchen sah eine Weile stumm in die Zweige des
Baumes hinauf; dann entgegnete sie: 'Ich hab's nicht sagen wollen,
Hauke; ich dachte, du würdest selber wohl das Rechte treffen.'

---

[108]**Jahr und Tag** *an indefinitely long time.*
[109]**rückwärts = auf dem Rückweg**

'Ich muß dann fort aus eurem Hause', sagte er, 'und kann nicht wiederkommen.'

Sie schwiegen eine Weile und sahen in das Abendrot, das drüben hinterm Deiche in das Meer versank. 'Du mußt es wissen', sagte sie; 'ich war heut morgen noch bei deinem Vater und fand ihn in seinem Lehnstuhl 5 eingeschlafen; die Reißfeder in der Hand, das Reißbrett mit einer halben Zeichnung lag vor ihm auf dem Tisch;—und da er erwacht war und mühsam ein Viertelstündchen mit mir geplaudert hatte, und ich nun gehen wollte, da hielt er mich so angstvoll an der Hand zurück, als fürchte er, es sei zum letztenmal; aber . . . ' 10

'Was aber, Elke?' fragte Hauke, da sie fortzufahren zögerte.

Ein paar Tränen rannen über die Wangen des Mädchens. 'Ich dachte nur an meinen Vater', sagte sie; 'glaub mir, es wird ihm schwer ankommen, dich zu missen.' Und als ob sie zu dem Worte sich ermannen müsse, fügte sie hinzu: 'Mir ist es oft, als ob auch er auf seine Toten- 15 kammer rüste.'

Hauke antwortete nicht; ihm war es plötzlich, als rühre sich der Ring in seiner Tasche; aber noch bevor er seinen Unmut über diese unwillkürliche Lebensregung unterdrückt hatte, fuhr Elke fort: 'Nein, zürn nicht, Hauke! Ich trau', du wirst auch so uns nicht verlassen!' 20

Da ergriff er eifrig ihre Hand, und sie entzog sie ihm nicht. Noch eine Weile standen die jungen Menschen in dem sinkenden Dunkel beieinander, bis ihre Hände auseinanderglitten und jedes seine Wege ging.—Ein Windstoß fuhr empor und rauschte durch die Eschenblätter und machte die Läden klappern, die an der Vorderseite des Hauses waren; 25 allmählich aber kam die Nacht, und Stille lag über der ungeheuren Ebene.

VIII

Durch Elkes Zutun war Hauke von dem alten Deichgrafen seines Dienstes entlassen worden, obgleich er ihm rechtzeitig nicht gekündigt hatte, und zwei neue Knechte waren jetzt im Hause.—Noch ein paar 30 Monate weiter, dann starb Tede Haien; aber bevor er starb, rief er den Sohn an seine Lagerstatt: 'Setz dich zu mir, mein Kind', sagte der Alte mit matter Stimme, 'dicht zu mir! Du brauchst dich nicht zu fürchten; wer bei mir ist, das ist nur der dunkle Engel des Herrn, der mich zu rufen kommt.' 35

Und der erschütterte Sohn setzte sich dicht an das dunkle Wandbett: 'Sprecht, Vater, was Ihr noch zu sagen habt!'

'Ja, mein Sohn, noch etwas', sagte der Alte und streckte seine

Hände über das Deckbett. 'Als du, noch ein halber Junge, zu dem Deichgrafen in Dienst gingst, da lag's in deinem Kopf, das selbst einmal zu werden. Das hatte mich angesteckt, und ich dachte auch allmählich, du seiest der rechte Mann dazu. Aber dein Erbe war für solch ein Amt zu
5   klein—ich habe während deiner Dienstzeit knapp gelebt—ich dachte es zu vermehren.'

Hauke faßte heftig seines Vaters Hände, und der Alte suchte sich aufzurichten, daß er ihn sehen könne. 'Ja, ja, mein Sohn', sagte er, 'dort in der obersten Schublade der Schatulle liegt das Dokument. Du
10   weißt, die alte Antje Wohlers hat eine Fenne von fünf und einem halben Demat; aber sie konnte mit dem Mietgelde allein in ihrem krüppelhaften Alter nicht mehr durchfinden; da habe ich allzeit um Martini eine bestimmte Summe und auch mehr, wenn ich es hatte, dem armen Mensch gegeben; und dafür hat sie die Fenne mir übertragen; es ist alles gerichtlich fertig.
15   —Nun liegt auch sie am Tode; die Krankheit unserer Marschen, der Krebs, hat sie befallen; du wirst nicht mehr zu zahlen brauchen!'

Eine Weile schloß er die Augen; dann sagte er noch: 'Es ist nicht viel; doch hast du mehr dann, als du bei mir gewohnt warst. Mög' es dir zu deinem Erdenleben dienen!'
20   Unter den Dankesworten des Sohnes schlief der Alte ein. Er hatte nichts mehr zu besorgen; und schon nach einigen Tagen hatte der dunkle Engel des Herrn ihm seine Augen für immer zugedrückt, und Hauke trat sein väterliches Erbe an.

Am Tage nach dem Begräbnis kam Elke in dessen Haus. 'Dank',
25   daß du einguckst, Elke!' rief Hauke ihr als Gruß entgegen.

Aber sie erwiderte: 'Ich guck' nicht ein; ich will bei dir ein wenig Ordnung schaffen, damit du ordentlich in deinem Hause wohnen kannst! Dein Vater hat vor seinen Zahlen und Rissen nicht viel um sich gesehen, und auch der Tod schafft Wirrsal; ich will's dir wieder ein wenig lebig
30   machen!'

Er sah aus seinen grauen Augen voll Vertrauen auf sie hin: 'So schaff nur Ordnung!' sagte er; 'ich hab's auch lieber.'

Und dann begann sie aufzuräumen: das Reißbrett, das noch dalag, wurde abgestäubt und auf den Boden getragen, Reißfedern und Bleistift
35   und Kreide sorgfältig in einer Schatullenschublade weggeschlossen; dann wurde die junge Dienstmagd zur Hilfe hereingerufen und mit ihr das Geräte der ganzen Stube in eine andere und bessere Stellung gebracht, so daß es anschien, als sei dieselbe nun heller und größer geworden. Lächelnd sagte Elke: 'Das können nur wir Frauen!' und Hauke, trotz

seiner Trauer um den Vater, hatte mit glücklichen Augen zugesehen, auch wohl selber, wo es nötig war, geholfen.

Und als gegen die Dämmerung—es war zu Anfang des Septembers— alles war, wie sie es für ihn wollte, faßte sie seine Hand und nickte ihm mit ihren dunklen Augen zu: 'Nun komm und iß bei uns zu Abend; 5 denn meinem Vater hab' ich's versprechen müssen, dich mitzubringen; wenn du dann heimgehst, kannst du ruhig in dein Haus treten!'

Als sie dann in die geräumige Wohnstube des Deichgrafen traten, wo bei verschlossenen Läden schon die beiden Lichter auf dem Tische brannten, wollte dieser aus seinem Lehnstuhl in die Höhe, aber mit 10 seinem schweren Körper zurücksinkend, rief er nur seinem früheren Knecht entgegen: 'Recht, recht, Hauke, daß du deine alten Freunde aufsuchst! Komm nur näher, immer näher!' Und als Hauke an seinen Stuhl getreten war, faßte er dessen Hand mit seinen beiden runden Händen: 'Nun, nun, mein Junge', sagte er, 'sei nur ruhig jetzt, denn 15 sterben müssen wir alle, und dein Vater war keiner von den Schlechtesten!

—Aber Elke, nun sorg, daß du den Braten auf den Tisch kriegst; wir müssen uns stärken! Es gibt viel Arbeit für uns, Hauke! Die Herbstschau ist in Anmarsch; Deich- und Sielrechnungen haushoch; der neuliche Deichschaden am Westerkog—ich weiß nicht, wo mir der Kopf steht, 20 aber deiner, Gott Lob, ist um ein gut Stück jünger; du bist ein braver Junge, Hauke!'

Und nach dieser langen Rede, womit der Alte sein ganzes Herz dargelegt hatte, ließ er sich in seinen Stuhl zurückfallen und blinzelte sehnsüchtig nach der Tür, durch welche Elke eben mit der Bratenschüssel 25 hereintrat. Hauke stand lächelnd neben ihm. 'Nun setz dich', sagte der Deichgraf, 'damit wir nicht unnötig Zeit verspillen; kalt schmeckt das nicht!'

Und Hauke setzte sich; es schien ihm Selbstverstand, die Arbeit von Elkes Vater mitzutun. Und als die Herbstschau dann gekommen war und 30 ein paar Monde mehr ins Jahr gingen,[110] da hatte er freilich auch den besten Teil daran getan."

IX

Der Erzähler hielt inne und blickte um sich. Ein Möwenschrei war gegen das Fenster geschlagen, und draußen vom Hausflur aus wurde ein

---

[110]**ein . . . gingen** a few months more had passed

Trampeln hörbar, als ob einer den Klei von seinen schweren Stiefeln abtrete.

Deichgraf und Gevollmächtigte wandten die Köpfe gegen die Stubentür. "Was ist?" rief der erstere.

5 Ein starker Mann, den Südwester auf dem Kopf, war eingetreten. "Herr", sagte er, "wir beide haben es gesehen, Hans Nickels und ich: der Schimmelreiter hat sich in den Bruch gestürzt!"

"Wo saht Ihr das?" fragte der Deichgraf.

"Es ist ja nur die eine Wehle; in Jansens Fenne, wo der Hauke-
10 Haien-Kog beginnt."

"Saht Ihr's nur einmal?"

"Nur einmal; es war auch nur wie Schatten, aber es braucht drum nicht das erstemal gewesen zu sein."

Der Deichgraf war aufgestanden. "Sie wollen entschuldigen",
15 sagte er, sich zu mir wendend, "wir müssen draußen nachsehen, wo das Unheil hin will!"[111] Dann ging er mit dem Boten zur Tür hinaus; aber auch die übrige Gesellschaft brach auf und folgte ihm.

Ich blieb mit dem Schullehrer allein in dem großen öden Zimmer; durch die unverhangenen Fenster, welche nun nicht mehr durch die
20 Rücken der davorsitzenden Gäste verdeckt wurden, sah man frei hinaus, und wie der Sturm die dunklen Wolken über den Himmel jagte.

Der Alte saß noch auf seinem Platze, ein überlegenes, fast mitleidiges Lächeln auf seinen Lippen. "Es ist hier zu leer geworden", sagte er; "darf ich Sie zu mir auf mein Zimmer laden? Ich wohne hier im Hause;
25 und glauben Sie mir, ich kenne die Wetter hier am Deich; für uns ist nichts zu fürchten."

Ich nahm das dankend an, denn auch mich wollte hier zu frösteln anfangen, und wir stiegen unter Mitnahme eines Lichtes die Stiegen zu einer Giebelstube hinauf, die zwar gleichfalls gegen Westen hinauslag,
30 deren Fenster aber jetzt mit dunklen Wollteppichen verhangen waren. In einem Bücherregal sah ich eine kleine Bibliothek, daneben die Porträte zweier alter Professoren; vor einem Tische stand ein großer Ohrenlehnstuhl. "Machen Sie sich's bequem!" sagte mein freundlicher Wirt und warf einige Torf in den noch glimmenden kleinen Ofen, der oben von
35 einem Blechkessel gekrönt war. "Nur noch ein Weilchen! Er wird bald sausen; dann brau' ich uns ein Gläschen Grog, das hält Sie munter!"

"Dessen bedarf es nicht", sagte ich; "ich werd' nicht schläfrig, wenn ich Ihren Hauke auf seinem Lebensweg begleite!"

---

[111]**wo ... will** where the damage is going to show up

"Meinen Sie?" und er nickte mit seinen klugen Augen zu mir herüber, nachdem ich behaglich in seinem Lehnstuhl untergebracht war. "Nun, wo blieben wir denn?—Ja, ja; ich weiß schon! Also:

Hauke hatte sein väterliches Erbe angetreten, und da die alte Antje Wohlers auch ihrem Leiden erlegen war, so hatte deren Fenne es vermehrt. Aber seit dem Tode oder, richtiger, seit den letzten Worten seines Vaters war in ihm etwas aufgewachsen, dessen Keim er schon seit seiner Knabenzeit in sich getragen hatte; er wiederholte es sich mehr als zu oft, er sei der rechte Mann, wenn's einen neuen Deichgrafen geben müsse. Das war es; sein Vater, der es verstehen mußte, der ja der klügste Mann im Dorf gewesen war, hatte ihm dieses Wort wie eine letzte Gabe seinem Erbe beigelegt; die Wohlerssche Fenne, die er ihm auch verdankte, sollte den ersten Trittstein zu dieser Höhe bilden! Denn, freilich, auch mit dieser—ein Deichgraf mußte noch einen anderen Grundbesitz aufweisen können!—Aber sein Vater hatte sich einsame Jahre knapp beholfen, und mit dem, was er sich entzogen hatte, war er des neuen Besitzes Herr geworden; das konnte er auch, er konnte noch mehr; denn seines Vaters Kraft war schon verbraucht gewesen, er aber konnte noch jahrelang die schwerste Arbeit tun! Freilich, wenn er es dadurch nach dieser Seite hin erzwang, durch die Schärfen und Spitzen, die er der Verwaltung seines alten Dienstherrn zugesetzt hatte, war ihm eben keine Freundschaft im Dorf zuwege gebracht worden, und Ole Peters, sein alter Widersacher, hatte jüngsthin eine Erbschaft getan und begann ein wohlhabender Mann zu werden! Eine Reihe von Gesichtern ging vor seinem inneren Blick vorüber, und sie sahen ihn alle mit bösen Augen an; da faßte ihn ein Groll gegen diese Menschen: er streckte die Arme aus, als griffe er nach ihnen, denn sie wollten ihn vom Amte drängen, zu dem von allen nur er berufen war.—Und die Gedanken ließen ihn nicht; sie waren immer wieder da, und so wuchsen in seinem jungen Herzen neben der Ehrenhaftigkeit und Liebe auch die Ehrsucht und der Haß. Aber diese beiden verschloß er tief in seinem Inneren; selbst Elke ahnte nichts davon.

Als das neue Jahr gekommen war, gab es eine Hochzeit; die Braut war eine Verwandte von den Haiens, und Hauke und Elke waren beide dort geladene Gäste; ja, bei dem Hochzeitsessen traf es sich durch das Ausbleiben eines näheren Verwandten, daß sie ihre Plätze nebeneinander fanden. Nur ein Lächeln, das über beider Antlitz glitt, verriet ihre Freude darüber. Aber Elke saß heute teilnahmslos in dem Geräusche des Plauderns und Gläserklirrens.

'Fehlt dir etwas?' fragte Hauke.

'Oh, eigentlich nichts; es sind mir nur zu viele Menschen hier.'

'Aber du siehst so traurig aus!'

Sie schüttelte den Kopf; dann sprachen sie wieder nicht.

Da stieg es über ihr Schweigen wie Eifersucht in ihm auf, und
heimlich unter dem überhängenden Tischtuch ergriff er ihre Hand; aber
sie zuckte nicht, sie schloß sich wie vertrauensvoll um seine. Hatte ein
Gefühl der Verlassenheit sie befallen, da ihre Augen täglich auf der
hinfälligen Gestalt des Vaters haften mußten?—Hauke dachte nicht
daran, sich so zu fragen; aber ihm stand der Atem still, als er jetzt seinen
Goldring aus der Tasche zog. 'Läßt du ihn sitzen?' fragte er zitternd,
während er den Ring auf den Goldfinger der schmalen Hand schob.

Gegenüber am Tische saß die Frau Pastorin; sie legte plötzlich ihre
Gabel hin und wandte sich zu ihrem Nachbar: 'Mein Gott, das Mädchen!'
rief sie; 'sie wird ja totenblaß!'

Aber das Blut kehrte schon zurück in Elkes Antlitz. 'Kannst du
warten, Hauke?' fragte sie leise.

Der kluge Friese besann sich doch noch ein paar Augenblicke.
'Auf was?' sagte er dann.

'Du weißt das wohl; ich brauch' dir's nicht zu sagen.'

'Du hast recht', sagte er; 'ja, Elke, ich kann warten—wenn's nur
ein menschlich Absehen hat!'[112]

'O Gott, ich fürchte, ein nahes![113] Sprich nicht so, Hauke; du sprichst
von meines Vaters Tod!' Sie legte die andere Hand auf ihre Brust: 'Bis
dahin', sagte sie, 'trag' ich den Goldring hier; du sollst nicht fürchten,
daß du bei meiner Lebzeit ihn zurückbekommst!'

Da lächelten sie beide, und ihre Hände preßten sich ineinander,
daß bei anderer Gelegenheit das Mädchen wohl laut aufgeschrien hätte.

Die Frau Pastorin hatte indessen unablässig nach Elkes Augen
hingesehen, die jetzt unter dem Spitzenstrich des goldbrokatenen
Käppchens wie in dunklem Feuer brannten. Bei dem zunehmenden
Getöse am Tische aber hatte sie nichts verstanden; auch an ihren Nachbar
wandte sie sich nicht wieder, denn keimende Ehen—und um eine solche
schien es ihr sich denn doch hier zu handeln—schon um des daneben
keimenden Traupfennigs für ihren Mann, den Pastor, pflegte sie nicht zu
stören.

X

Elkes Vorahnung war in Erfüllung gegangen; eines Morgens nach

---

[112]**wenn's** . . . **hat** if it only lies within the humanly foreseeable future
[113]**ich** . . . **nahes** I fear it is close at hand

Ostern hatte man den Deichgrafen Tede Volkerts tot in seinem Bett
gefunden; man sah's an seinem Antlitz, ein ruhiges Ende war darauf
geschrieben. Er hatte auch mehrfach in den letzten Monden Lebensüberdruß geäußert; sein Leibgericht, der Ofenbraten, selbst seine Enten
hatten ihm nicht mehr schmecken wollen.   5
Und nun gab es eine große Leiche im Dorf. Droben auf der Geest
auf dem Begräbnisplatz um die Kirche war zu Westen eine mit Schmiedegitter umhegte Grabstätte; ein breiter blauer Grabstein stand jetzt
aufgehoben gegen eine Trauercresche, auf welchem das Bild des Todes
mit stark gezahnten Kiefern ausgehauen[114] war; darunter in großen   10
Buchstaben:

> Dat is de Dot, de allens fritt,[115]
> Nimmt Kunst un Wetenschop di mit;
> De kloke Mann is nu vergan,
> Gott gäw em selik Uperstan.   15

Es war die Begräbnisstätte des früheren Deichgrafen Volkert
Tedsen; nun war eine frische Grube gegraben, wo hinein dessen Sohn,
der jetzt verstorbene Deichgraf Volkerts, begraben werden sollte. Und
schon kam unten aus der Marsch der Leichenzug heran, eine Menge
Wagen aus allen Kirchspieldörfern; auf dem vordersten stand der schwere   20
Sarg, die beiden Rappen des deichgräflichen Stalles zogen ihn schon den
sandigen Anberg zur Geest hinauf; Schweife und Mähnen wehten in
dem scharfen Frühjahrswind. Der Gottesacker um die Kirche war bis
an die Wälle mit Menschen angefüllt, selbst auf dem gemauerten Tore
huckten Buben mit kleinen Kindern in den Armen; sie wollten alle das   25
Begraben ansehen.
Im Hause drunten in der Marsch hatte Elke in Pesel und Wohngelaß
das Leichenmahl gerüstet; alter Wein wurde bei den Gedecken hingestellt; an den Platz des Oberdeichgrafen—denn auch er war heut nicht
ausgeblieben—und an den des Pastors je eine Flasche Langkork. Als   30
alles besorgt war, ging sie durch den Stall vor die Hoftür; sie traf nie-
manden auf ihrem Wege; die Knechte waren mit zwei Gespannen in der
Leichenfuhr. Hier blieb sie stehen und sah, während ihre Trauerkleider
im Frühlingswinde flatterten, wie drüben an dem Dorfe jetzt die letzten
Wagen zur Kirche hinauffuhren. Nach einer Weile entstand dort ein   35

---

[114]das ... ausgehauen the image of death with large-toothed jaws was engraved
[115]*Low German.* **Das ist der Tod, der alles frißt, Nimmt Kunst und Wissenschaft** (*auch*) **mit: Der kluge Mann ist nun vergangen, Gott gebe ihm ein seliges
Auferstehen.**

Gewühl, dem eine Totenstille zu folgen schien. Elke faltete die Hände;
sie senkten wohl den Sarg jetzt in die Grube: 'Und zur Erde wieder sollst
du werden!' Unwillkürlich, leise, als hätte sie von dort es hören können,
sprach sie die Worte nach; dann füllten ihre Augen sich mit Tränen, ihre
5 über der Brust gefalteten Hände sanken in den Schoß; 'Vater unser, der
du bist im Himmel!' betete sie voll Inbrunst. Und als das Gebet des Herrn
zu Ende war, stand sie noch lange unbeweglich, sie, die jetzige Herrin
dieses großen Marschhofes; und Gedanken des Todes und des Lebens
begannen sich in ihr zu streiten.
10   Ein fernes Rollen weckte sie. Als sie die Augen öffnete, sah sie schon
wieder einen Wagen um den anderen in rascher Fahrt von der Marsch
herab und gegen ihren Hof herankommen. Sie richtete sich auf, blickte
noch einmal scharf hinaus und ging dann, wie sie gekommen war, durch
den Stall in die feierlich hergestellten Wohnräume zurück. Auch hier
15 war niemand; nur durch die Mauer hörte sie das Rumoren der Mägde in
der Küche. Die Festtafel stand so still und einsam; der Spiegel zwischen
den Fenstern war mit weißen Tüchern zugesteckt und ebenso die Mes-
singknöpfe an dem Beilegerofen; es blinkte nichts mehr in der Stube.
Elke sah die Türen vor dem Wandbett, in dem ihr Vater seinen letzten
20 Schlaf getan hatte, offen stehen und ging hinzu und schob sie fest zusammen; wie gedankenlos las sie den Sinnspruch, der zwischen Rosen und
Nelken mit goldenen Buchstaben darauf geschrieben stand:

Hest du din Dagwark richtig dan,
Da kommt de Slap von sülvst heran.[116]

25   Das war noch von dem Großvater!—Einen Blick warf sie auf den
Wandschrank; er war fast leer, aber durch die Glastüren sah sie noch den
geschliffenen Pokal darin, der ihrem Vater, wie er gern erzählt hatte,
einst bei einem Ringreiten[117] in seiner Jugend als Preis zuteil geworden
war. Sie nahm ihn heraus und setzte ihn bei dem Gedeck des Oberdeich-
30 grafen. Dann ging sie ans Fenster, denn schon hörte sie die Wagen an
der Werfte heraufrollen; einer um den anderen hielt vor dem Hause, und
munterer, als sie gekommen waren, sprangen jetzt die Gäste von ihren
Sitzen auf den Boden. Händereibend und plaudernd drängte sich alles in
die Stube; nicht lange, so setzte man sich an die festliche Tafel, auf der

---

[116]**Hast du dein Tagwerk richtig getan,**
   Dann kommt der Schlaf von selbst heran.
[117]**Ringreiten** *an equestrian sport in which the player's skill is demonstrated by thrusting
a long pike through a ring suspended from an overhead beam while riding at full gallop.*

die wohlbereiteten Speisen dampften, im Pesel der Oberdeichgraf mit dem Pastor; und Lärm und lautes Schwatzen lief den Tisch entlang, als ob hier nimmer der Tod seine furchtbare Stille ausgebreitet hätte. Stumm, das Auge auf ihre Gäste, ging Elke mit den Mägden an den Tisch herum, daß an dem Leichenmahle nichts versehen werde. Auch Hauke Haien 5 saß im Wohnzimmer neben Ole Peters und anderen kleineren Besitzern.

Nachdem das Mahl beendet war, wurden die weißen Tonpfeifen aus der Ecke geholt und angebrannt, und Elke war wiederum geschäftig, die gefüllten Kaffeetassen den Gästen anzubieten; denn auch der wurde heute nicht gespart. Im Wohnzimmer an dem Pulte des eben Begrabe- 10 nen stand der Oberdeichgraf im Gespräche mit dem Pastor und dem weiß-haarigen Deichgevollmächtigten Jewe Manners. 'Alles gut, ihr Herren', sagte der erste, 'den alten Deichgrafen haben wir mit Ehren beigesetzt; aber woher nehmen wir den neuen? Ich denke, Manners, Ihr werdet Euch dieser Würde unterziehen müssen!'[118] 15

Der alte Manners hob lächelnd das schwarze Sammetkäppchen von seinen weißen Haaren: 'Herr Oberdeichgraf', sagte er, 'das Spiel würde zu kurz werden; als der verstorbene Tede Volkerts Deichgraf wurde, da wurde ich Gevollmächtigter und bin es nun schon vierzig Jahre!'

'Das ist kein Mangel, Manners; so kennt Ihr die Geschäfte um so 20 besser und werdet nicht Not mit ihnen haben!'

Aber der Alte schüttelte den Kopf: 'Nein, nein, Euer Gnaden, lasset mich, wo ich bin, so laufe ich wohl noch ein paar Jahre mit!'

Der Pastor stand ihm bei: 'Weshalb', sagte er, 'nicht den ins Amt nehmen, der es tatsächlich in den letzten Jahren geführt hat?' 25

Der Oberdeichgraf sah ihn an: 'Ich verstehe nicht, Herr Pastor!'

Aber der Pastor wies mit dem Finger in den Pesel, wo Hauke in langsam ernster Weise zwei älteren Leuten etwas zu erklären schien. 'Dort steht er', sagte er, 'die lange Friesengestalt mit den klugen grauen Augen neben der hageren Nase und den zwei Schädelwölbungen darüber! 30 Er war des Alten Knecht und sitzt jetzt auf seiner eigenen kleinen Stelle; er ist zwar etwas jung!'

'Er scheint ein Dreißiger', sagte der Oberdeichgraf, den ihm so Vorgestellten musternd.

'Er ist kaum vierundzwanzig', bemerkte der Gevollmächtigte 35 Manners; 'aber der Pastor hat recht: was in den letzten Jahren Gutes für Deiche und Siele und dergleichen vom Deichgrafenamt in Vorschlag kam, das war von ihm; mit dem Alten war's doch zuletzt nichts mehr.'

---

[118]**Ihr ... müssen** you'll have to assume this title

'So, so?' machte der Oberdeichgraf; 'und Ihr meinet, er wäre nun auch der Mann, um in das Amt seines alten Herrn einzurücken?'

'Der Mann wäre er schon', entgegnete Jewe Manners; 'aber ihm fehlt das, was man hier Klei unter den Füßen nennt; sein Vater hatte so
5 um fünfzehn, er mag gut zwanzig Demat haben; aber damit ist bis jetzt hier niemand Deichgraf geworden.'

Der Pastor tat schon den Mund auf, als wolle er etwas einwenden, da trat Elke Volkerts, die eine Weile schon im Zimmer gewesen, plötzlich zu ihnen: 'Wollen Euer Gnaden mir ein Wort erlauben?' sprach sie zu
10 dem Oberbeamten; 'es ist nur, damit aus einem Irrtum nicht ein Unrecht werde!'

'So sprecht, Jungfer Elke!' entgegnete dieser; 'Weisheit von hübschen Mädchenlippen hört sich allzeit gut!'[119]

'Es ist nicht Weisheit, Euer Gnaden; ich will nur die Wahrheit
15 sagen.'

'Auch die muß man ja hören können, Jungfer Elke!'

Das Mädchen ließ ihre dunklen Augen noch einmal zur Seite gehen, als ob sie wegen überflüssiger Ohren sich versichern wolle: 'Euer Gnaden', begann sie dann, und ihre Brust hob sich in stärkerer Bewegung,
20 'mein Pate, Jewe Manners, sagte Ihnen, daß Hauke Haien nur etwa zwanzig Demat im Besitz habe; das ist im Augenblick auch richtig, aber sobald es sein muß,[120] wird Hauke noch um so viel mehr sein eigen nennen, als dieser, meines Vaters, jetzt mein Hof, an Dematzahl beträgt; für einen Deichgrafen wird das zusammen denn wohl reichen.'

25 Der alte Manners reckte den weißen Kopf gegen sie, als müsse er erst sehen, wer denn eigentlich da rede: 'Was ist das?' sagte er; 'Kind, was sprichst du da?'

Aber Elke zog an einem schwarzen Bändchen einen blinkenden Goldring aus ihrem Mieder: 'Ich bin verlobt, Pate Manners', sagte sie;
30 'hier ist der Ring, und Hauke Haien ist mein Bräutigam.'

'Und wann—ich darf's wohl fragen, da ich dich aus der Taufe hob, Elke Volkerts—wann ist denn das passiert?'

'Das war schon vor geraumer Zeit; doch war ich mündig, Pate Manners', sagte sie; 'mein Vater war schon hinfällig worden, und da ich
35 ihn kannte, so wollt' ich ihn nicht mehr damit beunruhigen; jetzt, da er bei Gott ist, wird er einsehen, daß sein Kind bei diesem Manne wohlge-

---

[119]**hört sich gut** is good to hear
[120]**sobald . . . muß** as soon as may be

borgen ist. Ich hätte es auch das Trauerjahr hindurch schon ausgeschwiegen; jetzt aber, um Haukes und um des Koges willen, hab' ich reden müssen.' Und zum Oberdeichgrafen gewandt, setzte sie hinzu: 'Euer Gnaden wollen mir das verzeihen!'

Die drei Männer sahen sich an; der Pastor lachte, der alte Gevollmächtigte ließ es bei einem 'Hmm, hmm!' bewenden,[121] während der Oberdeichgraf wie vor einer wichtigen Entscheidung sich die Stirn rieb. 'Ja, liebe Jungfer', sagte er endlich, 'aber wie steht es denn hier im Koge mit den ehelichen Güterrechten? Ich muß gestehen, ich bin augenblicklich nicht recht kapitelfest in diesem Wirrsal!'[122]

'Das brauchen Euer Gnaden auch nicht', entgegnete des Deichgrafen Tochter, 'ich werde vor der Hochzeit meinem Bräutigam die Güter übertragen. Ich habe auch meinen kleinen Stolz', setzte sie lächelnd hinzu; 'ich will den reichsten Mann im Dorfe heiraten!'

'Nun, Manners', meinte der Pastor, 'ich denke, Sie werden auch als Pate nichts dagegen haben, wenn ich den jungen Deichgrafen mit des alten Tochter zusammengebe!'

Der Alte schüttelte leis den Kopf: 'Unser Herr Gott gebe seinen Segen!' sagte er andächtig.

Der Oberdeichgraf aber reichte dem Mädchen seine Hand: 'Wahr und weise habt Ihr gesprochen, Elke Volkerts; ich danke Euch für so kräftige Erläuterungen und hoffe auch in Zukunft, und bei freundlicheren Gelegenheiten als heute, der Gast Eures Hauses zu sein; aber—daß ein Deichgraf von solch junger Jungfer gemacht wurde, das ist das Wunderbare an der Sache!'

'Euer Gnaden', erwiderte Elke und sah den gütigen Oberbeamten noch einmal mit ihren ernsten Augen an, 'einem rechten Manne wird auch die Frau wohl helfen dürfen!' Dann ging sie in den anstoßenden Pesel und legte schweigend ihre Hand in Hauke Haiens.

XI

Es war um mehrere Jahre später: in dem kleinen Hause Tede Haiens wohnte jetzt ein rüstiger Arbeiter mit Frau und Kind; der junge Deichgraf Hauke Haien saß mit seinem Weibe Elke Volkerts auf deren väterlicher Hofstelle. Im Sommer rauschte die gewaltige Esche nach wie vor

---

[121]**ließ ... bewenden** said 'Hmm, hmm!' and let it go at that
[122]**wie ... Wirrsal** how about matrimonial property rights here in the Kog? ... I can't just at this moment quote chapter and verse amid this confusion!

am Hause; aber auf der Bank, die jetzt darunterstand, sah man abends
meist nur die junge Frau, einsam mit einer häuslichen Arbeit in den
Händen; noch immer fehlte ein Kind in dieser Ehe; der Mann aber hatte
anderes zu tun, als Feierabend vor der Tür zu halten, denn trotz seiner
5 früheren Mithilfe lagen aus des Alten Amtsführung eine Menge unerle-
digter Dinge, an die auch er derzeit zu rühren nicht für gut gefunden
hatte; jetzt aber mußte allmählich alles aus dem Wege; er fegte mit
einem scharfen Besen. Dazu kam die Bewirtschaftung der durch seinen
eigenen Landbesitz vergrößerten Stelle, bei der er gleichwohl den
10 Kleinknecht noch zu sparen suchte; so sahen sich die beiden Eheleute,
außer am Sonntag, wo Kirchgang gehalten wurde,[123] meist nur bei dem
von Hauke eilig besorgten Mittagessen und beim Auf- und Niedergang
des Tages; es war ein Leben fortgesetzter Arbeit, doch gleichwohl ein
zufriedenes.
15   Dann kam ein störendes Wort in Umlauf.—Als von den jüngeren
Besitzern der Marsch- und Geestgemeinde eines Sonntags nach der
Kirche ein etwas unruhiger Trupp im Kruge droben am Trunke fest-
geblieben war,[124] redeten sie beim vierten und fünften Glase zwar nicht
über König und Regierung—so hoch wurde damals noch nicht gegriffen
20 —, wohl aber über Kommunal- und Oberbeamte, vor allem über Gemeindeabgaben und -lasten, und je länger sie redeten, desto weniger fand
davon Gnade vor ihren Augen, insonders nicht die neuen Deichlasten;
alle Siele und Schleusen, die sonst immer gehalten hätten, seien jetzt
reparaturbedürftig; am Deiche fänden sich immer neue Stellen, die
25 Hunderte von Karren Erde nötig hätten; der Teufel möchte die Geschichte holen!
       'Das kommt von eurem klugen Deichgrafen', rief einer von den
Geestleuten, 'der immer grübeln geht und seine Finger dann in alles
steckt!'
30   'Ja, Marten', sagte Ole Peters, der dem Sprecher gegenübersaß;
'recht hast du, er ist hinterspinnig und sucht beim Oberdeichgraf sich
'nen weißen Fuß zu machen,[125] aber wir haben ihn nun einmal!'
       'Warum habt ihr ihn euch aufhucken lassen?'[126] sagte der andere;
'nun müßt ihr's bar bezahlen.'

---

[123]wo . . . wurde when they went to church
[124]im . . . war had stopped at the tavern on the **Geest** for a drink
[125]sucht . . . machen is trying to insinuate himself in the good graces of the Dike
Superintendent
[126]Warum . . . lassen Why did you let them saddle you with him?

Ole Peters lachte. 'Ja, Marten Fedders, das ist nun so bei uns, und davon ist nichts abzukratzen: der alte wurde Deichgraf von seines Vaters, der neue von seines Weibes wegen.' Das Gelächter, das jetzt um den Tisch lief, zeigte, welchen Beifall das geprägte Wort gefunden hatte.

Aber es war an öffentlicher Wirtstafel gesprochen worden, es blieb 5 nicht da, es lief bald um im Geest- wie unten in dem Marschdorf; so kam es auch an Hauke. Und wieder ging vor seinem inneren Auge die Reihe übelwollender Gesichter vorüber, und noch höhnischer, als es gewesen war, hörte er das Gelächter an dem Wirtshaustische. 'Hunde!' schrie er, und seine Augen sahen grimmig zur Seite, als wolle er sie peitschen 10 lassen.

Da legte Elke ihre Hand auf seinen Arm: 'Laß sie; die wären alle gern, was du bist!'

'Das ist es eben!' entgegnete er grollend.

'Und', fuhr sie fort, 'hat denn Ole Peters sich nicht selber eingefreit?' 15

'Das hat er, Elke; aber was er mit Vollina freite, das reicht nicht zum Deichgrafen!'

'Sag lieber: er reichte nicht dazu!' und Elke drehte ihren Mann, so daß er sich im Spiegel sehen mußte, denn sie standen zwischen den Fenstern in ihrem Zimmer. 'Da steht der Deichgraf!' sagte sie; 'nun sieh 20 ihn an; nur wer ein Amt regieren kann, der hat es!'

'Du hast nicht unrecht', entgegnete er sinnend, 'und doch ... Nun, Elke, ich muß zur Osterschleuse; die Türen schließen wieder nicht!'

Sie drückte ihm die Hand: 'Komm, sieh mich erst einmal an! Was hast du, deine Augen sehen so ins Weite!' 25

'Nichts, Elke; du hast ja recht.'

Er ging! aber nicht lange war er gegangen, so war die Schleusenreparatur vergessen. Ein anderer Gedanke, den er halb nur ausgedacht und seit Jahren mit sich umhergetragen hatte, der aber vor den drängenden Amtsgeschäften ganz zurückgetreten war, bemächtigte sich 30 seiner jetzt aufs neue und mächtiger als je zuvor, als seien plötzlich die Flügel ihm gewachsen.

Kaum daß er es selber wußte, befand er sich oben auf dem Deich, schon eine weite Strecke südwärts nach der Stadt zu; das Dorf, das nach dieser Seite hinauslag, war ihm zur Linken längst verschwunden; noch 35 immer schritt er weiter, seine Augen unablässig nach der Seeseite auf das breite Vorland gerichtet; wäre jemand neben ihm gegangen, er hätte es sehen müssen, welch eindringliche Geistesarbeit hinter diesen Augen vorging. Endlich blieb er stehen: das Vorland schwand hier zu einem schmalen Streifen an dem Deich zusammen. 'Es muß gehen!' sprach er bei sich selbst. 'Sieben Jahr im Amt; sie sollen nicht mehr sagen, daß ich nur Deichgraf bin von meines Weibes wegen!'

5 Noch immer stand er, und seine Blicke schweiften scharf und bedächtig nach allen Seiten über das grüne Vorland; dann ging er zurück, bis wo auch hier ein schmaler Streifen grünen Weidelands die vor ihm liegende breite Landfläche ablöste. Hart an dem Deiche aber schoß ein starker Meeresstrom durch diese, der fast das ganze Vorland von dem Festland trennte und zu einer Hallig machte; eine rohe Holzbrücke

10 führte nach dort hinüber, damit man mit Vieh und Heu- oder Getreidewagen hinüber und wieder zurück gelangen konnte. Jetzt war es Ebbzeit, und die goldene Septembersonne glitzerte auf dem etwa hundert Schritte breiten Schlickstreifen und auf dem tiefen Priel[127] in seiner Mitte, durch den auch jetzt das Meer noch seine Wasser trieb. 'Das läßt sich dämmen!'

15 sprach Hauke bei sich selber, nachdem er diesem Spiele eine Zeitlang zugesehen; dann blickte er auf, und von dem Deiche, auf dem er stand, über den Priel hinweg, zog er in Gedanken eine Linie längs dem Rande des abgetrennten Landes, nach Süden herum und ostwärts wiederum zurück über die dortige Fortsetzung des Prieles und an den Deich heran.

20 Die Linie aber, welche er unsicher gezogen hatte, war ein neuer Deich, neu auch in der Konstruktion seines Profiles, welches bis jetzt nur noch in seinem Kopf vorhanden war.

'Das gäbe einen Kog von zirka tausend Demat', sprach er lächelnd zu sich selber; 'nicht groß just; aber . . . '

25 Eine andere Kalkulation überkam ihn: das Vorland gehörte hier der Gemeinde, ihren einzelnen Mitgliedern eine Zahl von Anteilen, je nach der Größe ihres Besitzes im Gemeindebezirk oder nach sonst zu Recht bestehender Erwerbung;[128] er begann zusammenzuzählen, wieviel Anteile er von seinem, wie viele er von Elkes Vater überkommen, und

30 was an solchen er während seiner Ehe schon selbst gekauft hatte, teils in dem dunklen Gefühle eines künftigen Vorteils, teils bei Vermehrung seiner Schafzucht. Es war schon eine ansehnliche Menge; denn auch von Ole Peters hatte er dessen sämtliche Teile angekauft, da es diesem zum Verdruß geschlagen war,[129] als bei einer teilweisen Überströmung ihm

---

[127]**Priel** *channel cut into the* **Watt** *by ocean currents.*

[128]**ihren** . . . **Erwerbung** to each of its individual members (belonged) a number of shares in proportion to the magnitude of his possessions within the parish boundaries, or by virtue of other legally established procurement (*i.e., by purchase or trade*)

[129]**da** . . . **war** since the latter had been greatly annoyed

sein bester Schafbock ertrunken war. Aber das war ein seltsamer Unfall gewesen, denn so weit Haukes Gedächtnis reichte, waren selbst bei hohen Fluten dort nur die Ränder überströmt worden. Welch treffliches Weide- und Kornland mußte es geben und von welchem Werte, wenn das alles von seinem neuen Deich umgeben war! Wie ein Rausch stieg es ihm 5 ins Gehirn; aber er preßte die Nägel in seine Handflächen und zwang seine Augen, klar und nüchtern zu sehen, was dort vor ihm lag: eine große deichlose Fläche, wer wußte es, welchen Stürmen und Fluten schon in den nächsten Jahren preisgegeben, an deren äußerstem Rande jetzt ein Trupp von schmutzigen Schafen langsam grasend entlang wanderte; 10 dazu für ihn ein Haufen Arbeit, Kampf und Ärger! Trotz alledem, als er vom Deich hinab und den Fußsteig über die Fennen auf seine Werfte zuging, ihm war's, als brächte er einen großen Schatz mit sich nach Hause.

Auf dem Flur trat Elke ihm entgegen: 'Wie war es mit der Schleuse?' 15 fragte sie.

Er sah mit geheimnisvollem Lächeln auf sie nieder: 'Wir werden bald eine andere Schleuse brauchen', sagte er; 'und Sielen und einen neuen Deich!'

'Ich versteh dich nicht', entgegnete Elke, während sie in das Zimmer 20 gingen; 'was willst du, Hauke?'

'Ich will', sagte er langsam und hielt dann einen Augenblick inne, 'ich will, daß das große Vorland, das unserer Hofstatt gegenüber beginnt und dann nach Westen ausgeht, zu einem festen Koge eingedeicht werde: die hohen Fluten haben fast ein Menschenalter uns in Ruh' gelassen; 25 wenn aber eine von den schlimmen wiederkommt und den Anwachs stört, so kann mit einemmal die ganze Herrlichkeit zu Ende sein;[130] nur der alte Schlendrian hat das bis heut so lassen können!'

Sie sah ihn voll Erstaunen an: 'So schiltst du dich ja selber!' sagte sie.

'Das tu' ich, Elke; aber es war bisher auch so viel anderes zu be- 30 schaffen!'

'Ja, Hauke; gewiß, du hast genug getan!'

Er hatte sich in den Lehnstuhl des alten Deichgrafen gesetzt, und seine Hände griffen fest um beide Lehnen.

'Hast du denn guten Mut dazu?' fragte ihn sein Weib. 35

---

[130] *A bad flood could destroy the foreland with its protective growth of grass and thus expose the old dike to the ravages of the sea, so that both the foreland and the old dike* (**die ganze Herrlichkeit**) *could be washed away.*

'Das hab' ich, Elke!' sprach er hastig.

'Sei nicht zu hastig, Hauke; das ist ein Werk auf Tod und Leben; und fast alle werden dir entgegen sein, man wird dir deine Müh' und Sorg' nicht danken!'

5 Er nickte: 'Ich weiß!' sagte er.

'Und wenn es nun nicht gelänge!' rief sie wieder; 'von Kindesbeinen an hab' ich gehört, der Priel sei nicht zu stopfen, und darum dürfe nicht daran gerührt werden.'

'Das war ein Vorwand für die Faulen!' sagte Hauke; 'weshalb sollte 10 man den Priel nicht stopfen können?'

'Das hört' ich nicht; vielleicht, weil er gerade durchgeht; die Spülung ist zu stark.'—Eine Erinnerung überkam sie, und ein fast schelmisches Lächeln brach aus ihren ernsten Augen: 'Als ich Kind war', sprach sie, 'hörte ich einmal die Knechte darüber reden; sie meinten, wenn ein 15 Damm dort halten solle, müsse was Lebigs[131] da hineingeworfen und mit verdämmt werden; bei einem Deichbau auf der anderen Seite, vor wohl hundert Jahren, sei ein Zigeunerkind verdämmt worden, das sie um schweres Geld der Mutter abgehandelt hätten; jetzt aber würde wohl keine ihr Kind verkaufen!'

20 Hauke schüttelte den Kopf: 'Da ist es gut, daß wir keins haben; sie würden es sonst noch schier von uns verlangen!'

'Sie sollten's nicht bekommen!' sagte Elke und schlug wie in Angst die Arme über ihren Leib.

Und Hauke lächelte; doch sie fragte noch einmal: 'Und die unge- 25 heuren Kosten? Hast du das bedacht?'

'Das hab' ich, Elke; was wir dort herausbringen, wird sie bei weitem überholen, auch die Erhaltungskosten des alten Deiches gehen für ein gut Stück in dem neuen unter;[132] wir arbeiten ja selbst und haben über achtzig Gespanne in der Gemeinde, und an jungen Fäusten ist hier auch 30 kein Mangel. Du sollst mich wenigstens nicht umsonst zum Deichgrafen gemacht haben, Elke; ich will ihnen zeigen, daß ich einer bin!'

Sie hatte sich vor ihm niedergehuckt und ihn sorgvoll angeblickt; nun erhob sie sich mit einem Seufzer: 'Ich muß weiter zu meinem Tage- werk', sagte sie, und ihre Hand strich langsam über seine Wange; 'tu du 35 das deine, Hauke!'

---

[131]was **Lebigs** some living thing

[132]*The meaning of Hauke's statement is that the total cost of maintaining the dikes will be somewhat higher, but the benefits to be derived from the new dike will far outweigh the increased cost of maintenance.*

'Amen, Elke!' sprach er mit ernstem Lächeln; 'Arbeit ist für uns beide da!'

Und es war Arbeit genug für beide, die schwerste Last aber fiel jetzt auf des Mannes Schulter. An Sonntagnachmittagen, oft auch nach Feierabend, saß Hauke mit einem tüchtigen Feldmesser zusammen, vertieft in Rechenaufgaben, Zeichnungen und Rissen; war er allein, dann ging es ebenso und endete oft weit nach Mitternacht. Dann schlich er in die gemeinsame Schlafkammer—denn die dumpfen Wandbetten im Wohngemach wurden in Haukes Wirtschaft nicht mehr gebraucht—und sein Weib, damit er endlich nur zur Ruhe komme, lag wie schlafend mit geschlossenen Augen, obgleich sie mit klopfendem Herzen nur auf ihn gewartet hatte; dann küßte er mitunter ihre Stirn und sprach ein leises Liebeswort dabei und legte sich selbst zum Schlafe, der ihm oft nur beim ersten Hahnenkraht zu Willen war.[133]

Im Wintersturm lief er auf den Deich hinaus, mit Bleistift und Papier in der Hand, und stand und zeichnete und notierte, während ein Windstoß ihm die Mütze vom Kopfe riß und das lange, fahle Haar ihm um sein heißes Antlitz flog; bald fuhr er, solange nur das Eis ihm nicht den Weg versperrte, mit einem Knecht zu Boot ins Wattenmeer hinaus und maß dort mit Lot und Stange die Tiefen der Ströme, über die er noch nicht sicher war. Elke zitterte oft genug für ihn; aber war er wieder da, so hätte er das nur aus ihrem festen Händedruck oder dem leuchtenden Blitz aus ihren sonst so stillen Augen merken können. 'Geduld, Elke', sagte er, da ihm einmal war, als ob sein Weib ihn nicht lassen könne; 'ich muß erst selbst im reinen sein, bevor ich meinen Antrag stelle!' Da nickte sie und ließ ihn gehen. Der Ritte in die Stadt zum Oberdeichgrafen wurden auch nicht wenige, und allem diesen und den Mühen in Haus- und Landwirtschaft folgten immer wieder die Arbeiten in die Nacht hinein. Sein Verkehr mit anderen Menschen außer in Arbeit und Geschäft verschwand fast ganz; selbst der mit seinem Weibe wurde immer weniger. 'Es sind schlimme Zeiten, und sie werden noch lange dauern', sprach Elke bei sich selber und ging an ihre Arbeit.

Endlich, Sonne und Frühlingswinde hatten schon überall das Eis gebrochen, war auch die letzte Vorarbeit getan; die Eingabe an den Oberdeichgrafen zur Befürwortung an höherem Orte, enthaltend den Vorschlag einer Bedeichung des erwähnten Vorlandes, zur Förderung des öffentlichen Besten, insonders des Koges, wie nicht weniger der

---

[133]der ... war which often did not come to him until the first crowing of the cock

herrschaftlichen Kasse, da höchstderselben[134] in kurzen Jahren die Abgaben von zirka tausend Demat daraus erwachsen würden—war sauber abgeschrieben und nebst anliegenden Rissen und Zeichnungen aller Lokalitäten, jetzt und künftig, der Schleusen und Siele, und was noch sonst dazugehörte, in ein festes Konvolut gepackt und mit dem deichgräflichen Amtssiegel versehen worden.

'Da ist es, Elke', sagte der junge Deichgraf, 'nun gib ihm deinen Segen!'

Elke legte ihre Hand in seine: 'Wir wollen fest zusammenhalten', sagte sie.

'Das wollen wir.'

XII

Dann wurde die Eingabe durch einen reitenden Boten in die Stadt gesandt.

Sie wollen bemerken, lieber Herr", unterbrach der Schulmeister seine Erzählung, mich freundlich mit seinen feinen Augen fixierend, "daß ich das bisher Berichtete[135] während meiner fast vierzigjährigen Wirksamkeit in diesem Koge aus den Überlieferungen verständiger Leute oder aus Erzählungen der Enkel und Urenkel solcher zusammengefunden habe; was ich, damit Sie dieses mit dem endlichen Verlauf in Einklang zu bringen vermögen, Ihnen jetzt vorzutragen habe, das war derzeit und ist auch jetzt noch das Geschwätz des ganzen Marschdorfes, sobald nur um Allerheiligen die Spinnräder an zu schnurren fangen.

Von der Hofstelle des Deichgrafen, etwa fünf- bis sechshundert Schritte weiter nordwärts, sah man derzeit, wenn man auf dem Deiche stand, ein paar tausend Schritt ins Wattenmeer hinaus und etwas weiter von dem gegenüberliegenden Marschufer entfernt eine kleine Hallig, die sie 'Jeverssand', auch 'Jevershallig' nannten. Von den derzeitigen Großvätern war sie noch zur Schafweide benutzt worden, denn Gras war damals noch darauf gewachsen; aber auch das hatte aufgehört, weil die niedrige Hallig ein paarmal, und just im Hochsommer, unter Seewasser gekommen und der Graswuchs dadurch verkümmert und auch zur Schafweide unnutzbar geworden war. So kam es denn, daß außer von Möwen und den anderen Vögeln, die am Strande fliegen, und etwa einmal von einem Fischadler, dort kein Besuch mehr stattfand; und an mond-

---

[134]**höchstderselben** for its benefit. *The language of this passage is legalistic.*
[135]**das ... Berichtete** that which I have hitherto told you

hellen Abenden sah man vom Deiche aus nur die Nebeldünste leichter oder schwerer darüber hinziehen. Ein paar weißgebleichte Knochengerüste ertrunkener Schafe und das Gerippe eines Pferdes, von dem freilich niemand begriff, wie es dort hingekommen sei, wollte man, wenn der Mond von Osten auf die Hallig schien, dort auch erkennen 5 können.

Es war zu Ende März, als an dieser Stelle nach Feierabend der Tagelöhner aus dem Tede Haienschen Hause und Iven Johns, der Knecht des jungen Deichgrafen, nebeneinanderstanden und unbeweglich nach der im trüben Mondduft kaum erkennbaren Hallig hinüberstarrten; 10 etwas Auffälliges schien sie dort so festzuhalten. Der Tagelöhner steckte die Hände in die Tasche und schüttelte sich: 'Komm, Iven', sagte er, 'das ist nichts Gutes; laß uns nach Haus gehen!'

Der andere lachte, wenn auch ein Grauen bei ihm hindurchklang:[136] 'Ei was, es ist eine lebige Kreatur, eine große! Wer, zum Teufel, hat sie 15 nach dem Schlickstück hinaufgejagt! Sieh nur, nun reckt's den Hals zu uns hinüber! Nein, es senkt den Kopf; es frißt! Ich dächt', es wär' dort nichts zu fressen! Was es nur sein mag?'

'Was geht das uns an!'[137] entgegnete der andere. 'Gute Nacht, Iven, wenn du nicht mitwillst; ich gehe nach Haus!' 20

'Ja, ja; du hast ein Weib, du kommst ins warme Bett! Bei mir ist auch in meiner Kammer lauter Märzenluft!'

'Gut Nacht denn!' rief der Tagelöhner zurück, während er auf dem Deich nach Hause trabte. Der Knecht sah sich ein paarmal nach dem Fortlaufenden um; aber die Begier, Unheimliches zu schauen, hielt ihn 25 noch fest. Da kam eine untersetzte, dunkle Gestalt auf dem Deich, vom Dorf her, gegen ihn heran; es war der Dienstjunge des Deichgrafen. 'Was willst du, Carsten?' rief ihm der Knecht entgegen.

'Ich?—nichts', sagte der Junge; 'aber unser Wirt will dich sprechen, Iven Johns!' 30

Der Knecht hatte die Augen schon wieder nach der Hallig: 'Gleich; ich komme gleich!' sagte er.

'Wonach guckst du denn so?' fragte der Junge. Der Knecht hob den Arm und wies stumm nach der Hallig. 'Oha!' flüsterte der Junge; 'da geht ein Pferd—ein Schimmel—das muß der Teufel reiten—wie kommt ein 35 Pferd nach Jevershallig?'

---

[136]**wenn . . . hindurchklang** though one could tell by the sound of his laughter that he, too, felt some fear
[137]**Was . . . an** What do we care!

'Weiß nicht, Carsten; wenn's nur ein richtiges Pferd ist!'

'Ja, ja, Iven; sieh nur, es frißt ganz wie ein Pferd! Aber wer hat's dahin gebracht; wir haben im Dorf so große Böte gar nicht! Vielleicht auch ist es nur ein Schaf; Peter Ohm sagt, im Mondschein wird aus
5 zehn Torfringeln ein ganzes Dorf. Nein, sieh! Nun springt es—es muß doch ein Pferd sein!'

Beide standen eine Weile schweigend, die Augen nur nach dem gerichtet, was sie drüben undeutlich vor sich gehen sahen. Der Mond stand hoch am Himmel und beschien das weite Wattenmeer, das eben in
10 der steigenden Flut seine Wasser über die glitzernden Schlickflächen zu spülen begann. Nur das leise Geräusch des Wassers, keine Tierstimme war in der ungeheuren Weite hier zu hören; auch in der Marsch, hinter dem Deiche, war es leer; Kühe und Rinder waren alle noch in den Ställen. Nichts regte sich; nur was sie für ein Pferd, einen Schimmel,
15 hielten, schien dort auf Jevershallig noch beweglich. 'Es wird heller', unterbrach der Knecht die Stille; 'ich sehe deutlich die weißen Schafgerippe schimmern!'

'Ich auch', sagte der Junge und reckte den Hals; dann aber, als komme es ihm plötzlich,[138] zupfte er den Knecht am Ärmel: 'Iven',
20 raunte er, 'das Pferdsgerippe, das sonst dabeilag, wo ist es? Ich kann's nicht sehen!'

'Ich seh' es auch nicht! Seltsam!' sagte der Knecht.

'Nicht so seltsam, Iven! Mitunter, ich weiß nicht, in welchen Nächten, sollen die Knochen sich erheben und tun, als ob sie lebig wären!'
25 'So?' machte der Knecht; 'das ist ja Altweiberglaube!'

'Kann sein, Iven', meinte der Junge.

'Aber, ich mein', du sollst mich holen; komm, wir müssen nach Haus! Es bleibt hier immer doch dasselbe.'

Der Junge war nicht fortzubringen, bis der Knecht ihn mit Gewalt
30 herumgedreht und auf den Weg gebracht hatte. 'Hör, Carsten', sagte dieser, als die gespensterhafte Hallig ihnen schon ein gut Stück im Rücken lag, 'du giltst ja für einen Allerweltsbengel;[139] ich glaub', du möchtest das am liebsten selber untersuchen!'

'Ja', entgegnete Carsten, nachträglich noch ein wenig schaudernd,
35 'ja, das möcht' ich, Iven!'

'Ist das dein Ernst?—dann', sagte der Knecht, nachdem der Junge

---

[138]als ... plötzlich as if he had just noticed it
[139]du ... Allerweltsbengel you have the reputation of being a devil-may-care fellow

ihm nachdrücklich darauf die Hand geboten hatte, 'lösen wir morgen
abend unser Boot; du fährst nach Jeverssand; ich bleib' solange auf dem
Deiche stehen.'
'Ja', erwiderte der Junge, 'das geht! Ich nehme meine Peitsche mit!'
'Tu das!'   5
Schweigend kamen sie an das Haus ihrer Herrschaft, zu dem sie
langsam die hohe Werft hinanstiegen.

XIII

Um dieselbe Zeit des folgenden Abends saß der Knecht auf dem
großen Steine vor der Stalltür, als der Junge mit seiner Peitsche knallend
zu ihm kam. 'Das pfeift ja wunderlich!' sagte jener.   10
'Freilich, nimm dich in acht', entgegnete der Junge; 'ich hab' auch
Nägel in die Schnur geflochten.'[140]
'So komm!' sagte der andere.
Der Mond stand, wie gestern, am Osthimmel und schien klar aus
seiner Höhe. Bald waren beide wieder draußen auf dem Deich und   15
sahen hinüber nach Jevershallig, die wie ein Nebelfleck im Wasser stand.
'Da geht es wieder', sagte der Knecht; 'nach Mittag war ich hier, da
war's nicht da; aber ich sah deutlich das weiße Pferdsgeripte liegen!'
Der Junge reckte den Hals: 'Das ist jetzt nicht da, Iven', flüsterte er.
'Nun, Carsten, wie ist's?' sagte der Knecht. 'Juckt's dich noch,[141]   20
hinüberzufahren?'
Carsten besann sich einen Augenblick; dann klatsche er mit seiner
Peitsche in die Luft: 'Mach nur das Boot los, Iven!'
Drüben aber war es, als hebe, was dorten ging, den Hals und recke
gegen das Festland hin den Kopf. Sie sahen es nicht mehr; sie gingen   25
schon den Deich hinab und bis zur Stelle, wo das Boot gelegen war.
'Nun, steig nur ein!' sagte der Knecht, nachdem er es losgebunden hatte.
'Ich bleib', bis du zurück bist! Zu Osten mußt du anlegen; da hat man
immer landen können!' Und der Junge nickte schweigend und fuhr mit
seiner Peitsche in die Mondnacht hinaus; der Knecht wanderte unterm   30
Deich zurück und bestieg ihn wieder an der Stelle, wo sie vorhin gestanden hatten. Bald sah er, wie drüben bei einer schroffen, dunklen Stelle,
an die ein breiter Priel hinanführte, das Boot sich beilegte und eine

---

[140]ich ... geflochten I have woven nails into the lash (*to make the whip a more
formidable weapon, and also, perhaps, because iron is popularly believed to be a protection against
evil spirits*)
[141]Juckt's ... noch Are you still itching

untersetzte Gestalt daraus ans Land sprang.—War's nicht, als klatschte der Junge mit seiner Peitsche? Aber es konnte auch das Geräusch der steigenden Flut sein. Mehrere hundert Schritte nordwärts sah er, was sie für einen Schimmel angesehen hatten; und jetzt!—ja, die Gestalt des Jungen kam gerade darauf zugegangen.[142] Nun hob es den Kopf, als ob es stutze; und der Junge—es war deutlich zu hören—klatschte mit der Peitsche. Aber—was fiel ihm ein? er kehrte um, er ging den Weg zurück, den er gekommen war. Das drüben schien unablässig fortzuweiden, kein Wiehern war von dort zu hören gewesen; wie weiße Wasserstreifen schien es mitunter über die Erscheinung hinzuziehen.[143] Der Knecht sah wie gebannt hinüber.

Da hörte er das Anlegen des Bootes am diesseitigen Ufer, und bald sah er aus der Dämmerung den Jungen gegen sich am Deich heraufsteigen. 'Nun, Carsten', fragte er, 'was war es?'

Der Junge schüttelte den Kopf. 'Nichts war es!' sagte er. 'Noch kurz vom Boot aus hatte ich es gesehen; dann aber, als ich auf der Hallig war—weiß der Henker,[144] wo sich das Tier verkrochen hatte; der Mond schien doch hell genug; aber als ich an die Stelle kam, war nichts da als die bleichen Knochen von einem halben Dutzend Schafen, und etwas weiter lag auch das Pferdsgerippe mit seinem weißen, langen Schädel und ließ den Mond in seine leeren Augenhöhlen scheinen!'

'Hmm!' meinte der Knecht; 'hast auch recht zugesehen?'

'Ja, Iven, ich stand dabei; ein gottvergessener Kiewiet, der hinter dem Gerippe sich zur Nachtruh' hingeduckt hatte, flog schreiend auf, daß ich erschrak und ein paarmal mit der Peitsche hintennach klatschte.'

'Und das war alles?'

'Ja, Iven; ich weiß nicht mehr.'

'Es ist auch genug', sagte der Knecht, zog den Jungen am Arm zu sich heran und wies hinüber nach der Hallig. 'Dort, siehst du etwas, Carsten?'

'Wahrhaftig, da geht's ja wieder!'

'Wieder?' sagte der Knecht; 'ich hab' die ganze Zeit hinübergeschaut, aber es ist gar nicht fortgewesen; du gingst ja gerade auf das Unwesen los!'

Der Junge starrte ihn an; ein Entsetzen lag plötzlich auf seinem sonst so kecken Angesicht, das auch dem Knechte nicht entging. 'Komm!'

---

[142]**kam . . . zugegangen** was walking right up to it
[143]**wie . . . hinzuziehen** something like white sheets of water seemed now and then to pass over the apparition
[144]**weiß . . . Henker** the devil only knows

sagte dieser, 'wir wollen nach Haus: von hier aus geht's wie lebig, und drüben liegen nur die Knochen—das ist mehr, als du und ich begreifen können. Schweig aber still davon, man darf dergleichen nicht verreden!' So wandten sie sich, und der Junge trabte neben ihm; sie sprachen nicht, und die Marsch lag in lautlosem Schweigen an ihrer Seite. 5

XIV

Nachdem aber der Mond zurückgegangen und die Nächte dunkel geworden waren, geschah ein anderes.

Hauke Haien war zur Zeit des Pferdemarktes in die Stadt geritten, ohne jedoch mit diesem dort zu tun zu haben. Gleichwohl, da er gegen Abend heimkam, brachte er ein zweites Pferd mit sich nach Hause; aber 10 es war rauhhaarig und mager, daß man jede Rippe zählen konnte, und die Augen lagen ihm matt und eingefallen in den Schädelhöhlen. Elke war vor die Haustür getreten, um ihren Eheliebsten zu empfangen: 'Hilf Himmel!' rief sie, 'was soll uns[145] der alte Schimmel?' Denn da Hauke mit ihm vor das Haus geritten kam und unter der Esche hielt, hatte sie gesehen, 15 daß die arme Kreatur auch lahme.

Der junge Deichgraf aber sprang lachend von seinem braunen Wallach: 'Laß nur, Elke; es kostet auch nicht viel!'

Die kluge Frau erwiderte: 'Du weißt doch, das Wohlfeilste ist auch meist das Teuerste.' 20

'Aber nicht immer, Elke; das Tier ist höchstens vier Jahre alt; sieh es dir nur genauer an! Es ist verhungert und mißhandelt; da soll ihm unser Hafer gut tun; ich werd' es selbst versorgen, damit sie mir's nicht überfüttern.'

Das Tier stand indessen mit gesenktem Kopf; die Mähnen hingen 25 lang am Hals herunter. Frau Elke, während ihr Mann nach den Knechten rief, ging betrachend um dasselbe herum; aber sie schüttelte den Kopf: 'So eins ist noch nie in unserem Stall gewesen!'

Als jetzt der Dienstjunge um die Hausecke kam, blieb er plötzlich mit erschrockenen Augen stehen. 'Nun, Carsten', rief der Deichgraf, 30 'was fährt dir in die Knochen?[146] Gefällt dir mein Schimmel nicht?'

'Ja—o ja, uns' Weert, warum denn nicht!'

'So bring die Tiere in den Stall; gib ihnen kein Futter; ich komme gleich selber hin!'

Der Junge faßte mit Vorsicht den Halfter des Schimmels und griff 35

---

[145]**was** ... **uns** what are we going to do with
[146]**was** ... **Knochen** what is it that seems to have paralyzed you with fright?
(*Cf. English: chill to the marrow*)

dann hastig, wie zum Schutze, nach dem Zügel des ihm ebenfalls vertrauten Wallachs. Hauke aber ging mit seinem Weibe in das Zimmer; ein Warmbier hatte sie für ihn bereit, und Brot und Butter waren auch zur Stelle.

5   Er war bald gesättigt; dann stand er auf und ging mit seiner Frau im Zimmer auf und ab. 'Laß dir erzählen, Elke', sagte er, während der Abendschein auf den Kacheln an den Wänden spielte, 'wie ich zu dem Tier gekommen bin: ich war wohl eine Stunde beim Oberdeichgrafen gewesen; er hatte gute Kunde für mich—es wird wohl dies und jenes
10   anders werden als in meinen Rissen; aber die Hauptsache, mein Profil, ist akzeptiert, und schon in den nächsten Tagen kann der Befehl zum neuen Deichbau dasein!'

Elke seufzte unwillkürlich: 'Also doch?'[147] sagte sie sorgenvoll.

'Ja, Frau', entgegnete Hauke; 'hart wird's hergehen; aber dazu,
15   denk' ich, hat der Herrgott uns zusammengebracht! Unsere Wirtschaft ist jetzt so gut in Ordnung; ein groß Teil kannst du schon auf deine Schultern nehmen; denk nur um zehn Jahr weiter—dann stehen wir vor einem anderen Besitz.'[148]

Sie hatte bei seinen ersten Worten die Hand ihres Mannes versichernd
20   in die ihrigen gepreßt; seine letzten Worte konnten sie nicht erfreuen. 'Für wen soll der Besitz?' sagte sie. 'Du müßtest denn ein ander Weib nehmen; ich bring' dir keine Kinder.'

Tränen schossen ihr die Augen; aber er zog sie fest in seine Arme: 'Das überlassen wir dem Herrgott', sagte er; 'jetzt aber, und auch
25   dann noch sind wir jung genug, um uns der Früchte unserer Arbeit selbst zu freuen.'

Sie sah ihn lange, während er sie hielt, aus ihren dunklen Augen an. 'Verzeih, Hauke', sprach sie; 'ich bin mitunter ein verzagt Weib!'

Er neigte sich zu ihrem Antlitz und küßte sie: 'Du bist mein Weib
30   und ich dein Mann, Elke! Und anders wird es nun nicht mehr.'

Da legte sie die Arme fest um seinen Nacken: 'Du hast recht, Hauke, und was kommt, kommt für uns beide.' Dann löste sie sich errötend von ihm. 'Du wolltest von dem Schimmel mir erzählen', sagte sie leise.

'Das wollt' ich, Elke. Ich sagte dir schon, mir war Kopf und Herz
35   voll Freude über die gute Nachricht, die der Oberdeichgraf mir gegeben hatte; so ritt ich eben wieder aus der Stadt hinaus, da, auf dem Damm,

---

[147]**also doch** so, (*it has been accepted*) after all (*in spite of my secret hope to the contrary*)
[148]**dann ... Besitz** then we'll have a much larger property

hinter dem Hafen, begegnet mir ein ruppiger Kerl; ich wußt' nicht, war's ein Vagabund, ein Kesselflicker oder was denn sonst. Der Kerl zog den Schimmel am Halfter hinter sich; das Tier aber hob den Kopf und sah mich aus blöden Augen an; mir war's, als ob es mich um etwas bitten wolle; ich war ja auch in diesem Augenblicke reich genug. He, 5 Landsmann! rief ich, wo wollt Ihr mit der Kracke hin?

Der Kerl blieb stehen und der Schimmel auch. Verkaufen! sagte jener und nickte mir listig zu.

Nur nicht an mich! rief ich lustig.

Ich denke doch! sagte er; das ist ein wacker Pferd und unter hundert 10 Talern nicht bezahlt.

Ich lachte ihm ins Gesicht.

Nun, sagte er, lacht nicht so hart; Ihr sollt's mir ja nicht zahlen! Aber ich kann's nicht brauchen, bei mir verkommt's; es würde bei Euch bald ander Ansehen haben! 15

Da sprang ich von meinem Wallach und sah dem Schimmel ins Maul, und sah wohl, es war noch ein junges Tier. Was soll's denn kosten? rief ich, da auch das Pferd mich wiederum wie bittend ansah.

Herr, nehmt's für dreißig Taler! sagte der Kerl, und den Halfter geb' ich Euch darein! 20

Und da, Frau, hab' ich dem Burschen in die dargebotene braune Hand, die fast wie eine Klaue aussah, eingeschlagen. So haben wir den Schimmel, und ich denk' auch, wohlfeil genug! Wunderlich nur war es, als ich mit den Pferden wegritt, hört' ich bald hinter mir ein Lachen, und als ich den Kopf wandte, sah ich den Slowaken;[149] der stand noch sperr 25 beinig, die Arme auf dem Rücken, und lachte wie ein Teufel hinter mir drein.'

'Pfui', rief Elke; 'wenn der Schimmel nur nichts von seinem alten Herrn dir zubringt! Mög' er dir gedeihen, Hauke!'

'Er selber soll es wenigstens, soweit ich's leisten kann!' Und der 30 Deichgraf ging in den Stall, wie er vorhin dem Jungen es gesagt hatte.

Aber nicht allein an jenem Abend fütterte er den Schimmel, er tat es fortan immer selbst und ließ kein Auge von dem Tiere; er wollte zeigen, daß er einen Priesterhandel gemacht habe; jedenfalls sollte nichts versehen werden.—Und schon nach wenig Wochen hob sich die Haltung 35 des Tieres; allmählich verschwanden die rauhen Haare; ein blankes,

---

[149]*Hauke probably calls the man a Slovak because of his gypsylike appearance. According to a popular misconception, the gypsies are a Slavic people.*

blau geapfeltes Fell kam zum Vorschein, und da er es eines Tages auf der Hofstatt umherführte, schritt es schlank auf seinen festen Beinen. Hauke dachte des abenteuerlichen Verkäufers: 'Der Kerl war ein Narr oder ein Schuft, der es gestohlen hatte!' murmelte er bei sich selber.—Bald auch,
5   wenn das Pferd im Stall nur seine Schritte hörte, warf es den Kopf herum und wieherte ihm entgegen; nun sah er auch, es hatte, was die Araber verlangen, ein fleischlos Angesicht; draus blitzten ein Paar feurige braune Augen. Dann führte er es aus dem Stall und legte ihm einen leichten Sattel auf; aber kaum saß er droben, so fuhr dem Tier ein Wiehern wie
10   ein Lustschrei aus der Kehle,[150] es flog mit ihm davon, die Werfte hinab auf den Weg und dann dem Deiche zu; doch der Reiter saß fest, und als sie oben waren, ging es ruhiger, leicht, wie tanzend, und warf den Kopf dem Meere zu. Er klopfte und streichelte ihm den blanken Hals, aber es bedurfte dieser Liebkosung schon nicht mehr; das Pferd schien
15   völlig eins mit seinem Reiter, und nachdem er eine Strecke nordwärts den Deich hinausgeritten war, wandte er es leicht und gelangte wieder an die Hofstatt.

Die Knechte standen unten an der Auffahrt und warteten der Rückkunft ihres Wirtes. 'So, John', rief dieser, indem er von seinem Pferde
20   sprang, 'nun reite du es in die Fenne zu den anderen; es trägt dich wie in einer Wiege!'

Der Schimmel schüttelte den Kopf und wieherte laut in die sonnige Marschlandschaft hinaus, während ihm der Knecht den Sattel abschnallte und der Junge damit zur Geschirrkammer lief; dann legte er den Kopf
25   auf seines Herrn Schulter und duldete behaglich dessen Liebkosung. Als aber der Knecht sich jetzt auf seinen Rücken schwingen wollte, sprang er mit einem jähen Satz zur Seite und stand dann wieder unbeweglich, die schönen Augen auf seinen Herrn gerichtet. 'Hoho, Iven', rief dieser, 'hat er dir Leids getan?' und suchte seinem Knecht vom
30   Boden aufzuhelfen.

Der rieb sich eifrig an der Hüfte: 'Nein, Herr, es geht noch; aber den Schimmel reit' der Teufel!'

'Und ich!' setzte Hauke lachend hinzu, 'so bring ihn am Zügel in die Fenne!'

35   Und als der Knecht etwas beschämt gehorchte, ließ sich der Schimmel ruhig von ihm führen.

---

[150]**kaum . . . Kehle** when he was scarcely mounted, a neighing that sounded like a cry of joy issued from the animal's throat

Einige Abende später standen Knecht und Junge miteinander vor
der Stalltür; hinterm Deiche war das Abendrot erloschen, innerhalb
desselben war schon der Kog von tiefer Dämmerung überwallt; nur
selten kam aus der Ferne das Gebrüll eines aufgestörten Rindes oder
der Schrei einer Lerche, deren Leben unter dem Überfall eines Wiesels   5
oder einer Wasserratte endete. Der Knecht lehnte gegen den Türpfosten
und rauchte aus einer kurzen Pfeife, deren Rauch er schon nicht mehr
sehen konnte; gesprochen hatten er und der Junge noch nicht zusammen.
Dem letzteren aber drückte etwas auf die Seele, er wußte nur nicht, wie
er dem schweigsamen Knechte ankommen sollte.[151] 'Du, Iven!' sagte er   10
endlich, 'weißt du, das Pferdsgeripp auf Jeverssand!'
    'Was ist damit?' fragte der Knecht.
    'Ja, Iven, was ist damit? Es ist gar nicht mehr da; weder tages noch
bei Mondenschein; wohl zwanzigmal bin ich auf den Deich hinausgelaufen!'   15
    'Die alten Knochen sind wohl zusammengepoltert!' sagte Iven und
rauchte ruhig weiter.
    'Aber ich war auch bei Mondschein draußen; es geht auch drüben
nichts auf Jeverssand!'
    'Ja', sagte der Knecht, 'sind die Knochen auseinandergefallen, so   20
wird's wohl nicht mehr aufstehen können!'
    'Mach keinen Spaß, Iven! Ich weiß jetzt; ich kann dir sagen, wo es
ist!'
    Der Knecht drehte sich jäh zu ihm: 'Nun, wo ist es denn?'
    'Wo?' wiederholte der Junge nachdrücklich. 'Es steht in unserem   25
Stall; da steht's, seit es nicht mehr auf der Hallig ist. Es ist auch nicht
umsonst, daß der Wirt es allzeit selber füttert; ich weiß Bescheid, Iven!'
    Der Knecht paffte eine Weile heftig in die Nacht hinaus. 'Du bist
nicht klug, Carsten', sagte er dann; 'unser Schimmel? Wenn je ein Pferd
ein lebigs war, so ist er! Wie kann so ein Allerweltsjunge wie du in   30
solch Altweiberglauben sitzen!'
    Aber der Junge war nicht zu bekehren: wenn der Teufel in dem
Schimmel steckte, warum sollte er dann nicht lebendig sein? Im Gegenteil,
um desto schlimmer!—Er fuhr jedesmal erschreckt zusammen, wenn
er gegen Abend den Stall betrat, in dem auch sommers das Tier mitunter   35
eingestellt wurde, und es dann den feurigen Kopf so jäh nach ihm herum-

---

[151]**dem ... sollte** the latter had something on his mind; he just didn't know how
he should approach the silent hired man

warf. 'Hol's der Teufel!' brummte er dann; 'wir bleiben auch nicht lange mehr zusammen!'

So tat er sich denn heimlich nach einem neuen Dienste um, kündigte und trat um Allerheiligen als Knecht bei Ole Peters ein. Hier fand er andächtige Zuhörer für seine Geschichte von dem Teufelspferd des Deichgrafen; die dicke Frau Vollina und deren geistesstumpfer Vater, der frühere Deichgevollmächtigte Jeß Harders, hörten in behaglichem Gruseln zu[152] und erzählten sie später allen, die gegen den Deichgrafen einen Groll im Herzen, oder die an derart Dingen ihr Gefallen hatten.

XV

Inzwischen war schon Ende März durch die Oberdeichgrafschaft der Befehl zur neuen Eindeichung eingetroffen. Hauke berief zunächst die Deichgevollmächtigten zusammen, und im Kruge oben bei der Kirche waren eines Tages alle erschienen und hörten zu, wie er ihnen die Hauptpunkte aus den bisher erwachsenen Schriftstücken vorlas: aus seinem Antrage, aus dem Bericht des Oberdeichgrafen, zuletzt den schließlichen Bescheid, worin vor allem auch die Annahme des von ihm vorgeschlagenen Profiles enthalten war, und der neue Deich nicht steil wie früher, sondern allmählich verlaufend nach der Seeseite abfallen sollte; aber mit heiteren oder auch nur zufriedenen Gesichtern hörten sie nicht.

'Ja, ja', sagte ein alter Gevollmächtigter, 'da haben wir nun die Bescherung,[153] und Proteste werden nicht helfen, da der Oberdeichgraf unserem Deichgrafen den Daumen hält!'[154]

'Hast wohl recht, Detlev Wiens', setzte ein zweiter hinzu; 'die Frühlingsarbeit steht vor der Tür, und nun soll auch noch ein millionenlanger Deich gemacht werden—da muß ja alles liegenbleiben.'

'Das könnt ihr dies Jahr noch zu Ende bringen', sagte Hauke; 'so rasch wird der Stecken nicht vom Zaun gebrochen!'[155]

Das wollten wenige zugeben. 'Aber dein Profil!' sprach ein dritter, was Neues auf die Bahn bringend;[156] 'der Deich wird ja auch an der Außenseite nach dem Wasser so breit, wie Lawrenz sein Kind nicht lang war![157] Wo soll das Material herkommen? Wann soll die Arbeit fertig werden?'

---

[152]**hörten ... zu** listened with pleasurable shivers of horror
[153]**da ... Bescherung** now we're in for it
[154]**unserem ... hält** is hand-in-glove with ....
[155]**so ... gebrochen** the work won't get started that quickly
[156]**was ... bringend** taking a new tack
[157]**so ... war** as broad as Lawrence's child was short

'Wenn nicht in diesem, so im nächsten Jahre; das wird am meisten von uns selber abhängen!' sagte Hauke.

Ein ärgerliches Lachen ging durch die Gesellschaft. 'Aber wozu die unnütze Arbeit; der Deich soll ja nicht höher werden als der alte', rief eine neue Stimme; 'und ich mein', der steht schon über dreißig Jahre!' 5

'Da sagt Ihr recht', sprach Hauke, 'vor dreißig Jahren ist der alte Deich gebrochen; dann rückwärts vor fünfunddreißig, und wiederum vor fünfundvierzig Jahren; seitdem aber, obgleich er noch immer steil und unvernünftig dasteht, haben die höchsten Fluten uns verschont. Der neue Deich aber soll trotz solcher hundert und aber hundert Jahre stehen; 10 denn er wird nicht durchbrochen werden, weil der milde Abfall nach der Seeseite den Wellen keinen Angriffspunkt entgegenstellt, und so werdet ihr für euch und eure Kinder ein sicheres Land gewinnen, und das ist es, weshalb die Herrschaft und der Oberdeichgraf mir den Daumen halten; das ist es auch, was ihr zu eurem eigenen Vorteil einsehen solltet!' 15

Als die Versammelten hierauf nicht sogleich zu antworten bereit waren, erhob sich ein alter weißhaariger Mann mühsam von seinem Stuhle; es war Frau Elkes Pate, Jewe Manners, der auf Haukes Bitten noch immer in seinem Gevollmächtigtenamt verblieben war. 'Deichgraf Hauke Haien', sprach er, 'du machst uns viel Unruhe und Kosten, und ich 20 wollte, du hättest damit gewartet, bis mich der Herrgott hätt' zur Ruhe gehen lassen; aber—recht has du, das kann nur die Unvernunft bestreiten. Wir haben Gott mit jedem Tag zu danken, daß er uns trotz unserer Trägheit das kostbare Stück Vorland gegen Sturm und Wasserdrang erhalten hat; jetzt ist es wohl die elfte Stunde, in der wir selbst die Hand 25 anlegen mussen, es auch nach all unserem Wissen und Können selber uns zu wahren und auf Gottes Langmut weiter nicht zu trotzen. Ich, meine Freunde, bin ein Greis, ich habe Deiche bauen und brechen sehen; aber den Deich, den Hauke Haien nach ihm von Gott verliehener Einsicht projektiert und bei der Herrschaft für euch durchgesetzt hat, den wird 30 niemand von euch Lebenden brechen sehen; und wolltet ihr ihm selbst nicht danken, eure Enkel werden ihm den Ehrenkranz doch einstens nicht versagen können!'

Jewe Manners setzte sich wieder; er nahm sein blaues Schnupftuch aus der Tasche und wischte sich ein paar Tropfen von der Stirn. Der 35 Greis war noch immer als ein Mann von Tüchtigkeit und unantastbarer Rechtschaffenheit bekannt, und da die Versammlung eben nicht geneigt war, ihm zuzustimmen, so schwieg sie weiter. Aber Hauke Haien nahm das Wort; doch sahen alle, daß er bleich geworden. 'Ich danke Euch, Jewe Manners', sprach er, 'daß Ihr noch hier seid und daß Ihr das Wort 40

gesprochen habt; ihr anderen Herren Gevollmächtigten wollet den
neuen Deichbau, der freilich mir zur Last fällt, zum mindesten ansehen
als ein Ding, das nun nicht mehr zu ändern steht, und lasset uns demgemäß
beschließen, was nun not ist!'

5   'Sprechet!' sagte einer der Gevollmächtigten. Und Hauke breitete
die Karte des neuen Deiches auf dem Tische aus: 'Es hat vorhin einer
gefragt', begann er, 'woher die viele Erde nehmen?—Ihr seht, so weit
das Vorland in die Watten hinausgeht, ist außerhalb der Deichlinie ein
Streifen Landes freigelassen: daher und von dem Vorlande, das nach
10 Nord und Süd von dem neuen Koge an dem Deiche hinläuft, können wir
die Erde nehmen; haben wir an den Wasserseiten nur eine tüchtige Lage
Klei, nach innen oder in der Mitte kann auch Sand genommen werden!—
Nun aber ist zunächst ein Feldmesser zu berufen, der die Linie des neuen
Deiches auf dem Vorland absteckt! Der mir bei Ausarbeitung des Planes
15 behilflich gewesen, wird wohl am besten dazu passen. Ferner werden wir
zur Heranholung des Kleis oder sonstigen Materiales die Anfertigung
einspänniger Sturzkarren mit Gabeldeichsel bei einigen Stellmachern
verdingen müssen; wir werden für die Durchdämmung des Prieles und
nach den Binnenseiten, wo wir etwa mit Sand fürliebnehmen müssen, ich
20 kann jetzt nicht sagen, wieviel hundert Fuder Stroh zur Bestickung des
Deiches gebrauchen, vielleicht mehr, als in der Marsch hier wird entbehrlich sein!—Lasset uns denn beraten, wie zunächst dies alles zu
beschaffen und einzurichten ist; auch die neue Schleuse hier an der
Westseite gegen das Wasser zu ist später einem tüchtigen Zimmermann
25 zur Herstellung zu übergeben.'

   Die Versammelten hatten sich um den Tisch gestellt, betrachteten
mit halbem Aug' die Karte und begannen allgemach zu sprechen; doch
war's, als geschähe es, damit nur überhaupt etwas gesprochen werde.
Als es sich um Zuziehung des Feldmessers handelte,[158] meinte einer der
30 jüngeren: 'Ihr habt es ausgesonnen, Deichgraf; Ihr müsset selbst am
besten wissen, wer dazu taugen mag.'

   Aber Hauke entgegnete: 'Da ihr Geschworene seid, so müsset ihr
aus eigener, nicht aus meiner Meinung sprechen, Jakob Meyen; und wenn
ihr's dann besser sagt, so werd' ich meinen Vorschlag fallen lassen!'

35   'Nun ja, es wird schon recht sein', sagte Jakob Meyen.

   Aber einem der älteren war es doch nicht völlig recht; er hatte einen
Bruderssohn: so einer im Feldmessen sollte hier in der Marsch noch

---

[158]**als . . . handelte** when it came to the question of hiring a surveyor

nicht gewesen sein, der sollte noch über des Deichgrafen Vater, den seligen Tede Haien, gehen! So wurde denn über die beiden Feldmesser verhandelt und endlich beschlossen, ihnen gemeinschaftlich das Werk zu übertragen. Ähnlich ging es bei den Sturzkarren, bei der Strohlieferung und allem anderen, und Hauke kam spät und fast erschöpft auf seinem Wallach, den er noch derzeit ritt, zu Hause an. Aber als er in dem alten Lehnstuhl saß, der noch von seinem gewichtigen, aber leichter lebenden Vorgänger stammte, war auch sein Weib ihm schon zur Seite: 'Du siehst so müd aus, Hauke', sprach sie und strich mit ihrer schmalen Hand das Haar ihm von der Stirn.

'Ein wenig wohl!' erwiderte er.

'Und geht es denn?'

'Es geht schon', sagte er mit bitterem Lächeln; 'aber ich selber muß die Räder schieben und froh sein, wenn sie nicht zurückgehalten werden!'

'Aber doch nicht von allen?'

'Nein, Elke; dein Pate, Jewe Manners, ist ein guter Mann; ich wollt', er wär' um dreißig Jahre jünger.'

XVI

Als nach einigen Wochen die Deichlinie abgesteckt und der größte Teil der Sturzkarren geliefert war, waren sämtliche Anteilbesitzer des einzudeichenden Koges, ingleichen die Besitzer der hinter dem alten Deich belegenen Ländereien, durch den Deichgrafen im Kirchspielkrug versammelt worden; es galt, ihnen einen Plan über die Verteilung der Arbeit und Kosten vorzulegen und ihre etwaigen Einwendungen zu vernehmen; denn auch die letzteren hatten, sofern der neue Deich und die neuen Siele die Unterhaltungskosten der älteren Werke verminderte, ihren Teil zu schaffen und zu tragen. Dieser Plan war für Hauke ein schwer Stück Arbeit gewesen, und wenn ihm durch Vermittlung des Oberdeichgrafen neben einem Deichboten nicht auch noch ein Deichschreiber wäre zugeordnet worden, er würde es so bald nicht fertiggebracht haben, obwohl auch jetzt wieder an jedem neuen Tage in die Nacht hinein gearbeitet war. Wenn er dann todmüde sein Lager suchte, so hatte nicht wie vordem sein Weib in nur verstelltem Schlafe seiner gewartet; auch sie hatte so vollgemessen ihre tägliche Arbeit, daß sie nachts wie am Grunde eines tiefen Brunnens in unstörbarem Schlafe lag.

Als Hauke jetzt seinen Plan verlesen und die Papiere, die freilich

schon drei Tage hier im Kruge zur Einsicht ausgelegen hatten, wieder
auf den Tisch breitete, waren zwar ernste Männer zugegen, die mit
Ehrerbietung diesen gewissenhaften Fleiß betrachteten und sich nach
ruhiger Überlegung den billigen Ansätzen ihres Deichgrafen unterwarfen;
5 andere aber, deren Anteile an dem neuen Lande von ihnen selbst oder
ihren Vätern oder sonstigen Vorbesitzern waren veräußert worden,
beschwerten sich, daß sie zu den Kosten des neuen Koges hinzugezogen
seien, dessen Land sie nichts mehr angehe, uneingedenk, daß durch die
neuen Arbeiten auch ihre alten Ländereien nach und nach entbürdet
10 würden: und wieder andere, die mit Anteilen in dem neuen Kog gesegnet
waren, schrien, man möge ihnen doch dieselben abnehmen, sie sollten
um ein Geringes feil sein; denn wegen der unbilligen Leistungen, die
ihnen dafür aufgebürdet würden, könnten sie nicht damit bestehen. Ole
Peters aber, der mit grimmigem Gesicht am Türpfosten lehnte, rief
15 dazwischen: 'Besinnt euch erst und dann vertrauet unserem Deichgrafen!
der versteht zu rechnen; er hatte schon die meisten Anteile, da wußte er
auch mir die meinen abzuhandeln, und als er sie hatte, beschloß er, diesen
neuen Kog zu deichen!'
Es war nach diesen Worten einen Augenblick totenstill in der
20 Versammlung. Der Deichgraf stand an dem Tisch, auf den er zuvor
seine Papiere gebreitet hatte; er hob seinen Kopf und sah nach Ole
Peters hinüber: 'Du weißt wohl, Ole Peters', sprach er, 'daß du mich
verleumdest; du tust es dennoch, weil du überdies auch weißt, daß doch
ein gut Teil des Schmutzes, womit du mich bewirfst an mir wird hängen-
25 bleiben![159] Die Wahrheit ist, daß du deine Anteile los sein wolltest, und
daß ich ihrer derzeit für meine Schafzucht bedurfte; und willst du weiteres
wissen, das ungewaschene Wort, das dir im Krug vom Mund gefahren,
ich sei nur Deichgraf meines Weibes wegen, das hat mich aufgerüttelt,
und ich hab' euch zeigen wollen, daß ich wohl um meiner selbst willen
30 Deichgraf sein könne; und somit, Ole Peters, hab' ich getan, was schon
der Deichgraf vor mir hätte tun sollen. Trägst du mir aber Groll, daß
derzeit deine Anteile die meinen geworden sind—du hörst es ja, es sind
genug, die jetzt die ihrigen um ein billiges feilbieten, nur weil die Arbeit
ihnen jetzt zuviel ist!'
35 Von einem kleinen Teil der versammelten Männer ging ein Beifallsmurmeln aus, und der alte Jewe Manners, der dazwischenstand, rief

---

[159]**daß ... hängenbleiben** that a good part of the mud that you are slinging at me
will stick to me

laut: 'Bravo, Hauke Haien! Unser Herrgott wird dir dein Werk gelingen lassen!'

Aber man kam doch nicht zu Ende, obgleich Ole Peters schwieg und die Leute erst zum Abendbrote auseinandergingen; erst in einer zweiten Versammlung wurde alles geordnet; aber auch nur, nachdem   5
Hauke statt der ihm zukommenden drei Gespanne für den nächsten Monat deren vier auf sich genommen hatte.

Endlich, als schon die Pfingstglocken durch das Land läuteten,[160] hatte die Arbeit begonnen: unablässig fuhren die Sturzkarren von dem Vorlande an die Deichlinie, um den geholten Klei dort abzustürzen, und   10
gleicherweise war dieselbe Anzahl schon wieder auf der Rückfahrt, um auf dem Vorland neuen aufzuladen; an der Deichlinie selber standen Männer mit Schaufeln und Spaten, um das Abgeworfene an seinen Platz zu bringen und zu ebnen; ungeheure Fuder Stroh wurden angefahren und abgeladen; nicht nur zur Bedeckung des leichteren Materials, wie Sand und   15
lose Erde, dessen man an den Binnenseiten sich bediente, wurde das Stroh benutzt; allmählich wurden einzelne Strecken des Deiches fertig, und die Grassoden, womit man sie belegt hatte, wurden stellenweis zum Schutz gegen die nagenden Wellen mit fester Strohbestickung überzogen.

Bestellte Aufseher gingen hin und her, und wenn es stürmte, standen sie   20
mit aufgerissenen Mäulern und schrien ihre Befehle durch Wind und Wetter; dazwischen ritt der Deichgraf auf seinem Schimmel, den er jetzt ausschließlich in Gebrauch hatte, und das Tier flog mit dem Reiter hin und wieder, wenn er rasch und trocken seine Anordnungen machte, wenn er die Arbeiter lobte oder, wie es wohl geschah, einen Faulen oder   25
Ungeschickten ohn' Erbarmen aus der Arbeit wies. 'Das hilft nicht!' rief er dann; 'um deine Faulheit darf uns nicht der Deich verderben!' Schon von weitem, wenn er unten aus dem Kog heraufkam, hörten sie das Schnauben seines Rosses, und alle Hände faßten fester in die Arbeit: 'Frisch zu! der Schimmelreiter kommt!'   30

War es um die Frühstückszeit, wo die Arbeiter mit ihrem Morgenbrot haufenweis beisammen auf der Erde lagen, dann ritt Hauke an den verlassenen Werken entlang, und seine Augen waren scharf, wo liederliche Hände den Spaten geführt hatten. Wenn er aber zu den Leuten ritt und ihnen auseinandersetzte, wie die Arbeit müsse beschafft werden,   35
sahen sie wohl zu ihm auf und kauten geduldig an ihrem Brote weiter; aber eine Zustimmung oder auch nur eine Äußerung hörte er nicht von

---

[160]**als ... läuteten** when the bluebells were already ringing across the land

ihnen. Einmal zu solcher Tageszeit, es war schon spät, da er an einer
Deichstelle die Arbeit in besonderer Ordnung gefunden hatte, ritt er zu
dem nächsten Haufen der Frühstückenden, sprang von seinem Schimmel
und fragte heiter, wer dort so sauberes Tagewerk verrichtet hätte; aber
5 sie sahen ihn nur scheu und düster an, und nur langsam und wie widerwillig wurden ein paar Namen genannt. Der Mensch, dem er sein Pferd
gegeben hatte, das ruhig wie ein Lamm stand, hielt es mit beiden Händen
und blickte wie angstvoll nach den schönen Augen des Tieres, die es,
wie gewöhnlich, auf seinen Herrn gerichtet hielt.
10 'Nun, Marten!' rief Hauke; 'was stehst du, als ob dir der Donner in
die Beine gefahren sei?'[161]
'Herr, Euer Pferd, es ist so ruhig, als ob es Böses vorhabe!'
Hauke lachte und nahm das Pferd selbst am Zügel, das sogleich
liebkosend den Kopf an seiner Schulter rieb. Von den Arbeitern sahen
15 einige scheu zu Roß und Reiter hinüber, andere, als ob das alles sie nicht
kümmere, aßen schweigend ihre Frühkost, dann und wann den Möwen
einen Brocken hinaufwerfend, die sich den Futterplatz gemerkt hatten
und mit ihren schlanken Flügeln sich fast auf ihre Köpfe senkten. Der
Deichgraf blickte eine Weile wie gedankenlos auf die bettelnden Vögel
20 und wie sie die zugeworfenen Bissen mit ihren Schnäbeln haschten; dann
sprang er in den Sattel und ritt, ohne sich nach den Leuten umzusehen,
davon; einige Worte, die jetzt unter ihnen laut wurden, klangen ihm fast
wie Hohn. 'Was ist das?' sprach er bei sich selber. 'Hatte denn Elke recht,
daß sie alle gegen mich sind? Auch diese Knechte und kleinen Leute, von
25 denen vielen durch meinen neuen Deich doch eine Wohlhabenheit ins
Haus wächst?'[162]
Er gab seinem Pferde die Sporen, daß es wie toll in den Kog hinab-
flog. Von dem unheimlichen Glanze freilich, mit dem sein früherer
Dienstjunge den Schimmelreiter bekleidet hatte, wußte er selber nichts;
30 aber die Leute hätten ihn jetzt nur sehen sollen, wie aus seinem hageren
Gesicht die Augen starrten, wie sein Mantel flog und wie der Schimmel
sprühte!
So war der Sommer und der Herbst vergangen; noch bis gegen
Ende November war gearbeitet worden; dann geboten Frost und Schnee
35 dem Werke Halt; man war nicht fertig geworden und beschloß, den Kog
offen liegenzulassen. Acht Fuß ragte der Deich aus der Fläche hervor;

---

[161]**als . . . sei** as if you were thunderstruck
[162]**von . . . wächst** to many of whom prosperity will come

nur wo westwärts gegen das Wasser hin die Schleuse gelegt werden sollte, hatte man eine Lücke gelassen; auch oben vor dem alten Deiche war der Priel noch unberührt. So konnte die Flut, wie in den letzten dreißig Jahren, in den Kog hineindringen, ohne dort oder an dem neuen Deiche großen Schaden anzurichten. Und so überließ man dem großen Gott das 5 Werk der Menschenhände und stellte es in seinen Schutz, bis die Frühlingssonne die Vollendung würde möglich machen.

XVII

Inzwischen hatte im Hause des Deichgrafen sich ein frohes Ereignis vorbereitet: im neunten Ehejahre war noch ein Kind geboren worden. Es war rot und hutzelig und wog seine sieben Pfund, wie es für neuge- 10 borene Kinder sich gebührt, wenn sie, wie dies, dem weiblichen Geschlechte angehören; nur sein Geschrei war wunderlich verhohlen und hatte der Wehmutter nicht gefallen wollen. Das schlimmste war: am dritten Tage lag Elke im hellen Kindbettfieber, redete Irrsal und kannte weder ihren Mann noch ihre alte Helferin. Die unbändige Freude, die Hauke 15 beim Anblick seines Kindes ergriffen hatte, war zu Trübsal geworden; der Arzt aus der Stadt war geholt, er saß am Bett und fühlte den Puls und verschrieb und sah ratlos um sich her. Hauke schüttelte den Kopf: 'Der hilft nicht; nur Gott kann helfen!' Er hatte sich sein eigen Christentum zurecht gerechnet, aber es war etwas, das sein Gebet zurückhielt. Als der 20 alte Doktor davongefahren war, stand er am Fenster, in den winterlichen Tag hinausstarrend, und während die Kranke aus ihren Phantasien aufschrie, schränkte er die Hände zusammen; er wußte selber nicht, war es aus Andacht oder war es nur, um in der ungeheuren Angst sich selbst nicht zu verlieren. 25

'Wasser! Das Wasser!' wimmerte die Kranke. 'Halt mich!' schrie sie; 'halt mich, Hauke!' Dann sank die Stimme; es klang, als ob sie weine: 'In See, ins Haf hinaus? O lieber Gott, ich seh' ihn nimmer wieder!'

Da wandte er sich und schob die Wärterin von ihrem Bette; er fiel 30 auf seine Knie, umfaßte sein Weib und riß sie an sich: 'Elke! Elke! so kenn mich doch, ich bin ja bei dir!'

Aber sie öffnete nur die fieberglühenden Augen weit und sah wie rettungslos verloren um sich.

Er legte sie zurück auf ihre Kissen; dann krampfte er die Hände 35 ineinander: 'Herr, mein Gott', schrie er; 'nimm sie mir nicht! Du weißt,

ich kann sie nicht entbehren!' Dann war's als ob er sich besinne, und
leiser setzte er hinzu: 'Ich weiß ja wohl, du kannst nicht allezeit, wie du
willst, auch du nicht; du bist allweise; du mußt nach deiner Weisheit
tun—o Herr, sprich nur durch einen Hauch zu mir!'

5   Es war, als ob plötzlich eine Stille eingetreten sei; er hörte ein
leises Atmen; als er sich zum Bette kehrte, lag sein Weib in ruhigem
Schlaf, nur die Wärterin sah mit entsetzten Augen auf ihn. Er hörte die
Tür gehen. 'Wer war das?' fragte er.

'Herr, die Magd Ann Grete ging hinaus; sie hatte den Warmkorb
10 hereingebracht.'

'Was sieht Sie mich denn so verfahren an, Frau Levke?'

'Ich? Ich hab' mich ob Eurem Gebet erschrocken, damit betet Ihr
keinen vom Tode los!'[163]

Hauke sah sie mit seinen durchdringenden Augen an: 'Besucht Sie
15 denn auch, wie unsere Ann Grete, die Konventikel[164] bei dem holländischen Flickschneider Jantje?'

'Ja, Herr; wir haben beide den lebendigen Glauben!'

Hauke antwortete ihr nicht. Das damals stark im Schwange gehende
separatistische Konventikelwesen hatte auch unter den Friesen seine
20 Blüten getrieben;[165] heruntergekommene Handwerker oder wegen

---

[163]**Ich . . . los** I was frightened by your prayer; you will never pray anyone out of
death with that (kind of prayer). *The objectionable part of Hauke's prayer is, of course, the
reservation;* "I know Thou canst not always do as Thou wilt . . . Thou art all-wise and
must do according to Thy wisdom." *The "peculiar religion" which Hauke had "worked
out for himself" seems to be based on a rationalistic belief that the universe is governed according to
immutable laws which even God must observe. A classic expression of this idea, which was com-
monly held and expressed in the eighteenth and nineteenth centuries, is contained in the concluding
lines of Goethe's poem,* "Das Göttliche":

> Nach ewigen, ehernen
> Großen Gesetzen
> Müssen wir alle
> Unseres Daseins
> Kreise vollenden.

This belief of Hauke's may have been that "something which kept him from praying."

[164]**Konventikel** conventicle. *A secret or illegal religious meeting for the purpose of
practicing worship in forms other than those approved by the established church. The Lutheran
Church, the established church of Schleswig-Holstein, does not encourage the public display of religious fervor. The purpose of this whole scene is, of course, to heighten and sharpen the opposition
between Hauke and the people, especially* "**die kleinen Leute**" *specifically mentioned hereafter.*

[165]**Das . . . getrieben** The separatistic conventicle movement, which was very
much in vogue at the time, was also flourishing among the Frisians. *Conventicles were
being held in Schleswig-Holstein by the Moravian Brethren about the middle of the eighteenth
century.*

Trunkes abgesetzte Schulmeister spielten darin die Hauptrolle, und Dirnen, junge und alte Weiber, Faulenzer und einsame Menschen liefen
eifrig in die heimlichen Versammlungen, in denen jeder den Priester
spielen konnte. Aus des Deichgrafen Hause brachten Ann Grete und der
in sie verliebte Dienstjunge ihre freien Abende dort zu. Freilich hatte   5
Elke ihre Bedenken darüber gegen Hauke nicht zurückgehalten; aber er
hatte gemeint, in Glaubenssachen solle man keinem dreinreden: das
schade niemandem, und besser dort doch als im Schnapskrug!

So war es dabei geblieben,[166] und so hatte er auch jetzt geschwiegen.
Aber freilich über ihn schwieg man nicht; seine Gebetsworte liefen um   10
von Haus zu Haus: er hatte Gottes Allmacht bestritten; was war ein Gott
denn ohne Allmacht? Er war ein Gottesleugner; die Sache mit dem
Teufelspferde mochte auch am Ende richtig sein!

Hauke erfuhr nichts davon; er hatte in diesen Tagen nur Ohren und
Augen für sein Weib, selbst das Kind war für ihn nicht mehr auf der   15
Welt.

Der alte Arzt kam wieder, kam jeden Tag, mitunter zweimal, blieb
dann eine ganze Nacht, schrieb wieder ein Rezept, und der Knecht Iven
Johns ritt damit im Flug zur Apotheke. Dann aber wurde sein Gesicht
freundlicher, er nickte dem Deichgrafen vertraulich zu: 'Es geht! Es   20
geht! Mit Gottes Hilfe!' Und eines Tags—hatte nun seine Kunst die
Krankheit besiegt, oder hatte auf Haukes Gebet der liebe Gott doch noch
einen Ausweg finden können—, als der Doktor mit der Kranken allein
war, sprach er zu ihr, und seine alten Augen lachten: 'Frau, jetzt kann
ich's getrost Euch sagen: heut hat der Doktor seinen Festtag; es stand   25
schlimm um Euch, aber nun gehöret Ihr wieder zu uns, zu den Lebendigen!'

Da brach es wie ein Strahlenmeer aus ihren dunklen Augen: 'Hauke!
Hauke, wo bist du?' rief sie, und als er auf den hellen Ruf ins Zimmer und
an ihr Bett stürzte, schlug sie die Arme um seinen Nacken: 'Hauke,   30
mein Mann, gerettet! Ich bleibe bei dir!'

Da zog der alte Doktor sein seiden Schnupftuch aus der Tasche,
fuhr sich damit über Stirn und Wangen und ging kopfnickend aus dem
Zimmer.

Am dritten Abend nach diesem Tage sprach ein frommer Redner—es   35
war ein vom Deichgrafen aus der Arbeit gejagter Pantoffelmacher—im
Konventikel bei dem holländischen Schneider, da er seinen Zuhörern die

---

[166]**So . . . geblieben** So nothing had been done about it

Eigenschaften Gottes auseinandersetzte: 'Wer aber Gottes Allmacht widerstreitet, wer da sagt: Ich weiß, du kannst nicht, was du willst—wir kennen den Unglückseligen ja alle; er lastet gleich einem Stein auf der Gemeinde—, der ist von Gott gefallen und suchet den Feind Gottes, den Freund der Sünde, zu seinem Tröster; denn nach irgendeinem Stabe muß die Hand des Menschen greifen. Ihr aber, hütet euch vor dem, der also betet; sein Gebet ist Fluch!'[167]

Auch das lief um von Haus zu Haus. Was läuft nicht um in einer kleinen Gemeinde? Und auch zu Haukes Ohren kam es. Er sprach kein Wort darüber, nicht einmal zu seinem Weibe; nur mitunter konnte er sie heftig umfassen und an sich ziehen: 'Bleib mir treu, Elke! Bleib mir treu!' Dann sahen ihre Augen voll Staunen zu ihm auf: 'Dir treu? Wem sollte ich denn anders treu sein?'—Nach einer kurzen Weile aber hatte sie sein Wort verstanden: 'Ja, Hauke, wir sind uns treu; nicht nur, weil wir uns brauchen.' Und dann ging jedes seinen Arbeitsweg.

Das wäre soweit gut gewesen; aber es war doch trotz aller lebendigen Arbeit eine Einsamkeit um ihn, und in seinem Herzen nistete sich ein Trotz und abgeschlossenes Wesen gegen andere Menschen ein; nur gegen sein Weib blieb er allezeit der gleiche, und an der Wiege seines Kindes lag er abends und morgens auf den Knien, als sei dort die Stätte seines ewigen Heils. Gegen Gesinde und Arbeiter aber wurde er strenger; die Ungeschickten und Fahrlässigen, die er früher durch ruhigen Tadel zurechtgewiesen hatte, wurden jetzt durch hartes Anfahren aufgeschreckt, und Elke ging mitunter leise bessern.

XVIII

Als der Frühling nahte, begannen wieder die Deicharbeiten; mit einem Kajedeich wurde zum Schutz der jetzt aufzubauenden neuen Schleuse die Lücke in der westlichen Deichlinie geschlossen, halbmondförmig nach innen und ebenso nach außen; und gleich der Schleuse wuchs allmählich auch der Hauptdeich zu seiner immer rascher herzustellenden Höhe empor. Leichter wurde dem leitenden Deichgrafen seine Arbeit nicht, denn an Stelle des im Winter verstorbenen Jewe Manners

---

[167] *Storm, who was fond of exploiting the superstitious beliefs of his compatriots in his stories, may have felt impelled to include this episode here through his recollection of a common story about a parent who prays in peremptory spirit and language for the life of a sick child; the prayer is heard, but the child grows up to be vicious or an imbecile. Here the prayer is for the mother and the child is stricken.*

war Ole Peters als Deichgevollmächtigter eingetreten. Hauke hatte
nicht versuchen wollen, es zu hindern; aber anstatt der ermutigenden
Worte und der dazugehörigen zutunlichen Schläge auf seine linke
Schulter, die er so oft von dem alten Paten seines Weibes einkassiert
hatte, kamen ihm jetzt von dem Nachfolger ein heimliches Widerhalten   5
und unnötige Einwände und waren mit unnötigen Gründen zu bekämpfen
denn Ole gehörte zwar zu den Wichtigen, aber in Deichsachen nicht zu
den Klugen; auch war von früher her der 'Schreiberknecht' ihm immer
noch im Wege.

Der glänzendste Himmel breitete sich wieder über Meer und Marsch,   10
und der Kog wurde wieder bunt von starken Rindern, deren Gebrüll
von Zeit zu Zeit die weite Stille unterbrach; unablässig sangen in hoher
Himmelsluft die Lerchen, aber man hörte es erst, wenn einmal auf eines
Atemzuges Länge der Gesang verstummt war. Kein Unwetter störte die
Arbeit, und die Schleuse stand schon mit ihrem ungestrichenen Balken-   15
gefüge, ohne daß auch nur in einer Nacht sie eines Schutzes von dem
Interimsdeich bedurft hätte; der Herrgott schien seine Gunst dem neuen
Werke zuzuwenden. Auch Frau Elkes Augen lachten ihrem Manne zu,
wenn er auf seinem Schimmel draußen von dem Deich nach Hause kam:
'Bist doch ein braves Tier geworden!' sagte sie dann und klopfte den   20
blanken Hals des Pferdes. Hauke aber, wenn sie das Kind am Halse hatte,
sprang herab und ließ das winzige Dinglein auf seinen Armen tanzen;[168]
wenn dann der Schimmel seine braunen Augen auf das Kind gerichtet
hielt, dann sprach er wohl: 'Komm her; sollst auch die Ehre haben!'
und er setzte die kleine Wienke—denn so war sie getauft worden—auf   25
seinen Sattel und führte den Schimmel auf der Werft im Kreise herum.
Auch der alte Eschenbaum hatte mitunter die Ehre; er setzte das Kind
auf einen schwanken Ast und ließ es schaukeln. Die Mutter stand mit
lachenden Augen in der Haustür; das Kind aber lachte nicht, seine Augen,
zwischen denen ein feines Näschen stand, schauten ein wenig stumpf ins   30
Weite, und die kleinen Hände griffen nicht nach dem Stöckchen, das
der Vater ihr hinhielt. Hauke achtete nicht darauf, er wußte auch nichts
von so kleinen Kindern; nur Elke, wenn sie das helläugige Mädchen auf
dem Arm ihrer Arbeitsfrau erblickte, die mit ihr zugleich das Wochenbett
bestanden hatte, sagte mitunter schmerzlich: 'Das meine ist noch nicht   35
so weit wie deines, Stina!' und die Frau, ihren dicken Jungen, den sie an
der Hand hatte, mit derber Liebe schüttelnd, rief dann wohl: 'Ja, Frau,

---

[168]ließ . . . tanzen cradled the tiny creature in his arms

die Kinder sind verschieden, der da, der stahl mir schon die Äpfel aus
der Kammer, bevor er übers zweite Jahr hinaus war!' Und Elke strich
dem dicken Buben sein Kraushaar aus den Augen und drückte dann
heimlich ihr stilles Kind ans Herz.

5 Als es in den Oktober hineinging, stand an der Westseite die neue
Schleuse schon fest in dem von beiden Seiten schließenden Hauptdeich,
der bis auf die Lücken bei dem Priele nun mit seinem sanften Profile
ringsum nach den Wasserseiten abfiel und um fünfzehn Fuß die ordinäre
Flut überragte. Von seiner Nordwestecke sah man an Jevershallig vorbei
10 ungehindert in das Wattenmeer hinaus; aber freilich auch die Winde
faßten hier schärfer; die Haare flogen, und wer hier ausschauen wollte,
der mußte die Mütze fest auf dem Kopf haben.

Zu Ende November, wo Sturm und Regen eingefallen waren, blieb
nur noch hart am alten Deich die Schlucht zu schließen, auf deren Grunde
15 an der Nordseite das Meerwasser durch den Priel in den neuen Kog
hineinschoß. Zu beiden Seiten standen die Wände des Deiches; der
Abgrund zwischen ihnen mußte jetzt verschwinden. Ein trocken Som-
merwetter hätte die Arbeit wohl erleichtert; aber auch so mußte sie getan
werden, denn ein aufbrechender Sturm konnte das ganze Werk gefährden.
20 Und Hauke setzte alles daran, um jetzt den Schluß herbeizuführen. Der
Regen strömte, der Wind pfiff; aber seine hagere Gestalt auf dem feurigen
Schimmel tauchte bald hier, bald dort aus den schwarzen Menschenmassen
empor, die oben wie unten an der Nordseite des Deiches neben der
Schlucht beschäftigt waren. Jetzt sah man ihn unten bei den Sturzkarren,
25 die schon weither die Kleierde aus dem Vorlande holen mußten, und von
denen eben ein gedrängter Haufen bei dem Priele anlangte und seine
Last dort abzuwerfen suchte. Durch das Geklatsch des Regens und das
Brausen des Windes klangen von Zeit zu Zeit die scharfen Befehlsworte
des Deichgrafen, der heute hier allein gebieten wollte; er rief die Karren
30 nach den Nummern vor und wies die Drängenden zurück; ein 'Halt!'
scholl von seinem Munde, dann ruhte unten die Arbeit; 'Stroh! ein Fuder
Stroh hinab!' rief er denen droben zu, und von einem der oben haltenden
Fuder stürzte es auf den nassen Klei hinunter. Unten sprangen Männer
dazwischen und zerrten es auseinander und schrien nach oben, sie nur
35 nicht zu begraben. Und wieder kamen neue Karren, und Hauke war
schon wieder oben und sah von seinem Schimmel in die Schlucht hinab,
und wie sie dort schaufelten und stürzten; dann warf er seine Augen nach
dem Haf hinaus. Es wehte scharf, und er sah, wie mehr und mehr der
Wassersaum am Deich hinaufklimmte, und wie die Wellen sich noch

höher hoben; er sah auch, wie die Leute trieften und kaum atmen konnten in der schweren Arbeit vor dem Winde, der ihnen die Luft am Munde abschnitt, und vor dem kalten Regen, der sie überströmte. 'Ausgehalten, Leute![169] Ausgehalten!' schrie er zu ihnen hinab. 'Nur einen Fuß noch höher; dann ist's genug für diese Flut!' Und durch alles Getöse des Wetters hörte man das Geräusch der Arbeiter: das Klatschen der hineingestürzten Kleimassen, das Rasseln der Karren und das Rauschen des von oben hinabgelassenen Strohes ging unaufhaltsam vorwärts; dazwischen war mitunter das Winseln eines kleinen gelben Hundes laut geworden, der frierend und wie verloren zwischen Menschen und Fuhrwerken herumgestoßen wurde; plötzlich aber scholl ein jammervoller Schrei des kleinen Tieres von unten aus der Schlucht herauf. Hauke blickte hinab; er hatte es von oben hinunterschleudern sehen; eine jähe Zornröte stieg ihm ins Gesicht. 'Halt! Haltet ein!' schrie er zu den Karren hinunter; denn der nasse Klei wurde unaufhaltsam aufgeschüttet.

'Warum?' schrie eine rauhe Stimme von unten herauf; 'doch um die elende Hundekreatur nicht?'

'Halt! sag' ich', schrie Hauke wieder; 'bring mir den Hund! Bei unserem Werke soll kein Frevel sein!'

Aber es rührte sich keine Hand; nur ein paar Spaten zähen Kleis flogen noch neben das schreiende Tier. Da gab er seinem Schimmel die Sporen, daß das Tier einen Schrei ausstieß, und stürmte den Deich hinab, und alles wich vor ihm zurück. 'Den Hund!' schrie er; 'ich will den Hund!'

Eine Hand schlug sanft auf seine Schulter, als wäre es die Hand des alten Jewe Manners; doch als er umsah, war es nur ein Freund des Alten. 'Nehmt Euch in acht, Deichgraf!' raunte der ihm zu. 'Ihr habt nicht Freunde unter diesen Leuten; laßt es mit dem Hunde gehen!'

Der Wind pfiff, der Regen klatschte; die Leute hatten die Spaten in den Grund gesteckt, einige sie fortgeworfen. Hauke neigte sich zu dem Alten: 'Wollt Ihr meinen Schimmel halten, Harke Jens?' fragte er; und als jener noch kaum den Zügel in der Hand hatte, war Hauke schon in die Kluft gesprungen und hielt das kleine winselnde Tier in seinem Arm; und fast im selben Augenblicke saß er auch wieder hoch im Sattel und sprengte auf den Deich zurück. Seine Augen flogen über die Männer, die bei den Wagen standen. 'Wer war es?' rief er. 'Wer hat die Kreatur hinabgeworfen?'

---

[169]**Ausgehalten, Leute** Stick it out, men!

Einen Augenblick schwieg alles, denn aus dem hageren Gesicht des Deichgrafen sprühte der Zorn, und sie hatten abergläubische Furcht vor ihm. Da trat von einem Fuhrwerk ein stiernackiger Kerl vor ihn hin.

'Ich tat es nicht, Deichgraf', sagte er und biß von einer Rolle Kautabak
5 ein Endchen ab, das er sich erst ruhig in den Mund schob; 'aber der es tat, hat recht getan; soll Euer Deich sich halten, so muß was Lebiges hinein!'

'Was Lebiges? Aus welchem Katechismus hast du das gelernt?'

'Aus keinem, Herr!' entgegnete der Kerl, und aus seiner Kehle
10 stieß ein freches Lachen; 'das haben unsere Großväter schon gewußt, die sich mit Euch im Christentum wohl messen durften! Ein Kind ist besser noch; wenn das nicht da ist, tut's auch wohl ein Hund!'

'Schweig du mit deinen Heidenlehren', schrie ihn Hauke an, 'es stopfte besser, wenn man dich hineinwürfe.'

15 'Oho!' erscholl es; aus einem Dutzend Kehlen war der Laut gekommen, und der Deichgraf gewahrte ringsum grimmige Gesichter und geballte Fäuste; er sah wohl, daß das keine Freunde waren; der Gedanke an seinen Deich überfiel ihn wie ein Schrecken: was sollte werden, wenn jetzt alle ihre Spaten hinwürfen?—Und als er nun den Blick nach unten
20 richtete, sah er wieder den alten Freund des alten Jewe Manners; der ging dort zwischen den Arbeitern, sprach zu dem und jenem, lachte hier einem zu, klopfte dort mit freundlichem Gesicht einem auf die Schulter, und einer nach dem anderen faßte wieder seinen Spaten; noch einige Augenblicke, und die Arbeit war wieder in vollem Gange.—Was wollte er denn
25 noch? Der Priel mußte geschlossen werden, und den Hund barg er sicher genug in den Falten seines Mantels. Mit plötzlichem Entschluß wandte er seinen Schimmel gegen den nächsten Wagen: 'Stroh an die Kante!' rief er herrisch, und wie mechanisch gehorchte ihm der Fuhrknecht; bald rauschte es hinab in die Tiefe, und von allen Seiten regte es sich aufs
30 neue und mit allen Armen.

Eine Stunde war noch so gearbeitet; es war nach sechs Uhr, und schon brach tiefe Dämmerung herein; der Regen hatte aufgehört, da rief Hauke die Aufseher an sein Pferd: 'Morgen früh vier Uhr', sagte er, 'ist alles wieder auf dem Platz; der Mond wird noch am Himmel sein; da
35 machen wir mit Gott den Schluß! Und dann noch eines!' rief er, als sie gehen wollten: 'Kennt ihr den Hund?' und er nahm das zitternde Tier aus seinem Mantel.

Sie verneinten das; nur einer sagte: 'Der hat sich tagelang schon im Dorf herumgebettelt; der gehört gar keinem!'

'Dann ist er mein!' entgegnete der Deichgraf. 'Vergesset nicht: morgen früh vier Uhr!' und ritt davon.

Als er heimkam, trat Ann Grete aus der Tür; sie hatte saubere Kleidung an, und es fuhr ihm durch den Kopf, sie gehe jetzt zum Konventikelschneider: 'Halt die Schürze auf!' rief er ihr zu, und da sie 5 es unwillkürlich tat, warf er das kleibeschmutzte Hündlein ihr hinein: 'Bring ihn der kleinen Wienke; er soll ihr Spielkamerad werden! Aber wasch und wärm ihn zuvor; so tust du auch ein gottgefällig Werk, denn die Kreatur ist schier verklommen.'

Und Ann Grete konnte nicht lassen, ihrem Wirt Gehorsam zu 10 leisten, und kam deshalb heute nicht in den Konventikel.

XIX

Und am anderen Tage wurde der letzte Spatenstich am neuen Deich getan; der Wind hatte sich gelegt; in anmutigem Fluge schwebten Möwen und Avosetten über Land und Wasser hin und wieder; von Jevershallig tönte das tausendstimmige Geknorr der Rottgänse, die 15 sich's noch heute an der Küste der Nordsee wohl sein ließen,[170] und aus den weißen Morgennebeln, welche die weite Marsch bedeckten, stieg allmählich ein goldener Herbsttag und beleuchtete das neue Werk der Menschenhände.

Nach einigen Wochen kamen mit dem Oberdeichgrafen die herr- 20 schaftlichen Kommissäre zur Besichtigung desselben; ein großes Festmahl, das erste nach dem Leichenmahl des alten Tede Volkerts, wurde im deichgräflichen Hause gehalten; alle Deichgevollmächtigten und die größten Interessenten waren dazu geladen. Nach Tische wurden sämtliche Wagen der Gäste und des Deichgrafen angespannt; Frau Elke 25 wurde von dem Oberdeichgrafen in die Karriole gehoben, vor der der braune Wallach mit seinen Hufen stampfte; dann sprang er selber hinten nach und nahm die Zügel in die Hand; er wollte die gescheite Frau seines Deichgrafen selber fahren. So ging es munter von der Werfte und in den Weg hinaus, den Akt zum neuen Deich hinan und auf demselben 30 um den jungen Kog herum. Es war inmittelst ein leichter Nordwestwind aufgekommen, und an der Nord- und Westseite des neuen Deiches wurde die Flut hinaufgetrieben; aber es war unverkennbar, der sanfte Abfall

---

[170]**die . . . ließen** which, for one more day, were enjoying themselves on the shore of the North Sea

bedingte einen sanfteren Anschlag; aus dem Munde der herrschaftlichen
Kommissäre strömte das Lob des Deichgrafen, daß die Bedenken, welche
hie und da von den Gevollmächtigten dagegen langsam vorgebracht
wurden, gar bald darin erstickten.

5   Auch das ging vorüber; aber noch eine Genugtuung empfing der
Deichgraf eines Tages, da er in stillem selbstbewußtem Sinnen auf dem
neuen Deich entlang ritt. Es mochte ihm wohl die Frage kommen,
weshalb der Kog, der ohne ihn nicht da wäre, in dem sein Schweiß und
seine Nachtwachen steckten, nun schließlich nach einer der herrschaft-
10   lichen Prinzessinnen 'der neue Karolinenkog' getauft sei; aber es war
doch so: auf allen dahingehörigen Schriftstücken stand der Name, auf
einigen sogar in roter Frakturschrift. Da, als er aufblickte, sah er zwei
Arbeiter mit ihren Feldgerätschaften, der eine etwa zwanzig Schritte
hinter dem anderen, sich entgegenkommen: 'So wart doch!' hörte er
15   den nachfolgenden rufen; der andere aber—er stand eben an einem Akt,
der in den Kog hinunterführte—rief ihm entgegen: 'Ein andermal,
Jens! Es ist schon spät; ich soll hier Klei schlagen!'

'Wo denn?'

'Nun hier, im Hauke-Haien-Kog!'

20   Er rief es laut, indem er den Akt hinabtrabte, als solle die ganze
Marsch es hören, die darunterlag. Hauke aber war es, als höre er seinen
Ruhm verkünden; er hob sich im Sattel, gab seinem Schimmel die
Sporen und sah mit festen Augen über die weite Landschaft hin, die zu
seiner Linken lag. 'Hauke-Haien-Kog!' wiederholte er leis; das klang,
25   als könnt' es alle Zeit nicht anders heißen! Mochten sie trotzen, wie sie
wollten, um seinen Namen war doch nicht herumzukommen; der
Prinzessinnenname—würde er nicht bald nur noch in alten Schriften
modern?—Der Schimmel ging in stolzem Galopp; vor seinen Ohren aber
summte es: 'Hauke-Haien-Kog! Hauke-Haien-Kog!' In seinen Gedanken
30   wuchs fast der neue Deich zu einem achten Weltwunder; in ganz Friesland war nicht seinesgleichen! Und er ließ den Schimmel tanzen; ihm
war, er stünde inmitten aller Friesen; er überragte sie um Kopfeshöhe,
und seine Blicke flogen scharf und mitleidig über sie hin.

XX

Allmählich waren drei Jahre seit der Eindeichung hingegangen; das
35   neue Werk hatte sich bewährt, die Reparaturkosten waren nur gering
gewesen; im Koge aber blühte jetzt fast überall der weiße Klee, und ging

man über die geschützten Weiden, so trug der Sommerwind einem
ganze Wolken süßen Duftes entgegen. Da war die Zeit gekommen, die
bisher nur ideale Anteile in wirkliche zu verwandeln und allen Teil-
nehmern ihre bestimmten Stücke für immer eigentümlich zuzusetzen.
Hauke war nicht müßig gewesen, vorher noch einige neue zu erwerben;   5
Ole Peters hatte sich verbissen zurückgehalten, ihm gehörte nichts im
neuen Koge. Ohne Verdruß und Streit hatte auch so die Teilung nicht
abgehen können, aber fertig war er gleichwohl geworden; auch dieser
Tag lag hinter dem Deichgrafen.

Fortan lebte er einsam seinen Pflichten als Hofwirt wie als Deichgraf   10
und denen, die ihm am nächsten angehörten; die alten Freunde waren
nicht mehr in der Zeitlichkeit, neue zu erwerben, war er nicht geeignet.
Aber unter seinem Dach war Frieden, den auch das stille Kind nicht
störte; es sprach wenig, das stete Fragen, was den aufgeweckten Kindern
eigen ist, kam selten und meist so, daß dem Gefragten die Antwort   15
darauf schwer wurde; aber ihr liebes, einfältiges Gesichtlein trug fast
immer den Ausdruck der Zufriedenheit. Zwei Spielkameraden hatte sie,
die waren ihr genug: wenn sie über die Werfte wanderte, sprang das
gerettete gelbe Hündlein stets um sie herum, und wenn der Hund sich
zeigte, war auch Klein Wienke nicht mehr fern. Der zweite Kamerad war   20
eine Lachmöwe, und wie der Hund 'Perle', so hieß die Möwe 'Claus'.

Claus war durch ein greises Menschenkind auf dem Hofe installiert
worden: die achtzigjährige Trin Jans hatte in ihrer Kate auf dem Außen-
deich sich nicht mehr durchbringen können; da hatte Frau Elke gemeint,
die verlebte Dienstmagd ihres Großvaters könnte bei ihnen noch ein   25
paar stille Abendstunden und eine gute Sterbekammer finden, und so,
halb mit Gewalt, war sie von ihr und Hauke nach dem Hofe geholt und
in dem Nordweststübchen der neuen Scheuer untergebracht worden, die der
Deichgraf vor einigen Jahren neben dem Haupthause bei der Vergrö-
ßerung seiner Wirtschaft hatte bauen müssen. Ein paar der Mägde hatten   30
daneben ihre Kammer erhalten und konnten der Greisin nachts zur
Hand gehen. Rings an den Wänden hatte sie ihr altes Hausgerät: eine
Schatulle von Zuckerkistenholz, darüber zwei bunte Bilder vom verlorenen Sohn, ein längst zur Ruhe gestelltes Spinnrad und ein sehr
sauberes Gardinenbett, vor dem ein ungefüger, mit dem weißen Fell des   35
weiland Angorakaters überzogener Schemel stand. Aber auch was
Lebiges hatte sie noch um sich gehabt und mit hierhergebracht: das war
die Möwe Claus, die sich schon jahrelang zu ihr gehalten hatte und von
ihr gefüttert worden war; freilich, wenn es Winter wurde, flog sie mit

den anderen Möwen südwärts und kam erst wieder, wenn am Strand der Wermut duftete.

Die Scheuer lag etwas tiefer an der Werfte; die Alte konnte von ihrem Fenster aus nicht über den Deich auf die See hinausblicken. 'Du hast mich hier als wie gefangen, Deichgraf!' murrte sie eines Tages, als Hauke zu ihr eintrat, und wies mit ihrem verkrümmten Finger nach den Fennen hinaus, die sich dort unten breiteten. 'Wo ist denn Jeverssand? Da über den roten oder über den schwarzen Ochsen hinaus?'

'Was will Sie denn mit Jeverssand?' fragte Hauke.

'Ach was, Jeverssand!' brummte die Alte. 'Aber ich will doch sehen, wo mein Jung mir derzeit ist zu Gott gegangen!'

'Wenn Sie das sehen will', entgegnete Hauke, 'so muß Sie sich oben unter den Eschenbaum setzen, da sieht Sie das ganze Haf!'

'Ja', sagte die Alte; 'ja, wenn ich deine jungen Beine hätte, Deichgraf!'

Dergleichen blieb lange der Dank für die Hilfe, die ihr die Deichgrafsleute angedeihen ließen; dann aber wurde es auf einmal anders. Der kleine Kindskopf Wienkes guckte eines Morgens durch die halbgeöffnete Tür herein. 'Na', rief die Alte, welche mit den Händen ineinander auf ihrem Holzstuhl saß, 'was hast du denn zu bestellen?'[171] Aber das Kind kam schweigend näher und sah sie mit ihren gleichgültigen Augen unablässig an.

'Bist du das Deichgrafskind?' fragte sie Trin Jans, und da das Kind wie nickend das Köpfchen senkte, fuhr sie fort: 'So setz dich hier auf meinen Schemel! Ein Angorakater ist's gewesen—so groß! Aber dein Vater hat ihn totgeschlagen. Wenn er noch lebendig wäre, so könntst du auf ihm reiten.'

Wienke richtete stumm ihre Augen auf das weiße Fell; dann kniete sie nieder und begann es mit ihren kleinen Händen zu streicheln, wie Kinder es bei einer lebenden Katze oder einem Hunde zu machen pflegen. 'Armer Kater!' sagte sie dann und fuhr wieder in ihren Liebkosungen fort.

'So!' rief nach einer Weile die Alte, 'jetzt ist es genug; und sitzen kannst du auch noch heut auf ihm; vielleicht hat dein Vater ihn auch nur um deshalb totgeschlagen!' Dann hob sie das Kind an beiden Armen in die Höhe und setzte es derb auf den Schemel nieder. Da es aber stumm und unbeweglich sitzenblieb und sie nur ansah, begann sie mit dem Kopfe zu schütteln: 'Du strafst ihn, Gott der Herr! Ja, ja, du strafst ihn!'

---

[171]**was ... bestellen** what have you been sent here for

murmelte sie; aber ein Erbarmen mit dem Kinde schien sie doch zu überkommen; ihre knöcherne Hand strich über das dürftige Haar desselben, und aus den Augen der Kleinen kam es, als ob ihr damit wohlgeschehe.[172]

Von nun an kam Wienke täglich zu der Alten in die Kammer; sie setzte sich bald von selbst auf den Angoraschemel, und Trin Jans gab ihr kleine Fleisch- und Brotstückchen in ihre Händchen, welche sie allezeit in Vorrat hatte, und ließ sie diese auf den Fußboden werfen; dann kam mit Gekreisch und ausgespreizten Flügeln die Möwe aus irgendeinem Winkel hervorgeschossen und machte sich darüber her.[173] Erst erschrak das Kind und schrie auf vor dem großen stürmenden Vogel; bald aber war es wie ein eingelerntes Spiel, und wenn sie nur ihr Köpfchen durch den Türspalt steckte, schoß schon der Vogel auf sie zu und setzte sich ihr auf Kopf oder Schulter, bis die Alte ihr zu Hilfe kam und die Fütterung beginnen konnte. Trin Jans, die es sonst nicht hatte leiden können, daß einer auch nur die Hand nach ihrem 'Claus' ausstreckte, sah jetzt geduldig zu, wie das Kind allmählich ihr den Vogel abgewann. Er ließ sich willig von ihr haschen; sie trug ihn umher und wickelte ihn in ihre Schürze, und wenn dann auf der Werfte etwa das gelbe Hündlein um sie herum und eifersüchtig gegen den Vogel aufsprang, dann rief sie wohl: 'Nicht du, nicht du, Perle!' und hob mit ihren Ärmchen die Möwe so hoch, daß diese, sich selbst befreiend, schreiend über die Werfte hinflog und statt ihrer nun der Hund durch Schmeicheln und Springen den Platz auf ihren Armen zu erobern suchte.

Fielen zufällig Haukes oder Elkes Augen auf dies wunderliche Vierblatt, das nur durch einen gleichen Mangel am selben Stengel festgehalten wurde, dann flog wohl ein zärtlicher Blick auf ihr Kind; hatten sie sich gewandt, so blieb nur noch ein Schmerz auf ihrem Antlitz, den jedes einsam mit sich von dannen trug, denn das erlösende Wort war zwischen ihnen noch nicht gesprochen worden. Da eines Sommervormittages, als Wienke mit der Alten und den beiden Tieren auf den großen Steinen vor der Scheuntür saß, gingen ihre beiden Eltern, der Deichgraf seinen Schimmel hinter sich, die Zügel über dem Arme, hier vorüber; er wollte auf den Deich hinaus und hatte das Pferd sich selber von der Fenne heraufgeholt; sein Weib hatte auf der Werfte sich an seinen Arm

---

[172]**aus . . . wohlgeschehe** a look in the child's eyes seemed to say that this felt good to her

[173]**machte . . . her** pounced on it

gehängt. Die Sonne schien warm hernieder; es war fast schwül, und mitunter kam ein Windstoß aus Südsüdost. Dem Kinde mochte es auf dem Platze unbehaglich werden: 'Wienke will mit!' rief sie, schüttelte die Möwe von ihrem Schoß und griff nach der Hand ihres Vaters.

5   'So komm!' sagte dieser.

Frau Elke aber rief: 'In dem Wind? Sie fliegt dir weg!'

'Ich halt' sie schon; und heut haben wir warme Luft und lustig Wasser, da kann sie's tanzen sehen.'

Und Elke lief ins Haus und holte noch ein Tüchlein und ein Käpp-
10 chen für ihr Kind. 'Aber es gibt ein Wetter', sagte sie; 'macht, daß ihr fortkommt, und seid bald wieder hier!'

Hauke lachte: 'Das soll uns nicht zu fassen kriegen!' und hob das Kind zu sich auf den Sattel. Frau Elke blieb noch eine Weile auf der Werfte und sah, mit der Hand ihre Augen beschattend, die beiden auf den
15 Weg und nach dem Deich hinübertraben; Trin Jans saß auf dem Stein und murmelte Unverständliches mit ihren welken Lippen.

Das Kind lag regungslos im Arm des Vaters; es war, als atme es beklommen unter dem Druck der Gewitterluft; er neigte den Kopf zu ihr: 'Nun, Wienke?' fragte er.

20 Das Kind sah ihn eine Weile an: 'Vater', sagte es, 'du kannst das doch! Kannst du nicht alles?'

'Was soll ich können, Wienke?'

Aber sie schwieg; sie schien die eigene Frage nicht verstanden zu haben.

25 Es war Hochflut; als sie auf den Deich hinaufkamen, schlug der Widerschein der Sonne von dem weiten Wasser ihr in die Augen, ein Wirbelwind trieb die Wellen strudelnd in die Höhe, und neue kamen heran und schlugen klatschend gegen den Strand; da klammerte sie ihre Händ-chen angstvoll um die Faust ihres Vaters, die den Zügel führte, daß der
30 Schimmel mit einem Satz zur Seite fuhr. Die blaßblauen Augen sahen in wirrem Schreck zu Hauke auf: 'Das Wasser, Vater! das Wasser!' rief sie.

Aber er löste sich sanft und sagte: 'Still, Kind, du bist bei deinem Vater; das Wasser tut dir nichts!'

Sie strich sich das fahlblonde Haar aus der Stirn und wagte es wieder,
35 auf die See hinauszusehen. 'Es tut mir nichts', sagte sie zitternd; 'nein, sag, daß es uns nichts tun soll; du kannst das, und dann tut es uns auch nichts!'

'Nicht ich kann das, Kind', entgegnete Hauke ernst; 'aber der Deich, auf dem wir reiten, der schützt uns, und den hat dein Vater
40 ausgedacht und bauen lassen.'

Ihre Augen gingen wider ihn, als ob sie das nicht ganz verstünde; dann barg sie ihr auffallend kleines Köpfchen in dem weiten Rocke ihres Vaters.

'Warum versteckst du dich, Wienke?' raunte der ihr zu; 'ist dir noch immer bange?' Und ein zitterndes Stimmchen kam aus den Falten des Rockes: 'Wienke will lieber nicht sehen; aber du kannst doch alles, Vater?'

Ein ferner Donner rollte gegen den Wind herauf. 'Hoho!' rief Hauke, 'da kommt es!' und wandte sein Pferd zur Rückkehr. 'Nun wollen wir heim zur Mutter!'

Das Kind tat einen tiefen Atemzug; aber erst, als sie die Werfte und das Haus erreicht hatten, hob es das Köpfchen von seines Vaters Brust. Als dann Frau Elke ihr im Zimmer das Tüchelchen und die Kapuze abgenommen hatte, blieb sie wie ein kleiner stummer Kegel vor der Mutter stehen. 'Nun, Wienke', sagte diese und schüttelte sie leise, 'magst du das große Wasser leiden?'

Aber das Kind riß die Augen auf: 'Es spricht', sagte sie; 'Wienke ist bange!'

'Es spricht nicht; es rauscht und toset nur!'

Das Kind sah ins Weite: 'Hat es Beine?' fragte es wieder; 'kann es über den Deich kommen?'

'Nein, Wienke; dafür paßt dein Vater auf, er ist der Deichgraf.'

'Ja', sagte das Kind und klatschte mit blödem Lächeln in seine Händchen; 'Vater kann alles—alles!' Dann plötzlich, sich von der Mutter abwendend, rief sie: 'Laß Wienke zu Trin Jans, die hat rote Äpfel!'

Und Elke öffnete die Tür und ließ das Kind hinaus. Als sie dieselbe wieder geschlossen hatte, schlug sie mit einem Ausdruck des tiefsten Grams die Augen zu ihrem Manne auf, aus denen ihm sonst nur Trost und Mut zu Hilfe gekommen war.

Er reichte ihr die Hand und drückte sie, als ob es zwischen ihnen keines weiteren Wortes bedürfe; sie aber sagte leis: 'Nein, Hauke, laß mich sprechen: das Kind, das ich nach Jahren dir geboren habe, es wird für immer ein Kind bleiben. O lieber Gott! es ist schwachsinnig; ich muß es einmal vor dir sagen.'

'Ich wußte es längst', sagte Hauke und hielt die Hand seines Weibes fest, die sie ihm entziehen wollte.

'So sind wir denn doch allein geblieben', sprach sie wieder.

Aber Hauke schüttelte den Kopf: 'Ich hab' sie lieb, und sie schlägt ihre Ärmchen um mich und drückt sich fest an meine Brust; um alle Schätze wollt' ich das nicht missen!'

Die Frau sah finster vor sich hin: 'Aber warum?' sprach sie; 'was hab' ich arme Mutter denn verschuldet?'

'Ja, Elke, das hab' ich freilich auch gefragt, den, der allein es wissen kann; aber du weißt ja auch, der Allmächtige gibt den Menschen keine
5   Antwort—vielleicht, weil wir sie nicht begreifen würden.'

Er hatte auch die andere Hand seines Weibes gefaßt und zog sie sanft zu sich heran: 'Laß dich nicht irren, dein Kind, wie du es tust, zu lieben; sei sicher, das versteht es!'

Da warf sich Elke an ihres Mannes Brust und weinte sich satt und
10   war mit ihrem Leid nicht mehr allein. Dann plötzlich lächelte sie ihn an; nach einem heftigen Händedruck lief sie hinaus und holte sich ihr Kind aus der Kammer der alten Trin Jans und nahm es auf ihren Schoß und hätschelte und küßte es, bis es stammelnd sagte: 'Mutter, meine liebe Mutter!'

XXI

15   So lebten die Menschen auf dem Deichgrafshofe still beisammen; wäre das Kind nicht dagewesen, es hätte viel gefehlt.

Allmählich verfloß der Sommer; die Zugvögel waren durchgezogen, die Luft wurde leer vom Gesang der Lerchen; nur vor den Scheunen, wo sie beim Dreschen Körner pickten, hörte man hie und da einige
20   kreischend davonfliegen; schon war alles hart gefroren. In der Küche des Haupthauses saß eines Nachmittags die alte Trin Jans auf der Holzstufe einer Treppe, die neben dem Feuerherd nach dem Boden lief. Es war in den letzten Wochen, als sei sie aufgelebt; sie kam jetzt gern einmal in die Küche und sah Frau Elke hier hantieren; es war keine Rede
25   mehr davon, daß ihre Beine sie nicht hätten dahin tragen können, seit eines Tages Klein Wienke sie an der Schürze hier heraufgezogen hatte. Jetzt kniete das Kind an ihrer Seite und sah mit seinen stillen Augen in die Flammen, die aus dem Herdloch aufflackerten; ihr eines Händchen klammerte sich an den Ärmel der Alten, das andere lag in ihrem eigenen
30   fahlblonden Haar. Trin Jans erzählte: 'Du weißt', sagte sie, 'ich stand in Dienst bei deinem Urgroßvater, als Hausmagd, und dann mußt' ich die Schweine füttern; der war klüger als sie alle—da war es, es ist grausam lange her, aber eines Abends, der Mond schien, da ließen sie die Hafschleuse schließen, und sie konnte nicht wieder zurück in See. Oh, wie sie
35   schrie und mit ihren Fischhänden sich in ihre harten, struppigen Haare griff! Ja, Kind, ich sah es und hörte sie selber schreien! Die Gräben

zwischen den Fennen waren alle voll Wasser, und der Mond schien
darauf, daß sie wie Silber glänzten, und sie schwamm aus einem Graben
in den anderen, und hob die Arme und schlug, was ihre Hände waren,
aneinander, daß man es weither klatschen hörte, als wenn sie beten
wollte; aber, Kind, beten können die Kreaturen nicht. Ich saß vor der   5
Haustür auf ein paar Balken, die zum Bauen angefahren waren, und sah
weithin über die Fennen; und das Wasserweib schwamm noch immer in
den Gräben, und wenn sie die Arme aufhob, so glitzerten auch die wie
Silber und Demanten. Zuletzt sah ich sie nicht mehr, und die Wildgänse
und Möwen, die ich all die Zeit nicht gehört hatte, zogen wieder mit   10
Pfeifen und Schnattern durch die Luft.'
    Die Alte schwieg; das Kind hatte ein Wort sich aufgefangen:
'Konnte nicht beten?' fragte sie. 'Was sagst du? Wer war es?'
    'Kind' sagte die Alte, 'die Wasserfrau war es; das sind Undinger,
die nicht selig werden können.'   15
    'Nicht selig!' wiederholte das Kind, und ein tiefer Seufzer, als habe
sie das verstanden, hob die kleine Brust.
    'Trin Jans!' kam eine tiefe Stimme von der Küchentür, und die
Alte zuckte leicht zusammen. Es war der Deichgraf Hauke Haien, der
dort am Ständer lehnte: 'Was redet Sie dem Kinde vor? Hab' ich Ihr   20
nicht geboten, Ihre Mären für sich zu behalten oder sie den Gäns' und
Hühnern zu erzählen?'
    Die Alte sah ihn mit einem bösen Blick an und schob die Kleine von
sich fort: 'Das sind keine Mären', murmelte sie in sich hinein, 'das hat
mein Großohm mir erzählt.'   25
    'Ihr Großohm, Trin? Sie wollte es ja eben selbst erlebt haben.'
    'Das ist egal', sagte die Alte; 'aber Ihr glaubt nicht, Hauke Haien;
Ihr wollt wohl meinen Großohm noch zum Lügner machen!' Dann
rückte sie näher an den Herd und streckte die Hände über die Flammen
des Feuerlochs.   30
    Der Deichgraf warf einen Blick gegen das Fenster: draußen däm-
merte es noch kaum. 'Komm, Wienke!' sagte er und zog sein schwachsin-
niges Kind zu sich heran; 'komm mit mir, ich will dir draußen vom
Deich aus etwas zeigen! Nur müssen wir zu Fuß gehen; der Schimmel ist
beim Schmied.' Dann ging er mit ihr in die Stube, und Elke band dem   35
Kind dicke wollene Tücher um Hals und Schultern; und bald danach
ging der Vater mit ihr auf dem alten Deiche nach Nordwest hinauf,
Jeverssand vorbei, bis wo die Watten breit, fast unübersehbar wurden.
    Bald hatte er sie getragen, bald ging sie an seiner Hand; die Däm-

merung wuchs allmählich; in der Ferne verschwand alles in Dunst und
Duft. Aber dort, wohin noch das Auge reichte, hatten die unsichtbar
schwellenden Wattströme das Eis zerrissen, und, wie Hauke Haien es
in seiner Jugend einst gesehen hatte, aus den Spalten stiegen wie damals

5   die rauchenden Nebel, und daran entlang waren wiederum die unheimlichen närrischen Gestalten und hüpften gegeneinander und dienerten
und dehnten sich plötzlich schreckhaft in die Breite.
      Das Kind klammerte sich angstvoll an seinen Vater und deckte
dessen Hand über sein Gesichtlein: 'Die Seeteufel!' raunte es zitternd

10 zwischen seine Finger; 'die Seeteufel!'
      Er schüttelte den Kopf: 'Nein, Wienke, weder Wasserweiber noch
Seeteufel; so etwas gibt es nicht; wer hat dir davon gesagt?'
      Sie sah mit stumpfem Blicke zu ihm herauf; aber sie antwortete
nicht. Er strich ihr zärtlich über die Wangen; 'Sieh nur wieder hin!'

15 sagte er, 'das sind nur arme hungrige Vögel! Sieh nur, wie jetzt der
große seine Flügel breitet; die holen sich die Fische, die in die rauchenden
Spalten kommen.'
      'Fische', wiederholte Wienke.
      'Ja, Kind, das alles ist lebig, so wie wir; es gibt nichts anderes;

20 aber der liebe Gott ist überall!'
      Klein Wienke hatte ihre Augen fest auf den Boden gerichtet und
hielt den Atem an; es war, als sähe sie erschrocken in einen Abgrund.
Es war vielleicht nur so; der Vater blickte lange auf sie hin, er bückte sich
und sah in ihr Gesichtlein; aber keine Regung der verschlossenen Seele

25 wurde darin kund. Er hob sie auf den Arm und steckte ihre verklommenen Händchen in einen seiner dicken Wollhandschuhe: 'So, mein
Wienke'—und das Kind vernahm wohl nicht den Ton von heftiger
Innigkeit in seinen Worten—, 'so, wärm dich bei mir! Du bist doch
unser Kind, unser einziges. Du hast uns lieb . . . !' Die Stimme brach

30 dem Manne; aber die Kleine drückte zärtlich ihr Köpfchen in seinen
rauhen Bart.
      So gingen sie friedlich heimwärts.

                              XXII

      Nach Neujahr war wieder einmal die Sorge in das Haus getreten;
ein Marschfieber hatte den Deichgrafen ergriffen; auch mit ihm ging es

35 nah am Rand der Grube her, und als er unter Frau Elkes Pfleg' und Sorge
wiedererstanden war, schien er kaum derselbe Mann. Die Mattigkeit des
Körpers lag auch auf seinem Geiste, und Elke sah mit Besorgnis, wie er

allzeit leicht zufrieden war. Dennoch, gegen Ende des März, drängte es
ihn, seinen Schimmel zu besteigen und zum ersten Male wieder auf seinem
Deich entlang zu reiten; es war an einem Nachmittage, und die Sonne, die
zuvor geschienen hatte, lag längst schon wieder hinter trübem Duft.

Im Winter hatte es ein paarmal Hochwasser gegeben; aber es war   5
nicht von Belang gewesen; nur drüben am anderen Ufer war auf einer
Hallig eine Herde Schafe ertrunken und ein Stück vom Vorland abgeris-
sen worden; hier an dieser Seite und am neuen Koge war ein nennens-
werter Schaden nicht geschehen. Aber in der letzten Nacht hatte ein
stärkerer Sturm getobt; jetzt mußte der Deichgraf selbst hinaus und alles   10
mit eigenem Aug' besichtigen. Schon war er unten von der Südostecke
aus auf dem neuen Deich herumgeritten, und es war alles wohl erhalten;
als er aber an die Nordostecke gekommen war, dort, wo der neue Deich
auf den alten stößt, war zwar der erstere unversehrt, aber wo früher der
Priel den alten erreicht hatte und an ihm entlang geflossen war, sah er in   15
großer Breite die Grasnarbe zerstört und fortgerissen und in dem Körper
des Deiches eine von der Flut gewühlte Höhlung, durch welche überdies
ein Gewirr von Mäusegängen bloßgelegt war. Hauke stieg vom Pferde
und besichtigte den Schaden in der Nähe: das Mäuseunheil schien
unverkennbar noch unsichtbar weiter fortzulaufen.   20

Er erschrak heftig; gegen alles dieses hätte schon beim Bau des
neuen Deiches Obacht genommen werden müssen; da es damals übersehen worden, so mußte es jetzt geschehen!—Das Vieh war noch nicht
auf den Fennen, das Gras war ungewohnt zurückgeblieben; wohin er
blickte, es sah ihn leer und öde an. Er bestieg wieder sein Pferd und ritt   25
am Ufer hin und her: es war Ebbe, und er gewahrte wohl, wie der Strom
von außen her sich wieder ein neues Bett im Schlick gewühlt hatte und
jetzt von Nordwesten auf den alten Deich gestoßen war; der neue aber,
soweit es ihn traf, hatte mit seinem sanfteren Profile dem Anprall widerstehen können.   30

Ein Haufen neuer Plag' und Arbeit erhob sich vor der Seele des
Deichgrafen; nicht nur der alte Deich mußte hier verstärkt, auch dessen
Profil dem des neuen angenähert werden; vor allem aber mußte der als
gefährlich wieder aufgetretene Priel durch neu zu legende Dämme oder
Lahnungen abgeleitet werden.[174] Noch einmal ritt er auf dem neuen   35
Deich bis an die äußerste Nordwestecke, dann wieder rückwärts, die

---

[174]**vor** ... **werden** above all, the channel, which had again made its appearance as
something dangerous, had to be deflected by dams or hedges to be newly built. *A*
Lahnung *is a kind of hedge made of brushwood stuck in the shallow water to promote the deposit
of sand and soil on the edge of the beach.*

Augen unablässig auf das neugewühlte Bett des Prieles heftend, der ihm zur Seite sich deutlich genug in dem bloßgelegten Schlickgrund abzeichnete. Der Schimmel drängte vorwärts und schnob und schlug mit den Vorderhufen; aber der Reiter drückte ihn zurück, er wollte langsam reiten, er wollte auch die innere Unruhe bändigen, die immer wilder in ihm aufgor.

Wenn eine Sturmflut wiederkäme—eine, wie 1655 dagewesen, wo Gut und Menschen ungezählt verschlungen wurden—, wenn sie wiederkäme, wie sie schon mehrmals einst gekommen war!—Ein heißer Schauer überrieselte den Reiter—der alte Deich, er würde den Stoß nicht aushalten, der gegen ihn heraufschösse! Was dann, was sollte dann geschehen?— Nur eines, ein einzig Mittel würde es geben, um vielleicht den alten Kog und Gut und Leben darin zu retten. Hauke fühlte sein Herz stillstehen, sein sonst so fester Kopf schwindelte; er sprach es nicht aus, aber in ihm sprach es stark genug: Dein Kog, der Hauke-Haien-Kog müßte preisgegeben und der neue Deich durchstochen werden!

Schon sah er im Geist die stürzende Hochflut hereinbrechen und Gras und Klee mit ihrem salzen, schäumenden Gischt bedecken. Ein Sporenstich fuhr in die Weichen des Schimmels, und einen Schrei ausstoßend, flog er auf dem Deich entlang und dann den Akt hinab, der deichgräflichen Werfte zu.

Den Kopf voll von innerem Schrecknis und ungeordneten Plänen kam er nach Hause. Er warf sich in seinen Lehnstuhl, und als Elke mit der Tochter in das Zimmer trat, stand er wieder auf und hob das Kind zu sich empor und küßte es; dann jagte er das gelbe Hündlein mit ein paar leichten Schlägen von sich. 'Ich muß noch einmal droben nach dem Krug!' sagte er und nahm seine Mütze vom Türhaken, wohin er sie eben erst gehängt hatte.

Seine Frau sah ihn sorgenvoll an: 'Was willst du dort? Es wird schon Abend, Hauke!'

'Deichgeschichten!' murmelte er vor sich hin, 'ich treffe von den Gevollmächtigten dort.'

Sie ging ihm nach und drückte ihm die Hand, denn er war mit diesen Worten schon zur Tür hinaus. Hauke Haien, der sonst alles bei sich selber abgeschlossen hatte, drängte es jetzt, ein Wort von jenen zu erhalten, die er sonst kaum eines Anteils wert gehalten hatte. Im Gastzimmer traf er Ole Peters mit zweien der Gevollmächtigten und einem Kogseinwohner am Kartentisch.

'Du kommst wohl von draußen, Deichgraf?' sagte der erstere, nahm die halb ausgeteilten Karten auf und warf sie wieder hin.

'Ja, Ole', erwiderte Hauke; 'ich war dort; es sieht übel aus.'

'Übel?—Nun, ein paar hundert Soden und eine Bestickung wird's wohl kosten; ich war dort auch am Nachmittag.'

'So wohlfeil wird's nicht abgehen, Ole', erwiderte der Deichgraf, 'der Priel ist wieder da, und wenn er jetzt auch nicht von Norden auf 5
den alten Deich stößt, so tut er's doch von Nordwesten!'

'Du hättst ihn lassen sollen, wo du ihn fandest!' sagte Ole trocken.

'Das heißt', entgegnete Hauke, 'der neue Kog geht dich nichts an; und darum sollte er nicht existieren. Das ist deine eigene Schuld! Aber wenn wir Lahnungen legen müssen, um den alten Deich zu schützen, 10
der grüne Klee hinter dem neuen bringt das übermäßig ein!'[175]

'Was sagt Ihr, Deichgraf?' riefen die Gevollmächtigten; 'Lahnungen? Wie viele denn? Ihr liebt es, alles beim teuersten Ende anzufassen!'

Die Karten lagen unberührt auf dem Tisch. 'Ich will's dir sagen, Deichgraf', sagte Ole Peters und stemmte beide Arme auf, 'dein neuer 15
Kog ist ein fressend Werk,[176] was du uns gestiftet hast! Noch laboriert alles an den schweren Kosten deiner breiten Deiche; nun frißt er uns auch den alten Deich, und wir sollen ihn verneuen!—Zum Glück ist's nicht so schlimm; er hat diesmal gehalten und wird es auch noch ferner tun! Steig nur morgen wieder auf deinen Schimmel und sieh es dir noch 20
einmal an!'

Hauke war aus dem Frieden seines Hauses hieher gekommen; hinter den immerhin noch gemäßigten Worten, die er eben hörte, lag—er konnte es nicht verkennen—ein zäher Widerstand; ihm war, als fehle ihm dagegen noch die alte Kraft. 'Ich will tun, wie du es rätst, Ole', 25
sprach er; 'nur fürcht' ich, ich werd' es finden, wie ich es heut gesehen habe.'

Eine unruhige Nacht folgte diesem Tage; Hauke wälzte sich schlaflos in seinen Kissen. 'Was ist dir?' fragte ihn Elke, welche die Sorge um ihren Mann wach hielt; 'drückt dich etwas, so sprich es von dir; wir 30
haben's ja immer so gehalten!'[177]

'Es hat nichts auf sich,[178] Elke!' erwiderte er, 'am Deiche, an den Schleusen ist was zu reparieren; du weißt, daß ich das allzeit nachts in mir zu verarbeiten habe.' Weiter sagte er nichts; er wollte sich die Freiheit seines Handelns vorbehalten; ihm unbewußt war die klare Einsicht und 35

---

[175]**bringt ... ein** makes up for it in full measure
[176]**ein fressend Werk** a piece of work that's bleeding us
[177]**drückt ... gehalten** if something is worrying you, talk it out (with me); for haven't we always done it that way
[178]**Es ... sich** It is of no importance

der kräftige Geist seines Weibes ihm in seiner augenblicklichen Schwäche
ein Hindernis, dem er unwillkürlich auswich.

Am folgenden Vormittag, als er wieder auf den Deich hinauskam,
war die Welt eine andere, als wie er sie tags zuvor gefunden hatte, zwar
5 war wieder hohl' Ebbe, aber der Tag war noch im Steigen, und eine
lichte Frühlingssonne ließ ihre Strahlen fast senkrecht auf die unabseh-
baren Watten fallen; die weißen Möwen schwebten ruhig hin und wieder,
und unsichtbar über ihnen, hoch unter dem azurblauen Himmel, sangen
die Lerchen ihre ewige Melodie. Hauke, der nicht wußte, wie uns die
10 Natur mit ihrem Reiz betrügen kann, stand auf der Nordwestecke des
Deiches und suchte nach dem neuen Bett des Prieles, das ihn gestern so
erschreckt hatte, aber bei dem vom Zenit[179] herabschießenden Sonnenlichte fand er es anfänglich nicht einmal. Erst da er gegen die blen-
denden Strahlen seine Augen mit der Hand beschattete, konnte er es nicht
15 verkennen; aber dennoch, die Schatten in der gestrigen Dämmerung
mußten ihn getäuscht haben: es kennzeichnete sich jetzt nur schwach;
die bloßgelegte Mäusewirtschaft mußte mehr als die Flut den Schaden
in dem Deich veranlaßt haben. Freilich, Wandel mußte hier geschafft
werden, aber durch sorgfältiges Aufgraben und, wie Ole Peters gesagt
20 hatte, durch frische Soden und einige Ruten Strohbestickung war der
Schaden auszuheilen.

'Es war so schlimm nicht', sprach er erleichtert zu sich selber,
'du bist gestern doch dein eigner Narr gewesen!'—Er berief die Gevollmächtigten, und die Arbeiten wurden ohne Widerspruch beschlossen,
25 was bisher noch nie geschehen war. Der Deichgraf meinte eine stärkende
Ruhe in seinem noch geschwächten Körper sich verbreiten zu fühlen, und
nach einigen Wochen war alles sauber ausgeführt.

Das Jahr ging weiter, aber je weiter es ging, und je ungestörter die
neugelegten Rasen durch die Strohdecke grünten, um so unruhiger ging
30 oder ritt Hauke an dieser Stelle vorüber, er wandte die Augen ab, er
ritt hart an der Binnenseite des Deiches; ein paarmal, wo er dort hätte
vorüber müssen ließ er sein schon gesatteltes Pferd wieder in den Stall
zurückführen; dann wieder, wo er nichts dort zu tun hatte, wanderte er,
um nur rasch und ungesehen von seiner Werfte fortzukommen, plötzlich
35 und zu Fuß dahin; manchmal auch war er umgekehrt, er hatte es sich
nicht zumuten können,[180] die unheimliche Stelle aufs neue zu betrachten;

---

[179]*Remember that the date is* "**gegen Ende des März**". *The sun is at its zenith at the
vernal equinox* (21 *March*).

[180]**er . . . können** he could not bring himself to

und endlich, mit den Händen hätte er alles wieder aufreißen mögen, denn
wie ein Gewissensbiß, der außer ihm Gestalt gewonnen hatte, lag dies
Stück des Deiches ihm vor Augen. Und doch, seine Hand konnte nicht
mehr daran rühren; und niemandem, selbst nicht seinem Weibe, durfte
er davon reden.   5

So war der September gekommen; nachts hatte ein mäßiger Sturm
getobt und war zuletzt nach Nordwest umgesprungen. An trübem Vormittag danach, zur Ebbezeit, ritt Hauke auf den Deich hinaus, und es
durchfuhr ihn,[181] als er seine Augen über die Watten schweifen ließ;
dort, von Nordwest herauf, sah er plötzlich wieder, und schärfer und   10
tiefer ausgewühlt, das gespenstische neue Bett des Prieles; so sehr er
seine Augen anstrengte, es wollte nicht mehr weichen.

Als er nach Haus kam, ergriff Elke seine Hand: 'Was hast du,[182]
Hauke?' sprach sie, als sie in sein düsteres Antlitz sah; 'es ist doch kein
neues Unheil? Wir sind jetzt so glücklich; mir ist, du hast nun Frieden   15
mit ihnen allen!'

Diesen Worten gegenüber vermochte er seine verworrene Furcht
nicht in Worten kundzugeben.

'Nein, Elke', sagte er, 'mich feindet niemand an; es ist nur ein
verantwortlich Amt, die Gemeinde vor unseres Herrgotts Meer zu   20
schützen.'

Er machte sich los, um weiteren Fragen des geliebten Weibes
auszuweichen. Er ging in Stall und Scheuer, als ob er alles revidieren
müsse; aber er sah nichts um sich her; er war nur beflissen, seinen Gewissensbiß zur Ruhe, ihn sich selber als eine krankhaft übertriebene Angst   25
zur Überzeugung zu bringen.[183]

XXIII

Das Jahr, von dem ich Ihnen erzähle", sagte nach einer Weile mein
Gastfreund, der Schulmeister, "war das Jahr 1756, das in dieser Gegend
nie vergessen wird; im Hause Hauke Haiens brachte es eine Tote. Zu
Ende des Septembers war in der Kammer, welche ihr in der Scheune   30
eingeräumt war, die fast neunzigjährige Trin Jans am Sterben. Man hatte
sie nach ihrem Wunsche in den Kissen aufgerichtet, und ihre Augen
gingen durch die kleinen bleigefaßten Scheiben in die Ferne; es mußte
dort am Himmel eine dünnere Luftschicht über einer dichteren liegen,

---

[181]**es ... ihn** he shuddered
[182]**was hast du** what ails you
[183]**ihn ... bringen** convince himself that it was a pathological exaggerated fear

denn es war hohe Kimmung,[184] und die Spiegelung hob in diesem
Augenblick das Meer wie einen flimmernden Silberstreifen über den
Rand des Deiches, so daß es blendend in die Kammer schimmerte; auch
die Südspitze von Jeverssand war sichtbar.

5 Am Fußende des Bettes kauerte die kleine Wienke und hielt mit der
einen Hand sich fest an der ihres Vaters, der danebenstand. In das Antlitz
der Sterbenden grub eben der Tod das hippokratische Gesicht,[185] und
das Kind starrte atemlos auf die unheimliche, ihr unverständliche Verwandlung des unschönen, aber ihr vertrauten Angesichts.

10 'Was macht sie? Was ist das, Vater?' flüsterte sie angstvoll und grub
die Fingernägel in ihres Vaters Hand.

'Sie stirbt!' sagte der Deichgraf.

'Stirbt!' wiederholte das Kind und schien in verworrenes Sinnen zu
verfallen.

15 Aber die Alte rührte noch einmal ihre Lippen: 'Jins! Jins!'[186] und
kreischend, wie ein Notschrei, brach es hervor, und ihre knöchernen
Arme streckten sich gegen die draußen flimmernde Meeresspiegelung:
'Hölp mi! Hölp mi! Du bist ja bawen Water . . . Gott gnad de annern!'

Ihre Arme sanken, ein leises Krachen der Bettstatt wurde hörbar;
20 sie hatte aufgehört zu leben.

Das Kind tat einen tiefen Seufzer und warf die blassen Augen zu
ihrem Vater auf: 'Stirbt sie noch immer?' fragte es.

'Sie hat es vollbracht!' sagte der Deichgraf und nahm das Kind auf
seinen Arm: 'Sie ist nun weit von uns, beim lieben Gott.'

25 'Beim lieben Gott!' wiederholte das Kind und schwieg eine Weile,
als müsse es den Worten nachsinnen. 'Ist das gut, beim lieben Gott?'

'Ja, das ist das Beste.'—In Haukes Innerem aber klang schwer die
letzte Rede der Sterbenden. 'Gott gnad de annern!' sprach es leise in ihm.
'Was wollte die alte Hexe? Sind denn die Sterbenden Propheten—?'

---

[184]**hohe Kimmung** *a mirage in which a layer of water appears to lie above the surface of
the sea, thus giving the illusion that sea level is higher than the land.*
[185]**In . . . Gesicht** On the countenance of the dying woman death was etching the
(lines of) the Hippocratic face. *An allusion to a description of physiognomic changes in the
hour of death by the Greek physician, Hippocrates.*
[186]*The dying woman re-experiences in her imagination the death by drowning of her son
(referred to on page 50). Her words represent the dialogue between her and her son Jins—his
call for help; her encouraging answer:* "You are above the water"; *her cry of despair as he
goes under:* "God have mercy"; *ending in a kind of prophecy of disaster in that she extends the
prayer for mercy to others, for whom she seems to envisage a similar fate:* "God have mercy on
the others."

Bald, nachdem Trin Jans oben bei der Kirche eingegraben war, begann man immer lauter von allerlei Unheil und seltsamem Geschmeiß zu reden, das die Menschen in Nordfriesland erschreckt haben sollte: und sicher war es, am Sonntage Lätare[187] war droben von der Turmspitze der goldene Hahn durch einen Wirbelwind herabgeworfen worden; auch das war richtig: im Hochsommer fiel, wie ein Schnee, ein groß Geschmeiß vom Himmel, daß man die Augen davor nicht auftun konnte und es hernach fast handhoch auf den Fennen lag, und hatte niemand je so was gesehen. Als aber nach Ende September der Großknecht mit Korn und die Magd Ann Grete mit Butter in die Stadt zu Markt gefahren waren, kletterten sie bei ihrer Rückkunft mit schreckensbleichen Gesichtern von ihrem Wagen. 'Was ist? Was habt ihr?' riefen die anderen Dirnen, die hinausgelaufen waren, da sie den Wagen rollen hörten.

Ann Grete in ihrem Reiseanzug trat atemlos in die geräumige Küche. 'Nun, so erzähl doch!' riefen die Dirnen wieder, 'wo ist das Unglück los?'

'Ach, unser lieber Jesus wolle uns behüten!' rief Ann Grete. 'Ihr wißt, von drüben, überm Wasser, das alt Mariken vom Ziegelhof, wir stehen mit unserer Butter ja allzeit zusammen an der Apothekerecke, die hat es mir erzählt, und Iven Johns sagte auch, das gibt ein Unglück! sagte er; ein Unglück über ganz Nordfriesland; glaub mir's, Ann Gret! Und'—sie dämpfte ihre Stimme—'mit des Deichgrafs Schimmel ist's am Ende auch nicht richtig!'

'Scht! scht!' machten die anderen Dirnen.

'Ja, ja; was kümmert's mich! Aber drüben, an der anderen Seite, geht's noch schlimmer als bei uns! nicht bloß Fliegen und Geschmeiß, auch Blut ist wie Regen vom Himmel gefallen; und da am Sonntagmorgen danach der Pastor sein Waschbecken vorgenommen hat, sind fünf Totenköpfe, wie Erbsen groß, darin gewesen, und alle sind gekommen, um das zu sehen; im Monat Augusti sind grausige rotköpfige Raupenwürmer über das Land gezogen und haben Korn und Mehl und Brot, und was sie fanden, weggefressen, und hat kein Feuer sie vertilgen können!'

Die Erzählerin verstummte plötzlich; keine der Mägde hatte bemerkt, daß die Hausfrau in die Küche getreten war. 'Was redet ihr da?' sprach diese. 'Laßt das den Wirt nicht hören!' Und da sie alle jetzt erzählen wollten: 'Es tut nicht not;[188] ich habe genug davon vernommen;

---

[187]**Lätare**: mid-Lent Sunday
[188]**Es ... not** Never mind

geht an eure Arbeit, das bringt euch besseren Segen!' Dann nahm sie
Ann Grete mit sich in die Stube und hielt mit dieser Abrechnung über
ihre Marktgeschäfte.

5   So fand im Hause des Deichgrafen das abergläubische Geschwätz
bei der Herrschaft keinen Anhalt; aber in die übrigen Häuser, und je
länger die Abende wurden, um desto leichter drang es mehr und mehr
hinein. Wie schwere Luft lag es auf allen, und heimlich sagte man es
sich, ein Unheil, ein schweres, würde über Nordfriesland kommen.

XXIV

Es war vor Allerheiligen, im Oktober. Tagüber hatte es stark aus
10   Südwest gestürmt; abends stand ein halber Mond am Himmel, dun-
kelbraune Wolken jagten überhin, und Schatten und trübes Licht flogen
auf der Erde durcheinander; der Sturm war im Wachsen. Im Zimmer des
Deichgrafen stand noch der geleerte Abendtisch;[189] die Knechte waren
in den Stall gewiesen um dort des Viehes zu achten; die Mägde mußten
15   im Hause und auf den Böden nachsehen, ob Türen und Luken wohl
verschlossen seien, daß nicht der Sturm hineinfasse und Unheil anrichte.
Drinnen stand Hauke neben seiner Frau am Fenster; er hatte eben sein
Abendbrot hinabgeschlungen; er war draußen auf dem Deich gewesen.
Zu Fuße war er hinausgetrabt, schon früh am Nachmittag; spitze Pfähle
20   und Säcke voll Klei oder Erde hatte er hie und dort, wo der Deich eine
Schwäche zu verraten schien, zusammentragen lassen; überall hatte er
Leute angestellt, um die Pfähle einzurammen und mit den Säcken vor-
zudämmen, sobald die Flut den Deich zu schädigen beginne; an dem
Winkel zu Nordwesten, wo der alte und der neue Deich zusammenstießen,
25   hatte er die meisten Menschen hingestellt; nur im Notfall durften sie
von den angewiesenen Plätzen weichen. Das hatte er zurückgelassen;
dann, vor kaum einer Viertelstunde, naß, zerzaust, war er in seinem
Hause angekommen, und jetzt, das Ohr nach den Windböen, welche die
in Blei gefaßten Scheiben rasseln machten, blickte er wie gedankenlos in
30   die wüste Nacht hinaus; die Wanduhr hinter ihrer Glasscheibe schlug
eben acht. Das Kind, das neben der Mutter stand, fuhr zusammen und
barg den Kopf in deren Kleider. 'Claus!' rief sie weinend; 'wo ist mein
Claus?'

Sie konnte wohl so fragen, denn die Möwe hatte, wie schon im

---

[189]**stand ... Abendtisch** the supper table had not yet been cleared

vorigen Jahre, so auch jetzt ihre Winterreise nicht mehr angetreten. Der
Vater überhörte die Frage; die Mutter aber nahm das Kind auf ihren
Arm. 'Dein Claus ist in der Scheune', sagte sie; 'da sitzt er warm.'
'Warum?' sagte Wienke, 'ist das gut?'
'Ja, das ist gut.'   5
Der Hausherr stand noch am Fenster: 'Es geht nicht länger, Elke!'
sagte er; 'ruf eine von den Dirnen; der Sturm drückt uns die Scheiben
ein, die Luken müssen angeschroben werden!'
Auf das Wort der Hausfrau war die Magd hinausgelaufen; man
sah vom Zimmer aus, wie ihr die Röcke flogen, aber als sie die Klam-   10
mern gelöst hatte, riß ihr der Sturm den Laden aus der Hand und warf
ihn gegen die Fenster, daß ein paar Scheiben zersplittert in die Stube
flogen und eins der Lichter qualmend auslosch. Hauke mußte selbst
hinaus, zu helfen, und nur mit Not kamen allmählich die Luken vor die
Fenster. Als sie beim Wiedereintritt in das Haus die Türen aufrissen,   15
fuhr eine Böe hinterdrein, daß Glas und Silber im Wandschrank durchein-
anderklirrten; oben im Hause über ihren Köpfen zitterten und krachten
die Balken, als wolle der Sturm das Dach von den Mauern reißen. Aber
Hauke kam nicht wieder in das Zimmer; Elke hörte, wie er durch die
Tenne nach dem Stalle schritt. 'Den Schimmel! Den Schimmel, John!   20
Rasch!' So hörte sie ihn rufen; dann kam er wieder in die Stube, das
Haar zerzaust, aber die grauen Augen leuchtend. 'Der Wind ist umge-
sprungen!' rief er—'nach Nordwest, auf halber Springflut![190] Kein
Wind;—wir haben solchen Sturm noch nicht erlebt!'
Elke war totenblaß geworden: 'Und du mußt noch einmal hinaus?'   25
Er ergriff ihre beiden Hände und drückte sie wie im Krampfe[191] in
die seinen: 'Das muß ich, Elke.'
Sie erhob langsam ihre dunklen Augen zu ihm, und ein paar Sekun-
den lang sahen sie sich an; doch war's wie eine Ewigkeit. 'Ja, Hauke',
sagte das Weib; 'ich weiß es wohl, du mußt!'   30
Da trabte es draußen vor der Haustür. Sie fiel ihm um den Hals, und
einen Augenblick war's, als könne sie ihn nicht lassen; aber auch das war
nur ein Augenblick. 'Das ist unser Kampf!' sprach Hauke; 'ihr seid hier
sicher; an dies Haus ist noch keine Flut gestiegen. Und bete zu Gott,
daß er auch mit mir sei!'   35
Hauke hüllte sich in seinen Mantel, und Elke nahm ein Tuch und

---

[190]**auf halber Springflut** at flood tide (*which is half the height of spring tide*).
[191]**wie im Krampfe** almost convulsively

wickelte es ihm sorgsam um den Hals; sie wollte ein Wort sprechen,
aber die zitternden Lippen versagten es ihr.

Draußen wieherte der Schimmel, daß es wie Trompetenschall in
das Heulen des Sturmes hineinklang. Elke war mit ihrem Mann hinausgegangen; die alte Esche knarrte, als ob sie auseinanderstürzen solle.
'Steigt auf, Herr!' rief der Knecht, 'der Schimmel ist wie toll; die Zügel
könnten reißen.' Hauke schlug die Arme um sein Weib: 'Bei Sonnenaufgang bin ich wieder da!'

Schon war er auf sein Pferd gesprungen; das Tier stieg mit den
Vorderhufen in die Höhe, dann, gleich einem Streithengst, der sich in
die Schlacht stürzt, jagte es mit seinem Reiter die Werfte hinunter, in
Nacht und Sturmgeheul hinaus. 'Vater, mein Vater!' schrie eine klägliche
Kinderstimme hinter ihm darein; 'mein lieber Vater!'

Wienke war im Dunkeln hinter dem Fortjagenden hergelaufen;
aber schon nach hundert Schritten strauchelte sie über einen Erdhaufen
und fiel zu Boden.

Der Knecht Iven Johns brachte das weinende Kind der Mutter
zurück; die lehnte am Stamme der Esche, deren Zweige über ihr die
Luft peitschten, und starrte wie abwesend in die Nacht hinaus, in der
ihr Mann verschwunden war; wenn das Brüllen des Sturmes und das
ferne Klatschen des Meeres einen Augenblick aussetzten, fuhr sie wie in
Schreck zusammen; ihr war jetzt, als suche alles nur ihn zu verderben und
werde jäh verstummen, wenn es ihn gefaßt habe. Ihre Knie zitterten, ihre
Haare hatte der Sturm gelöst und trieb damit sein Spiel. 'Hier ist das
Kind, Frau!' schrie John ihr zu; 'haltet es fest!' und drückte die Kleine
der Mutter in den Arm.

'Das Kind?—Ich hatte dich vergessen, Wienke!' rief sie; 'Gott
verzeih mir's.' Dann hob sie es an ihre Brust, so fest nur Liebe fassen
kann, und stürzte mit ihr in die Knie: 'Herr Gott und du, mein Jesus,
laß uns nicht Witwe und nicht Waise werden! Schütz ihn, o lieber Gott;
nur du und ich, wir kennen ihn allein!' Und der Sturm setzte nicht mehr
aus; es tönte und donnerte, als solle die ganze Welt in ungeheurem Hall
und Schall zugrunde gehen.

'Geht in das Haus, Frau!' sagte John; 'kommt!' und er half ihnen
auf und leitete die beiden in das Haus und in die Stube.

Der Deichgraf Hauke Haien jagte auf seinem Schimmel dem
Deiche zu. Der schmale Weg war grundlos, denn die Tage vorher war
unermeßlicher Regen gefallen; aber der nasse, saugende Klei schien
gleichwohl die Hufe des Tieres nicht zu halten, es war, als hätte es festen

Sommerboden unter sich. Wie eine wilde Jagd trieben die Wolken am Himmel;[192] unten lag die weite Marsch wie eine unerkennbare, von unruhigen Schatten erfüllte Wüste; von dem Wasser hinter dem Deiche, immer ungeheurer, kam ein dumpfes Tosen, als müsse es alles andere verschlingen. 'Vorwärts, Schimmel!' rief Hauke; 'wir reiten unseren 5 schlimmsten Ritt!'

Da klang es wie ein Todesschrei unter den Hufen seines Rosses. Er riß den Zügel zurück; er sah sich um: ihm zur Seite dicht über dem Boden, halb fliegend, halb vom Sturme geschleudert, zog eine Schar von weißen Möwen, ein höhnisches Gegacker ausstoßend; sie suchten 10 Schutz im Lande. Eine von ihnen—der Mond schien flüchtig durch die Wolken—lag am Weg zertreten: dem Reiter war's, als flattere ein rotes Band an ihrem Halse. 'Claus!' rief er. 'Armer Claus!'

War es der Vogel seines Kindes? Hatte er Roß und Reiter erkannt und sich bei ihnen bergen wollen?—Der Reiter wußte es nicht. 'Vor- 15 wärts!' rief er wieder, und schon hob der Schimmel zu neuem Rennen seine Hufe; da setzte der Sturm plötzlich aus, eine Totenstille trat an seine Stelle; nur eine Sekunde lang, dann kam er mit erneuter Wut zurück; aber Menschenstimmen und verlorenes Hundegebell waren inzwischen an des Reiters Ohr geschlagen, und als er rückwärts nach 20 seinem Dorf den Kopf wandte, erkannte er in dem Mondlicht, das hervor-brach, auf den Werften und vor den Häusern Menschen an hochbeladenen Wagen umherhantierend; er sah, wie im Fluge, noch andere Wagen eilend nach der Geest hinauffahren; Gebrüll von Rindern traf sein Ohr, die aus den warmen Ställen nach dort hinaufgetrieben wurden. 'Gott 25 Dank! sie sind dabei, sich und ihr Vieh zu retten!' rief es in ihm; und dann mit einem Angstschrei: 'Mein Weib! Mein Kind!—Nein, nein; auf unsere Werfte steigt das Wasser nicht!'

Aber nur einen Augenblick war es; nur wie eine Vision flog alles an ihm vorbei. 30

Eine furchtbare Böe kam brüllend vom Meer herüber, und ihr entgegen stürmten Roß und Reiter den schmalen Akt zum Deich hinan. Als sie oben waren, stoppte Hauke mit Gewalt sein Pferd. Aber wo war das Meer? Wo Jeverssand? Wo blieb das Ufer drüben?—Nur Berge von Wasser sah er vor sich, die dräuend gegen den nächtlichen Himmel 35 stiegen, die in der furchtbaren Dämmerung sich übereinander zu türmen

---

[192]*There is an ancient superstition that the god Wotan leads a "Wild Hunt" across the sky during storms.*

suchten und übereinander gegen das feste Land schlugen. Mit weißen
Kronen kamen sie daher, heulend, als sei in ihnen der Schrei alles furchtbaren Raubgetiers der Wildnis. Der Schimmel schlug mit den Vorderhufen und schnob mit seinen Nüstern in den Lärm hinaus; den Reiter
5   aber wollte es überfallen,[193] als sei hier alle Menschenmacht zu Ende;
als müsse jetzt die Nacht, der Tod, das Nichts hereinbrechen.

Doch er besann sich: es war ja Sturmflut; nur hatte er sie selbst noch
nimmer so gesehen; sein Weib, sein Kind, sie saßen sicher auf der hohen
Werfte, in dem festen Hause; sein Deich aber—und wie ein Stolz flog es
10 ihm durch die Brust—der Hauke-Haien-Deich, wie ihn die Leute nannten,
der mochte jetzt beweisen, wie man Deiche bauen müsse!

Aber—was war das?—Er hielt an dem Winkel zwischen beiden
Deichen; wo waren die Leute, die er hieher gestellt, die hier Wacht
zu halten hatten?—Er blickte nach Norden, den alten Deich hinan;
15 denn auch dorthin hatte er einzelne beordert. Weder hier noch dort
vermochte er einen Menschen zu erblicken; er ritt ein Stück hinaus,
aber er blieb allein; nur das Wehen des Sturmes und das Brausen des
Meeres bis aus unermessener Ferne schlug betäubend an sein Ohr. Er
wandte das Pferd zurück; er kam wieder zu der verlassenen Ecke und
20 ließ seine Augen längs der Linie des neuen Deiches gleiten; er erkannte
deutlich: langsamer, weniger gewaltig rollten hier die Wellen heran;
fast schien's, als wäre dort ein ander Wasser. 'Der soll schon stehen!'
murmelte er, und wie ein Lachen stieg es in ihm herauf.

Aber das Lachen verging ihm, als seine Blicke weiter an der Linie
25 seines Deichs entlang glitten: an der Nordwestecke—was war das dort?
Ein dunkler Haufen wimmelte durcheinander; er sah, wie es sich emsig
rührte und drängte—kein Zweifel, es waren Menschen! Was wollten,
was arbeiteten die jetzt an seinem Deiche?—Und schon saßen seine
Sporen dem Schimmel in den Weichen, und das Tier flog mit ihm dahin;
30 der Sturm kam von der Breitseite; mitunter drängten die Böen so gewaltig,
daß sie fast vom Deiche in den neuen Kog hinabgeschleudert wären;
aber Roß und Reiter wußten, wo sie ritten. Schon gewahrte Hauke, daß
wohl ein paar Dutzend Menschen in eifriger Arbeit dort beisammen
seien, und schon sah er deutlich, daß eine Rinne quer durch den neuen
35 Deich gegraben war. Gewaltsam stoppte er sein Pferd: 'Halt!' schrie
er; 'halt! Was treibt ihr hier für Teufelsunfug?'

Sie hatten in Schreck die Spaten ruhen lassen, als sie auf einmal
den Deichgraf unter sich gewahrten; seine Worte hatte der Sturm ihnen

---

[193]den . . . überfallen the thought suddenly came to the rider

zugetragen, und er sah wohl, daß mehrere ihm zu antworten strebten; aber er gewahrte nur ihre heftigen Gebärden, denn sie standen alle ihm zur Linken, und was sie sprachen nahm der Sturm hinweg, der hier draußen jetzt die Menschen mitunter wie im Taumel gegeneinander warf, so daß sie sich dicht zusammenscharten. Hauke maß mit seinen raschen Augen die gegrabene Rinne und den Stand des Wassers, das, trotz des neuen Profiles, fast an die Höhe des Deiches hinaufklatschte und Roß und Reiter überspritzte. Nur noch zehn Minuten Arbeit—er sah es wohl—dann brach die Hochflut durch die Rinne, und der Hauke-Haien-Kog wurde vom Meer begraben!

Der Deichgraf winkte einem der Arbeiter an die andere Seite seines Pferdes. 'Nun, so sprich!' schrie er, 'was treibt ihr hier, was soll das heißen?'

Und der Mensch schrie dagegen: 'Wir sollen den neuen Deich durchstechen, Herr! Damit der alte Deich nicht bricht!'

'Was sollt ihr?'

'Den neuen Deich durchstechen!'

'Und den Kog verschütten?—Welcher Teufel hat euch das befohlen!'

'Nein, Herr, kein Teufel; der Gevollmächtigte Ole Peters ist hier gewesen, der hat's befohlen!'

Der Zorn stieg dem Reiter in die Augen: 'Kennt ihr mich?' schrie er. 'Wo ich bin, hat Ole Peters nichts zu ordinieren! Fort mit euch! An eure Plätze wo ich euch hingestellt!'

Und da sie zögerten, sprengte er mit seinem Schimmel zwischen sie: 'Fort, zu eurer oder des Teufels Großmutter!'

'Herr, hütet Euch!' rief einer aus dem Haufen und stieß mit seinem Spaten gegen das wie rasend sich gebärdende Tier; aber ein Hufschlag schleuderte ihm den Spaten aus der Hand, ein anderer stürzte ihn zu Boden. Da plötzlich erhob sich ein Schrei aus dem übrigen Haufen, ein Schrei, wie ihn nur die Todesangst einer Menschenkehle zu entreißen pflegt; einen Augenblick war alles, auch der Deichgraf und der Schimmel, wie gelähmt; nur ein Arbeiter hatte gleich einem Wegweiser seinen Arm gestreckt; der wies nach der Nordwestecke der beiden Deiche, dort, wo der neue auf den alten stieß. Nur das Tosen des Sturmes und das Rauschen des Wassers war zu hören. Hauke drehte sich im Sattel: was gab das dort? Seine Augen wurden groß: 'Herr Gott! Ein Bruch! Ein Bruch! Ein Bruch im alten Deich!'

'Eure Schuld, Deichgraf!' schrie eine Stimme aus dem Haufen: 'Eure Schuld! Nehmt's mit vor Gottes Thron!'

Haukes zornrotes Antlitz war totenbleich geworden; der Mond, der es beschien, konnte es nicht bleicher machen; seine Arme hingen schlaff, er wußte kaum, daß er den Zügel hielt. Aber auch das war nur ein Augenblick; schon richtete er sich auf, ein hartes Stöhnen brach aus seinem Munde; dann wandte er stumm sein Pferd, und der Schimmel schnob und raste ostwärts auf dem Deich mit ihm dahin. Des Reiters Augen flogen scharf nach allen Seiten; in seinem Kopfe wühlten die Gedanken: Was hatte er für Schuld vor Gottes Thron zu tragen?—Der Durchstich des neuen Deichs—vielleicht, sie hätten's fertiggebracht, wenn er sein Halt nicht gerufen hätte; aber—es war noch eins, und es schoß ihm heiß zu Herzen, er wußte es nur zu gut—im vorigen Sommer, hätte damals Ole Peters' böses Maul ihn nicht zurückgehalten—da lag's! Er allein hatte die Schwäche des alten Deichs erkannt; er hätte trotz alledem das neue Werk betreiben müssen: 'Herr Gott, ja ich bekenn' es', rief er plötzlich laut in den Sturm hinaus, 'ich habe meines Amtes schlecht gewartet!'

Zu seiner Linken, dicht an des Pferdes Hufen, tobte das Meer; vor ihm, und jetzt in voller Finsternis, lag der alte Kog mit seinen Werften und heimatlichen Häusern; das bleiche Himmelslicht war völlig ausgetan; nur von einer Stelle brach ein Lichtschein durch das Dunkel. Und wie ein Trost kam es an des Mannes Herz; es mußte von seinem Haus herüberscheinen, es war ihm wie ein Gruß von Weib und Kind. Gottlob, die saßen sicher auf der hohen Werfte! Die anderen, gewiß, sie waren schon im Geestdorf droben; von dorther schimmerte so viel Lichtschein, wie er niemals noch gesehen hatte; ja selbst hoch oben aus der Luft, es mochte wohl vom Kirchturm sein, brach solcher in die Nacht hinaus. 'Sie werden alle fort sein, alle!' sprach Hauke bei sich selber; 'freilich auf mancher Werfte wird ein Haus in Trümmern liegen, schlechte Jahre werden für die überschwemmten Fennen kommen, Siele und Schleusen zu reparieren sein! Wir müssen's tragen, und ich will helfen, auch denen, die mir Leids getan; nur, Herr, mein Gott, sei gnädig mit uns Menschen!'

Da warf er seine Augen seitwärts nach dem neuen Kog; um ihn schäumte das Meer; aber in ihm lag es wie nächtlicher Friede. Ein unwillkürliches Jauchzen brach aus des Reiters Brust: 'Der Hauke-Haien-Deich, er soll schon halten; er wird es noch nach hundert Jahren tun!'

Ein donnerartiges Rauschen zu seinen Füßen weckte ihn aus diesen Träumen; der Schimmel wollte nicht mehr vorwärts. Was war das?—Das Pferd sprang zurück, und er fühlte es, ein Deichstück stürzte vor ihm in die Tiefe. Er riß die Augen auf und schüttelte alles Sinnen von sich: er hielt am alten Deich, der Schimmel hatte mit den Vorderhufen schon daraufgestanden. Unwillkürlich riß er das Pferd zurück; da flog der letzte Wolkenmantel von dem Mond, und das milde Gestirn beleuchtete den Graus, der schäumend, zischend vor ihm in die Tiefe stürzte, in den alten Kog hinab.

Wie sinnlos starrte Hauke darauf hin; eine Sündflut war's, um 5 Tier und Menschen zu verschlingen. Da blinkte wieder ihm der Lichtschein in die Augen; es war derselbe, den er vorhin gewahrt hatte; noch immer brannte der auf seiner Werfte; und als er jetzt ermutigt in den Kog hinabsah, gewahrte er wohl, daß hinter dem sinnverwirrenden Strudel, der tosend vor ihm hinabstürzte, nur noch eine Breite von 10 etwa hundert Schritten überflutet war; dahinter konnte er deutlich den Weg erkennen, der vom Kog heranführte. Er sah noch mehr: ein Wagen, nein, eine zweirädrige Karriole kam wie toll gegen den Deich herangefahren; ein Weib, ja auch ein Kind saßen darin. Und jetzt—war das nicht das kreischende Gebell eines kleinen Hundes, das im Sturm vorüber- 15 flog? Allmächtiger Gott! Sein Weib, sein Kind waren es; schon kamen sie dicht heran, und die schäumende Wassermasse drängte auf sie zu. Ein Schrei, ein Verzweiflungsschrei brach aus der Brust des Reiters: 'Elke!' schrie er; 'Elke! Zurück! Zurück!'

Aber Sturm und Meer waren nicht barmherzig, ihr Toben zerwehte 20 seine Worte; nur seinen Mantel hatte der Sturm erfaßt, es hätte ihn bald vom Pferd herabgerissen; und das Fuhrwerk flog ohne Aufenthalt der stürzenden Flut entgegen. Da sah er, daß das Weib wie gegen ihn hinauf die Arme streckte: Hatte sie ihn erkannt? Hatte die Sehnsucht, die Todesangst um ihn sie aus dem sicheren Haus getrieben? Und jetzt—rief 25 sie ein letztes Wort ihm zu?—Die Fragen fuhren durch sein Hirn; sie blieben ohne Antwort: von ihr zu ihm, von ihm zu ihr waren die Worte all verloren; nur ein Brausen wie vom Weltuntergang füllte ihre Ohren und ließ keinen anderen Laut hinein.

'Mein Kind! O Elke, o getreue Elke!' schrie Hauke in den Sturm 30 hinaus. Da sank aufs neue ein großes Stück des Deiches vor ihm in die Tiefe, und donnernd stürzte das Meer sich hinterdrein; noch einmal sah er drunten den Kopf des Pferdes, die Räder des Gefährtes aus dem wüsten Greuel emportauchen und dann quirlend darin untergehen. Die starren Augen des Reiters, der so einsam auf dem Deiche hielt, sahen 35 weiter nichts. 'Das Ende!' sprach er leise vor sich hin; dann ritt er an den Abgrund, wo unter ihm die Wasser, unheimlich rauschend, sein Heimatsdorf zu überfluten begannen; noch immer sah er das Licht von seinem Hause schimmern; es war ihm wie entseelt. Er richtete sich hoch auf und stieß dem Schimmel die Sporen in die Weichen; das Tier bäumte sich, es hätte sich fast überschlagen; aber die Kraft des Mannes drückte es herunter. 'Vorwärts!' rief er noch einmal, wie er es so oft zum festen Ritt gerufen hatte: 'Herr Gott, nimm mich; verschon die anderen!'

5 Noch ein Sporenstich; ein Schrei des Schimmels, der Sturm und Wellenbrausen überschrie; dann unten aus dem hinabstürzenden Strom ein dumpfer Schall, ein kurzer Kampf.

Der Mond sah leuchtend aus der Höhe; aber unten auf dem Deiche war kein Leben mehr, als nur die wilden Wasser, die bald den alten Kog
10 fast völlig überflutet hatten. Noch immer aber ragte die Werfte von Hauke Haiens Hofstatt aus dem Schwall hervor, noch schimmerte von dort der Lichtschein, und von der Geest her, wo die Häuser allmählich dunkel wurden, warf noch die einsame Leuchte aus dem Kirchturm ihre zitternden Lichtfunken über die schäumenden Wellen."

XXV

15 Der Erzähler schwieg; ich griff nach dem gefüllten Glase, das seit lange vor mir stand; aber ich führte es nicht zum Munde; meine Hand blieb auf dem Tische ruhen.

"Das ist die Geschichte von Hauke Haien", begann mein Wirt noch einmal, "wie ich sie nach bestem Wissen nur berichten konnte. Freilich
20 die Wirtschafterin unseres Deichgrafen würde sie Ihnen anders erzählt haben; denn auch das weiß man zu berichten: jenes weiße Pferdsgerippe ist nach der Flut wiederum, wie vormals, im Mondschein auf Jevershallig zu sehen gewesen; das ganze Dorf will es gesehen haben.—Soviel ist sicher: Hauke Haien mit Weib und Kind ging unter in dieser Flut; nicht
25 einmal ihre Grabstätte hab' ich droben auf dem Kirchhof finden können; die toten Körper werden von dem abströmenden Wasser durch den Bruch ins Meer hinausgetrieben und auf dessen Grunde allmählich in ihre Urbestandteile aufgelöst sein—so haben sie Ruhe vor den Menschen gehabt. Aber der Hauke-Haien-Deich steht noch jetzt nach hundert
30 Jahren, und wenn Sie morgen nach der Stadt reiten und die halbe Stunde Umweg nicht scheuen wollen, so werden Sie ihn unter den Hufen Ihres Pferdes haben.

Der Dank, den einstmals Jewe Manners bei den Enkeln seinem Erbauer versprochen hatte, ist, wie Sie gesehen haben, ausgeblieben;
35 denn so ist es, Herr: dem Sokrates gaben sie ein Gift zu trinken, und unseren Herrn Christus schlugen sie an das Kreuz! Das geht in den

letzten Zeiten nicht mehr so leicht; aber—einen Gewaltsmenschen oder einen bösen, stiernackigen Pfaffen zum Heiligen oder einen tüchtigen Kerl, nur weil er uns um Kopfeslänge überwachsen war, zum Spuk und Nachtgespenst zu machen—das geht noch alle Tage."

Als das ernsthafte Männlein das gesagt hatte, stand es auf und   5
horchte nach draußen. "Es ist dort etwas anders worden", sagte er und zog die Wolldecke vom Fenster; es war heller Mondschein. "Seht nur", fuhr er fort, "dort kommen die Gevollmächtigten zurück; aber sie zerstreuen sich, sie gehen nach Hause;—drüben am anderen Ufer muß ein Bruch geschehen sein; das Wasser ist gefallen."   10

Ich blickte neben ihm hinaus; die Fenster hier oben lagen über dem Rand des Deiches; es war, wie er gesagt hatte. Ich nahm mein Glas und trank den Rest: "Haben Sie Dank für diesen Abend!" sagte ich; "ich denk', wir können ruhig schlafen!"

"Das können wir", entgegnete der kleine Herr; "ich wünsche von   15
Herzen eine wohlschlafende Nacht!"

Beim Hinabgehen traf ich unten auf dem Flur den Deichgrafen; er wollte noch eine Karte, die er in der Schenkstube gelassen hatte, mit nach Hause nehmen. "Alles vorüber!" sagte er. "Aber unser Schulmeister hat Ihnen wohl schön was weisgemacht; er gehört zu den Aufklärern!"[194]   20

"Er scheint ein verständiger Mann!"

"Ja, ja, gewiß; aber Sie können Ihren eigenen Augen doch nicht mißtrauen; und drüben an der anderen Seite, ich sagte es ja voraus, ist der Deich gebrochen!"

Ich zuckte die Achseln: "Das muß beschlafen werden! Gute Nacht,   25
Herr Deichgraf!"

Er lachte: "Gute Nacht!"

Am anderen Morgen, beim goldensten Sonnenlichte, das über einer weiten Verwüstung aufgegangen war, ritt ich über den Hauke-Haien-Deich zur Stadt hinunter.   30

---

[194]**hat ... Aufklärern** has probably given you a completely wrong impression; he is an apostle of enlightenment

Gottfried Keller

1819-1890 ❀❀❀

Gottfried Keller's youth was an ordeal often marked by aimlessness and frustration but with interludes of satisfying creative activity. He was unjustly dismissed from school; he was for two years an unsuccessful student of painting in Munich; he attended the University of Heidelberg for several semesters; he engaged in political agitation for a liberal, democratic government in Switzerland; he spent five years in Berlin as a student and a free-lance writer. Finally, at the age of thirty-six, he returned to his native Zürich. Five years later, he was appointed to the honorific and important office of Cantonal Secretary, in which he served with fidelity and grace for fifteen years.

Keller's fame is based in large part on his *Novellen,* most of which were written during the years before his professional employment and the two decades between his retirement from public office and his death. In them he recorded in varying moods of satire and pathos, irony and sympathy, mockery and amusement, but always with grace and humor, the intimate histories of his Swiss compatriots, their virtues and vices, their joys and sorrows, their quaint foibles and naive stupidities. In his great novel, *Der grüne Heinrich,* he related the odyssey of his own youth.

Keller is one of the greatest of the German lyric poets. In the following poem there are resemblances in attitude and mood, and even in imagery, with several scenes in *Romeo und Julia auf dem Dorfe,* the most lyrical of all of Keller's prose works.

Abendlied

Augen, meine lieben Fensterlein,
Gabt mir schon so lange holden Schein,
Lasset freundlich Bild um Bild herein:
Einmal werdet ihr verdunkelt sein!

Fallen einst die müden Lider zu,
Löscht ihr aus, dann hat die Seele Ruh;
Tastend streift sie ab die Wanderschuh,
Legt sich auch in ihre Truh.

Noch zwei Fünklein sieht sie glimmend stehn
Wie zwei Sternlein, innerlich zu sehn,
Bis sie schwanken und dann auch vergehn,
Wie von eines Falters Flügelwehn.

Doch noch wandl ich auf dem Abendfeld,
Nur dem sinkenden Gestirn gesellt;
Trinkt, o Augen, was die Wimper hält,
Von dem goldnen Überfluß der Welt!

Romeo und Julia
auf dem Dorfe

❦❦❦❦ DIESE GESCHICHTE zu erzählen, würde eine müßige Nachahmung
sein, wenn sie nicht auf einem wirklichen Vorfall beruhte, zum Beweise,
wie tief im Menschenleben jede jener Fabeln wurzelt, auf welche die
großen alten Werke gebaut sind. Die Zahl solcher Fabeln ist mäßig; aber
stets treten sie in neuem Gewande wieder in die Erscheinung und zwingen   5
alsdann die Hand, sie festzuhalten.

I

An dem schönen Flusse, der eine halbe Stunde entfernt an Seldwyl[1]
vorüberzieht, erhebt sich eine weitgedehnte Erdwelle und verliert sich,
selber wohlbebaut, in der fruchtbaren Ebene. Fern an ihrem Fuße liegt
ein Dorf, welches manche große Bauernhöfe enthält, und über die sanfte   10
Anhöhe lagen vor Jahren drei prächtige lange Äcker weithingestreckt,
gleich drei riesigen Bändern nebeneinander. An einem sonnigen Septem-
bermorgen pflügten zwei Bauern auf zweien dieser Äcker, und zwar auf
jedem der beiden äußersten; der mittlere schien seit langen Jahren brach
und wüst zu liegen, denn er war mit Steinen und hohem Unkraut bedeckt   15
und eine Welt von geflügelten Tierchen summte ungestört über ihm.
   Die Bauern aber, welche zu beiden Seiten hinter ihrem Pfluge
gingen, waren lange, knochige Männer von ungefähr vierzig Jahren und
verkündeten auf den ersten Blick den sichern, gutbesorgten Bauersmann.
Sie trugen kurze Kniehosen von starkem Zwillich, an dem jede Falte   20

---

[1]**Seldwyl** (or **Seldwyla**) *an imaginary town in Switzerland.* "*Romeo und Julia auf dem
Dorfe*" *was published as part of a cycle entitled* "*Die Leute von Seldwyla.*"

ihre unveränderliche Lage hatte und wie in Stein gemeißelt aussah.
Wenn sie, auf ein Hindernis stoßend, den Pflug fester faßten, so zitterten
die groben Hemdärmel von der leichten Erschütterung, indessen die
wohlrasierten Gesichter ruhig und aufmerksam, aber ein wenig blinzelnd
5   in den Sonnenschein vor sich hinschauten, die Furche bemaßen oder
auch wohl zuweilen sich umsahen, wenn ein fernes Geräusch die Stille
des Landes unterbrach. Langsam und mit einer gewissen natürlichen
Zierlichkeit setzten sie einen Fuß um den andern vorwärts und keiner
sprach ein Wort, außer wenn er etwa dem Knechte, der die stattlichen
10   Pferde antrieb, eine Anweisung gab.

So glichen sie einander vollkommen in einiger Entfernung; denn
sie stellten die ursprüngliche Art dieser Gegend dar, und man hätte sie
auf den ersten Blick nur daran unterscheiden können, daß der eine den
Zipfel seiner weißen Kappe nach vorn trug, der andere aber hinten im
15   Nacken hängen hatte. Aber das wechselte zwischen ihnen ab, indem sie
in der entgegengesetzten Richtung pflügten; denn wenn sie oben auf der
Höhe zusammentrafen und aneinander vorüberkamen, so schlug dem,
welcher gegen den frischen Ostwind ging, die Zipfelkappe nach hinten
über, während sie bei dem andern, der den Wind im Rücken hatte, sich
20   nach vorne sträubte. Es gab auch jedesmal einen mittleren Augenblick,
wo die schimmernden Mützen aufrecht in der Luft schwankten und wie
zwei weiße Flammen gen Himmel züngelten.

So pflügten beide ruhevoll und es war schön anzusehen in der
stillen goldenen Septembergegend, wenn sie so auf der Höhe aneinander
25   vorbeizogen, still und langsam und sich mählich voneinander entfernten,
immer weiter auseinander, bis beide wie zwei untergehende Gestirne
hinter die Wölbung des Hügels hinabgingen und verschwanden, um eine
gute Weile darauf wieder zu erscheinen. Wenn sie einen Stein in ihren
Furchen fanden, so warfen sie denselben auf den wüsten Acker in der
30   Mitte mit lässig kräftigem Schwunge, was aber nur selten geschah, da
derselbe schon fast mit allen Steinen belastet war, welche überhaupt auf
den Nachbaräckern zu finden gewesen.

So war der lange Morgen zum Teil vergangen, als von dem Dorfe
her ein kleines artiges Fuhrwerklein sich näherte, welches kaum zu
35   sehen war, als es begann, die gelinde Höhe heranzukommen. Das war ein
grünbemaltes Kinderwägelchen, in welchem die Kinder der beiden
Pflüger, ein Knabe und ein kleines Ding von Mädchen, gemeinschaftlich
den Vormittagsimbiß heranfuhren. Für jeden Teil lag ein schönes Brot,
in eine Serviette gewickelt, eine Kanne Wein mit Gläsern und noch

irgendein Zutätchen in dem Wagen, welches die zärtliche Bäuerin für
den fleißigen Meister mitgesandt, und außerdem waren da noch verpackt
allerlei seltsam gestaltete angebissene Äpfel und Birnen,[2] welche die
Kinder am Wege aufgelesen, und eine völlig nackte Puppe mit nur einem
Bein und einem verschmierten Gesicht, welche wie ein Fräulein zwischen   5
den Broten saß und sich behaglich fahren ließ. Dies Fuhrwerk hielt nach
manchem Anstoß und Aufenthalt endlich auf der Höhe im Schatten eines
jungen Lindengebüsches, welches da am Rande des Feldes stand, und
nun konnte man die beiden Fuhrleute näher betrachten. Es war ein
Junge von sieben Jahren und ein Dirnchen von fünfen, beide gesund und   10
munter, und weiter war nichts Auffälliges an ihnen, als daß beide sehr
hübsche Augen hatten und das Mädchen dazu noch eine bräunliche
Gesichtsfarbe und ganz krause dunkle Haare, welche ihm ein feuriges
und treuherziges Ansehen gaben. Die Pflüger waren jetzt auch wieder
oben angekommen, steckten den Pferden etwas Klee vor und ließen die   15
Pflüge in der halbvollendeten Furche stehen, während sie als gute Nachbaren sich zu dem gemeinschaftlichen Imbiß begaben und sich da zuerst
begrüßten; denn bislang hatten sie sich noch nicht gesprochen an diesem
Tage.
      Wie nun die Männer mit Behagen ihr Frühstück einnahmen und   20
mit zufriedenem Wohlwollen den Kindern mitteilten, die nicht von der
Stelle wichen, solange gegessen und getrunken wurde, ließen sie ihre
Blicke in der Nähe und Ferne herumschweifen und sahen das Städtchen
räucherig glänzend[3] in seinen Bergen liegen; denn das reichliche Mittagsmahl, welches die Seldwyler alle Tage bereiteten, pflegte ein weithin   25
scheinendes Silbergewölk über ihre Dächer emporzutragen, welches
lachend an ihren Bergen hinschwebte.[4]
      "Die Lumpenhunde zu Seldwyl kochen wieder gut!" sagte Manz,
der eine der Bauern, und Marti, der andere, erwiderte: "Gestern war
einer bei mir wegen des Ackers hier."   30
      "Aus dem Bezirksrat? bei mir ist er auch gewesen!" sagte Manz.
      "So? und meinte wahrscheinlich auch du solltest das Land benutzen
und den Herren die Pacht zahlen?"
      "Ja, bis es sich entschieden habe, wem der Acker gehöre und was
mit ihm anzufangen sei. Ich habe mich aber bedankt, das verwilderte   35

---

[2]**seltsam ... Birnen** strangely shaped, partially eaten apples and pears
[3]**räucherig glänzend** under a cloud of smoke shining in the sun
[4]**pflegte ... hinschwebte** usually sent a silvery cloud up over their rooftops
which could be seen from afar and which floated pleasantly over their hills

Wesen[5] für einen andern herzustellen, und sagte, sie sollten den Acker nur verkaufen und den Ertrag aufheben, bis sich ein Eigentümer gefunden, was wohl nie geschehen wird; denn was einmal auf der Kanzlei zu Seldwyl liegt, hat da gute Weile,[6] und überdem ist die Sache schwer zu
5   entscheiden. Die Lumpen möchten indessen gar zu gern etwas zu naschen bekommen durch den Pachtzins, was sie freilich mit der Verkaufssumme auch tun könnten; allein wir würden uns hüten, dieselbe zu hoch hinaufzutreiben, und wir wüßten dann doch, was wir hätten und wem das Land gehört!"
10   "Ganz so meine ich auch und habe dem Steckleinspringer[7] eine ähnliche Antwort gegeben!"

Sie schwiegen eine Weile, dann fing Manz wiederum an: "Schad' ist es aber doch, daß der gute Boden so daliegen muß, es ist nicht zum Ansehen, das geht nun schon in die zwanzig Jahre so und keine Seele
15   fragt darnach; denn hier im Dorf ist niemand, der irgendeinen Anspruch auf den Acker hat, und niemand weiß auch, wo die Kinder des verdorbenen Trompeters hingekommen sind."

"Hm!" sagte Marti, "das wäre so eine Sache![8] Wenn ich den schwarzen Geiger ansehe, der sich bald bei den Heimatlosen aufhält, bald in
20   den Dörfern zum Tanz aufspielt, so möchte ich darauf schwören, daß er ein Enkel des Trompeters ist, der freilich nicht weiß, daß er noch einen Acker hat. Was täte er aber damit? Einen Monat lang sich besaufen und dann nach wie vor![9] Zudem, wer dürfte da einen Wink geben, da man es doch nicht sicher wissen kann!"
25·   "Da könnte man eine schöne Geschichte anrichten!" antwortete Manz, "wir haben so genug zu tun, diesem Geiger das Heimatsrecht in unserer Gemeinde abzustreiten, da man uns den Fetzel fortwährend aufhalsen will.[10] Haben sich seine Eltern einmal unter die Heimatlosen

---

[5]**das ... Wesen** that property, which has been allowed to revert to wilderness (**Wesen** = *Swiss dialect for* **Anwesen**). *Note the frequency with which the words* **wild, verwildert, Verwilderung, Wildnis, verdorben, verfallen, wüst, verkommen** *occur throughout the story. The idea of physical and moral deterioration suggested by these words is central in the story.*

[6]**denn ... Weile** for anything that has once been committed to the court in Seldwyla will stay there a good, long time

[7]**Steckleinspringer** *a Swiss term of derision for a government official, i.e., a man who has time for strolling while the honorable countryman has to work.*

[8]**das ... Sache** wouldn't that be something!

[9]**dann ... vor** then everything would be as it was before

[10]**eine ... will** stir up a pretty state of affairs. We have enough to do as it is, trying to dispute the rights of citizenship in our parish to this fiddler, with the authorities constantly trying to unload the scoundrel on us.

begeben, so mag er auch dableiben und dem Kesselvolk das Geigelein
streichen. Wie in aller Welt können wir wissen, daß er des Trompeters
Sohnessohn ist? Was mich betrifft, wenn ich den Alten auch in dem dunklen Gesicht vollkommen zu erkennen glaube, so sage ich: irren ist
menschlich,[11] und das geringste Fetzchen Papier, ein Stücklein von   5
einem Taufschein würde meinem Gewissen besser tun als zehn sündhafte
Menschengesichter!"

"Eia, sicherlich!" sagte Marti, "er sagt zwar, er sei nicht schuld,
daß man ihn nicht getauft habe! Aber sollen wir unsern Taufstein tragbar
machen und in den Wäldern herumtragen? Nein, er steht fest in der   10
Kirche und dafür ist die Totenbahre tragbar, die draußen an der Mauer
hängt. Wir sind schon übervölkert im Dorf und brauchen bald zwei
Schulmeister!"

Hiemit war die Mahlzeit und das Zweigespräch der Bauern geendet
und sie erhoben sich, den Rest ihrer heutigen Vormittagsarbeit zu   15
vollbringen. Die beiden Kinder hingegen, welche schon den Plan ent-
worfen hatten, mit den Vätern nach Hause zu ziehen, zogen ihr Fuhrwerk
unter den Schutz der jungen Linden und begaben sich dann auf einen
Streifzug in dem wilden Acker, da derselbe mit seinen Unkräutern,
Stauden und Steinhaufen eine ungewohnte und merkwürdige Wildnis   20
darstellte.

Nachdem sie in der Mitte dieser grünen Wildnis einige Zeit hinge-
wandert, Hand in Hand, und sich daran belustigt, die verschlungenen
Hände über die hohen Distelstauden zu schwingen, ließen sie sich
endlich im Schatten einer solchen nieder und das Mädchen begann, seine   25
Puppe mit den langen Blättern des Wegekrautes zu bekleiden, so daß sie
einen schönen grünen und ausgezackten Rock bekam; eine einsame rote
Mohnblume, die da noch blühte, wurde ihr als Haube über den Kopf
gezogen und mit einem Grase festgebunden, und nun sah die kleine
Person aus wie eine Zauberfrau, besonders nachdem sie noch ein Halsband   30
und einen Gürtel von kleinen roten Beerchen erhalten.

Dann wurde sie hoch in die Stengel der Distel gesetzt und eine
Weile mit vereinten Blicken angeschaut, bis der Knabe sie genugsam
besehen und mit einem Steine herunterwarf. Dadurch geriet aber ihr
Putz in Unordnung und das Mädchen entkleidete sie schleunigst, um sie   35

---

[11]**wenn ... menschlich** even though I seem to recognize (the features of) the
old man in his dark face, I still say: to err is human. *One is reminded of the well-known line
from Pope's Essay on Criticism: "To err is human, to forgive, divine." Manz, significantly,
does not apply the statement to the fiddler, but uses it as a palliative for his own bad conscience.
The second part of Pope's dictum would probably be alien to his character.*

aufs neue zu schmücken; doch als die Puppe eben wieder nackt und
bloß war und nur noch der roten Haube sich erfreuete, entriß der wilde
Junge seiner Gefährtin das Spielzeug und warf es hoch in die Luft. Das
Mädchen sprang klagend darnach, allein der Knabe fing die Puppe zuerst
5   wieder auf, warf sie aufs neue empor, und indem das Mädchen sie vergeblich zu haschen sich bemühte, neckte er es auf diese Weise eine gute
Zeit. Unter seinen Händen aber nahm die fliegende Puppe Schaden
und zwar am Knie ihres einzigen Beines, allwo ein kleines Loch einige
Kleiekörner durchsickern ließ. Kaum bemerkte der Peiniger dies Loch,
10 so verhielt er sich mäuschenstill und war mit offenem Munde eifrig beflissen, das Loch mit seinen Nägeln zu vergrößern und dem Ursprung der
Kleie nachzuspüren. Seine Stille erschien dem armen Mädchen höchst
verdächtig und es drängte sich herzu und mußte mit Schrecken sein
böses Beginnen[12] gewahren.
15   "Sieh mal!" rief er und schlenkerte ihr das Bein vor der Nase herum,
daß ihr die Kleie ins Gesicht flog, und wie sie darnach langen wollte und
schrie und flehte, sprang er wieder fort und ruhte nicht eher bis das
ganze Bein dürr und leer herabhing als eine traurige Hülse. Dann warf
er das mißhandelte Spielzeug hin und stellte sich höchst frech und
20 gleichgültig,[13] als die Kleine sich weinend auf die Puppe warf und dieselbe
in ihre Schürze hüllte. Sie nahm sie aber wieder hervor und betrachtete
wehselig die Ärmste, und als sie das Bein sah, fing sie abermals an laut
zu weinen, denn dasselbe hing an dem Rumpfe nicht anders denn das
Schwänzchen an einem Molche. Als sie gar so unbändig weinte, ward es
25 dem Missetäter endlich etwas übel zumut und er stand in Angst und
Reue vor der Klagenden, und als sie dies merkte, hörte sie plötzlich auf
und schlug ihn einigemal mit der Puppe und er tat, als ob es ihm weh
täte, und schrie au! so natürlich, daß sie zufrieden war und nun mit ihm
gemeinschaftlich die Zerstörung und Zerlegung fortsetzte. Sie bohrten
30 Loch auf Loch in den Marterleib und ließen aller Enden die Kleie entströmen, welche sie sorgfältig auf einem flachen Steine zu einem Häufchen
sammelten, umrührten und aufmerksam betrachteten.
    Das einzige Feste, was noch an der Puppe bestand, war der Kopf
und mußte jetzt vorzüglich die Aufmerksamkeit der Kinder erregen: sie
35 trennten ihn sorgfältig los von dem ausgequetschten Leichnam und
guckten erstaunt in sein hohles Innere. Als sie die bedenkliche Höhlung
sahen und auch die Kleie sahen, war es der nächste und natürlichste

---

[12]**böses Beginnen** mischievous doings
[13]**stellte ... gleichgültig** assumed a very impudent and unconcerned attitude

Gedankensprung, den Kopf mit der Kleie auszufüllen, und so waren die Fingerchen der Kinder nun beschäftigt, um die Wette[14] Kleie in den Kopf zu tun, so daß zum erstenmal in seinem Leben etwas in ihm steckte. Der Knabe mochte es aber immer noch für ein totes Wissen halten,[15] weil er plötzlich eine große blaue Fliege fing und, die Summende zwischen beiden hohlen Händen haltend, dem Mädchen gebot, den Kopf von der Kleie zu entleeren. Hierauf wurde die Fliege hineingesperrt und das Loch mit Gras verstopft. Die Kinder hielten den Kopf an die Ohren und setzten ihn dann feierlich auf einen Stein; da er noch mit der roten Mohnblume bedeckt war, so glich der Tönende jetzt einem weissagenden Haupte, und die Kinder lauschten in tiefer Stille seinen Kunden und Märchen, indessen sie sich umschlungen hielten.[16]

Aber jeder Prophet erweckt Schrecken und Undank; das wenige Leben in dem dürftig geformten Bilde erregte die menschliche Grausamkeit in den Kindern, und es wurde beschlossen, das Haupt zu begraben. So machten sie ein Grab und legten den Kopf, ohne die gefangene Fliege um ihre Meinung zu befragen, hinein, und errichteten über dem Grabe ein ansehnliches Denkmal von Feldsteinen. Dann empfanden sie einiges Grauen, da sie etwas Geformtes und Belebtes[17] begraben hatten und entfernten sich ein gutes Stück von der unheimlichen Stätte.

Auf einem ganz mit grünen Kräutern bedeckten Plätzchen legte sich das Dirnchen auf den Rücken, da es müde war, und begann in eintöniger Weise einige Worte zu singen, immer die nämlichen, und der Junge kauerte daneben und half, indem er nicht wußte, ob er auch vollends umfallen solle, so lässig und müßig war er. Die Sonne schien dem singenden Mädchen in den geöffneten Mund, beleuchtete dessen blendendweiße Zähnchen und durchschimmerte die runden Purpurlippen. Der Knabe sah die Zähne, und dem Mädchen den Kopf haltend und dessen Zähnchen neugierig untersuchend, rief er: "Rate, wieviel Zähne hat man?"

Das Mädchen besann sich einen Augenblick, als ob es reiflich nachzählte, und sagte dann aufs Geratewohl: "Hundert!"

"Nein, zweiunddreißig!" rief er, "wart, ich will einmal zählen!"

Da zählte er die Zähne des Kindes, und weil er nicht zweiunddreißig herausbrachte, so fing er immer wieder von neuem an.

---

[14]**um die Wette** vying with each other
[15]**mochte . . . halten** must still have considered it dead knowledge
[16]**indessen . . . hielten** embracing each other
[17]**etwas . . . Belebtes** something having body and life

Das Mädchen hielt lange still, als aber der eifrige Zähler nicht zu Ende kam, raffte es sich auf und rief: "Nun will ich deine zählen!"

Nun legte sich der Bursche hin ins Kraut, das Mädchen über ihn, umschlang seinen Kopf, er sperrte das Maul auf, und es zählte: Eins, 5 zwei, sieben, fünf, zwei, eins; denn die kleine Schöne konnte noch nicht zählen. Der Junge verbesserte sie und gab ihr Anweisung, wie sie zählen solle, und so fing auch sie unzähligemal von neuem an und das Spiel schien ihnen am besten zu gefallen von allem, was sie heut unternommen. Endlich aber sank das Mädchen ganz auf den kleinen Rechenmeister 10 nieder, und die Kinder schliefen ein in der hellen Mittagssonne.

Inzwischen hatten die Väter ihre Äcker fertig gepflügt und in frischduftende braune Fläche umgewandelt. Als nun, mit der letzten Furche zu Ende gekommen, der Knecht des einen halten wollte, rief sein Meister: "Was hältst du? Kehr noch einmal um!"

15   "Wir sind ja fertig!" sagte der Knecht.

"Halt's Maul und tu, wie ich dir sage!" der Meister.

Und sie kehrten um und rissen eine tüchtige Furche in den mittleren herrenlosen Acker hinein, daß Kraut und Steine flogen. Der Bauer hielt sich aber nicht mit der Beseitigung derselben auf, er mochte denken, 20 hiezu sei noch Zeit genug vorhanden, und er begnügte sich, für heute die Sache nur aus dem Gröbsten zu tun. So ging es rasch die Höhe empor in sanftem Bogen, und als man oben angelangt und das liebliche Windeswehen eben wieder den Kappenzipfel des Mannes zurückwarf, pflügte auf der anderen Seite der Nachbar vorüber, mit dem Zipfel nach vorn 25 und schnitt ebenfalls eine ansehnliche Furche vom mittleren Acker, daß die Schollen nur so zur Seite flogen.[18] Jeder sah wohl, was der andere tat, aber keiner schien es zu sehen und sie entschwanden sich wieder, indem jedes Sternbild still am andern vorüberging und hinter diese runde Welt hinabtauchte. So gehen die Weberschiffchen des Geschickes 30 aneinander vorbei, und "was er webt, das weiß kein Weber!"[19]

II

Es kam eine Ernte um die andere, und jede sah die Kinder größer

---

[18]**nur . . . flogen** fairly flew to one side
[19]**was . . . Weber** *From the lines by Heinrich Heine:*
Jahre kommen und vergehen—
In dem Webstuhl läuft geschäftig
Schnurrend hin und her die Spule—
Was er webt, das weiß kein Weber.

und schöner und den herrenlosen Acker schmäler zwischen seinen breitgewordenen Nachbaren. Mit jedem Pflügen verlor er hüben und drüben eine Furche, ohne daß ein Wort darüber gesprochen worden wäre und ohne daß ein Menschenauge den Frevel zu sehen schien. Die Steine wurden immer mehr zusammendrängt und bildeten schon einen 5 ordentlichen Grat auf der ganzen Länge des Ackers, und das wilde Gesträuch darauf war schon so hoch, daß die Kinder, obgleich sie gewachsen waren, sich nicht mehr sehen konnten, wenn eines dies- und das andere jenseits ging. Denn sie gingen nun nicht mehr gemcinschaft- lich auf das Feld, da der zehnjährige Salomon oder Sali, wie er genannt 10 wurde, sich schon wacker auf Seite der größeren Burschen und der Männer hielt;[20] und das braune Vrenchen,[21] obgleich es ein feuriges Dirnchen war, mußte bereits unter der Obhut seines Geschlechts gehen, sonst wäre es von den andern als ein Bubenmädchen ausgelacht worden. Dennoch nahmen sie während jeder Ernte, wenn alles auf den Äckern 15 war, einmal Gelegenheit, den wilden Steindamm, der sie trennte, zu besteigen und sich gegenseitig von demselben herunterzustoßen. Wenn sie auch sonst keinen Verkehr miteinander hatten, so schien diese jähr- liche Zeremonie um so sorglicher gewahrt zu werden, als sonst nirgends die Felder ihrer Väter zusammenstießen. 20

Indessen sollte der Acker doch endlich verkauft und der Erlös einstweilen amtlich aufgehoben werden. Die Versteigerung fand an Ort und Stelle statt, wo sich aber nur einige Gaffer einfanden außer den Bauern Manz und Marti, da niemand Lust hatte, das seltsame Stückchen zu erstehen und zwischen den zwei Nachbaren zu bebauen. Denn obgleich 25 diese zu den besten Bauern des Dorfes gehörten und nichts weiter getan hatten, als was zwei Drittel der übrigen unter diesen Umständen auch getan haben würden, so sah man sie doch jetzt stillschweigend darum an und niemand wollte zwischen ihnen eingeklemmt sein mit dem ge- schmälerten Waisenfelde. Die meisten Menschen sind fähig oder bereit, ein 30 in den Lüften umgehendes Unrecht zu verüben, wenn sie mit der Nase daraufstoßen;[22] sowie es aber von einem begangen ist, sind die übrigen froh, daß sie es doch nicht gewesen sind, daß die Versuchung nicht sie

---

[20]**sich ... hielt** in grown-up fashion stuck to the older boys and the men
[21]**Vrenchen** *diminutive of* **Verena** *or* **Veronika;** *other forms are* **Vrengel** *and* **Vreeli.** *In referring to this name, Keller inconsistently uses sometimes the neuter, sometimes the feminine pronoun.*
[22]**ein ... daraufstoßen** to commit a wrong that is in the air, when they run straight into it

betroffen hat, und sie machen nun den Auserwählten zu dem Schlech-
tigkeitsmesser ihrer Eigenschaften und behandeln ihn mit zarter Scheu
als einen Ableiter des Übels, der von den Göttern gezeichnet ist, während
ihnen zugleich noch der Mund wässert nach den Vorteilen, die er dabei
5 genossen.[23]

Manz und Marti waren also die einzigen, welche ernstlich auf den
Acker boten; nach einem ziemlich hartnäckigen Überbieten erstand ihn
Manz, und er wurde ihm zugeschlagen. Die Beamten und die Gaffer
verloren sich vom Felde; die beiden Bauern, welche sich auf ihren
10 Äckern noch zu schaffen gemacht, trafen beim Weggehen wieder zusammen, und Marti sagte: "Du wirst nun dein Land, das alte und das neue,
wohl zusammenschlagen und in zwei gleiche Stücke teilen! Ich hätte es
wenigstens so gemacht, wenn ich das Ding bekommen hätte."

"Ich werde es allerdings auch tun", antwortete Manz, "denn als ein
15 Acker würde mir das Stück zu groß sein. Doch was ich sagen wollte:
Ich habe bemerkt, daß du neulich noch am untern Ende dieses Ackers,
der jetzt mir gehört, schräg hineingefahren bist und ein gutes Dreieck
abgeschnitten hast. Du hast es vielleicht getan in der Meinung, du werdest
das ganze Stück an dich bringen[24] und es sei dann sowieso dein. Da es
20 nun aber mir gehört, so wirst du wohl einsehen, daß ich eine solche
ungehörige Einkrümmung nicht brauchen noch dulden kann, und wirst
nichts dagegen haben, wenn ich den Strich wieder grad mache! Streit
wird das nicht abgeben sollen!"[25]

Marti erwiderte ebenso kaltblütig, als ihn Manz angeredet hatte:
25 "Ich sehe auch nicht, wo der Streit herkommen soll! Ich denke, du hast
den Acker gekauft, wie er da ist, wir haben ihn alle gemeinschaftlich
besehen, und er hat sich seit einer Stunde nicht um ein Haar verändert!"

"Larifari!" sagte Manz, "was früher geschehen, wollen wir nicht
aufrühren! Was aber zuviel ist, ist zuviel, und alles muß zuletzt eine
30 ordentliche grade Art haben;[26] diese drei Äcker sind von jeher so grade
nebeneinander gelegen, wie nach dem Richtscheit gezeichnet; es ist ein
ganz absonderlicher Spaß von dir, wenn du nun einen solchen lächer-

---

[23]**sie ... genossen** they make the chosen one the gauge by which they measure
the degree of wickedness of their own characters and treat him with delicate awe as the
deflector of evil who has been marked by the gods, while at the same time their mouths
water for the advantages which he has enjoyed
[24]**an ... bringen** get possession of
[25]**Streit ... sollen** That ought not to cause a quarrel!
[26]**alles ... haben** in the end everything must be set straight and in good order

lichen und unvernünftigen Schnörkel dazwischen bringen willst, und
wir beide würden einen Übernamen bekommen, wenn wir den krummen
Zipfel da bestehen ließen. Er muß durchaus weg!"

Marti lachte und sagte: "Du hast ja auf einmal eine merkwürdige
Furcht vor dem Gespötte der Leute! Das läßt sich aber ja wohl machen;   5
mich geniert das Krumme gar nicht; ärgert es dich, gut, so machen wir
es grad, aber nicht auf meiner Seite, das geb' ich dir schriftlich, wenn du
willst!"

"Rede doch nicht so spaßhaft", sagte Manz, "es wird wohl grad
gemacht, und zwar auf deiner Seite, darauf kannst du Gift nehmen!"   10

"Das werden wir ja sehen und erleben!"[27] sagte Marti, und beide
Männer gingen auseinander, ohne sich weiter anzublicken; vielmehr
starrten sie nach verschiedener Richtung ins Blaue hinaus, als ob sie da
wunder was für Merkwürdigkeiten im Auge hätten, die sie betrachten
müßten mit Aufbietung aller ihrer Geisteskräfte.[28]   15

Schon am nächsten Tage schickte Manz einen Dienstbuben, ein
Tagelöhnermädchen und sein eigenes Söhnchen Sali auf den Acker hinaus, um das wilde Unkraut und Gestrüpp auszureuten und auf Haufen zu
bringen, damit nachher die Steine um so bequemer weggefahren werden
könnten. Dies war eine Änderung in seinem Wesen, daß er den kaum   20
elfjährigen Jungen, der noch zu keiner Arbeit angehalten worden, nun
mit hinaus sandte, gegen die Einsprache der Mutter. Es schien, da er es
mit ernsthaften und gesalbten Worten tat, als ob er mit dieser Arbeitsstrenge gegen sein eigenes Blut das Unrecht betäuben wollte, in dem er
lebte, und welches nun begann, seine Folgen ruhig zu entfalten. Das   25
ausgesandte Völklein jätete inzwischen lustig an dem Unkraut und hackte
mit Vergnügen an den wunderlichen Stauden und Pflanzen allerart, die
da seit Jahren wucherten. Denn da es eine außerordentliche gleichsam
wilde Arbeit war, bei der keine Regel und keine Sorgfalt erheischt wurde,
so galt sie als eine Lust. Das wilde Zeug, an der Sonne gedörrt, wurde   30
aufgehäuft und mit großem Jubel verbrannt, daß der Qualm weithin
sich verbreitete und die jungen Leutchen darin herumsprangen wie
besessen.

Dies war das letzte Freudenfest auf dem Unglücksfelde, und das
junge Vrenchen, Martis Tochter, kam auch hinausgeschlichen und half   35

---

[27]**Das . . . erleben** We'll just wait and see about that!
[28]**vielmehr . . . Geisteskräfte** rather they stared into space in opposite directions
as if they had caught sight of some wondrously strange sight which they were com-
pelled to scrutinize with the concentration of all their mental powers

tapfer mit. Das Ungewöhnliche dieser Begebenheit und die lustige
Aufregung gaben einen guten Anlaß, sich seinem kleinen Jugendge-
spielen wieder einmal zu nähern, und die Kinder waren recht glücklich
und munter bei ihrem Feuer. Es kamen noch andere Kinder hinzu, und
5   es sammelte sich eine ganze vergnügte Gesellschaft; doch immer, sobald
sie getrennt wurden, suchte Sali alsobald wieder neben Vrenchen zu
gelangen, und dieses wußte desgleichen immer vergnügt lächelnd zu
ihm zu schlüpfen, und es war beiden Kreaturen, wie wenn dieser herrliche Tag nie enden müßte und könnte.[29]
10 Doch der alte Manz kam gegen Abend herbei, um zu sehen, was sie
ausgerichtet, und obgleich sie fertig waren, so schalt er doch ob dieser
Lustbarkeit und scheuchte die Gesellschaft auseinander. Zugleich zeigte
sich Marti auf seinem Grund und Boden und, seine Tochter gewahrend,
pfiff er derselben schrill und gebieterisch durch den Finger, daß sie
15 erschrocken hineilte, und er gab ihr, ohne zu wissen warum, einige
Ohrfeigen, also daß beide Kinder in großer Traurigkeit und weinend
nach Hause gingen, und sie wußten jetzt eigentlich so wenig, warum sie
so traurig waren, als warum sie vorhin so vergnügt gewesen; denn die
Rauheit der Väter, an sich ziemlich neu, war von den arglosen Geschöpfen
20 noch nicht begriffen und konnte sie nicht tiefer bewegen.
Die nächsten Tage war es schon eine härtere Arbeit, zu welcher
Mannsleute gehörten, als Manz die Steine aufnehmen und wegfahren
ließ. Es wollte kein Ende nehmen[30] und alle Steine der Welt schienen
da beisammen zu sein. Er ließ sie aber nicht ganz vom Felde wegbringen,
25 sondern jede Fuhre auf jenem streitigen Dreiecke abwerfen, welches von
Marti schon säuberlich umgepflügt war. Er hatte vorher einen graden
Strich gezogen als Grenzscheide und belastete nun dies Fleckchen Erde
mit allen Steinen, welche beide Männer seit unvordenklichen Zeiten
herübergeworfen, so daß eine gewaltige Pyramide entstand, die weg-
30 zubringen sein Gegner bleiben lassen würde,[31] dachte er. Marti hatte dies
am wenigsten erwartet; er glaubte, der andere werde nach alter Weise
mit dem Pfluge zu Werke gehen wollen, und er hatte daher abgewartet,
bis er ihn als Pflüger ausziehen sähe. Erst als die Sache schon beinahe
fertig, hörte er von dem schönen Denkmal, welches Manz da errichtet,
35 rannte voll Wut hinaus, sah die Bescherung, rannte zurück und holte den

---

[29]**dieses ... könnte** she, likewise gaily smiling, always managed to slip over to
him, and it seemed to both creatures as if this glorious day must and could never end
[30]**Es ... nehmen** It seemed as if it would never end
[31]**die ... würde** which his adversary would not take the trouble to remove

Gemeindeammann, um vorläufig gegen den Steinhaufen zu protestieren und den Fleck gerichtlich in Beschlag nehmen zu lassen, und von diesem Tage an lagen die zwei Bauern im Prozeß miteinander und ruhten nicht, ehe sie beide zugrunde gerichtet waren.

Die Gedanken der sonst so wohlweisen Männer waren nun so kurz geschnitten wie Häcksel;[32] der beschränkteste Rechtssinn von der Welt erfüllte jeden von ihnen, indem keiner begreifen konnte noch wollte, wie der andere so offenbar unrechtmäßig und willkürlich den fraglichen unbedeutenden Ackerzipfel an sich reißen könne. Bei Manz kam noch ein wunderbarer Sinn für Symmetrie und parallele Linien hinzu und er fühlte sich wahrhaft gekränkt durch den aberwitzigen Eigensinn, mit welchem Marti auf dem Dasein des unsinnigsten und mutwilligsten Schnörkels beharrte. Beide aber trafen zusammen in der Überzeugung, daß der andere, den anderen so frech und plump übervorteilend, ihn notwendig für einen verächtlichen Dummkopf halten müsse, da man dergleichen etwa einem armen haltlosen Teufel, nicht aber einem aufrechten, klugen und wehrhaften Manne gegenüber sich erlauben könne, und jeder sah sich in seiner wunderlichen Ehre gekränkt und gab sich rückhaltlos der Leidenschaft des Streites und dem daraus erfolgenden Verfalle hin, und ihr Leben glich fortan der träumerischen Qual zweier Verdammten, welche auf einem schmalen Brette einen dunklen Strom hinabtreibend sich befehden, in die Luft hauen und sich selber anpacken und vernichten, in der Meinung, sie hätten ihr Unglück gefaßt.[33]

Da sie eine faule Sache hatten, so gerieten beide in die allerschlimmsten Hände von Tausendkünstlern, welche ihre verdorbene Phantasie auftrieben zu ungeheuren Blasen, die mit den nichtsnutzigsten Dingen angefüllt wurden. Vorzüglich waren es die Spekulanten aus der Stadt Seldwyla, welchen dieser Handel ein gefundenes Essen war, und bald hatte jeder der Streitenden ein Anhang von Unterhändlern, Zuträgern

---

[32]**Die ... Häcksel** The thoughts of the two men, usually so sagacious, were now as muddled as chopped straw

[33]**Beide ... gefaßt** But both were in agreement in the conviction that the other, since he was taking such impudent and rude advantage of him, must necessarily consider him a contemptible blockhead; for one could permit oneself such liberties with some poor devil of a drifter, but not with an upright, wise, and self-reliant man; and so each of them believed that his peculiar sense of honor had been violated and devoted himself without reserve to the passion of the quarrel and to the ruin resulting therefrom; and from then on their lives resembled the dream-ridden anguish of two condemned souls who, drifting on a narrow plank down a dark stream, attack each other, beat the air, and seize and annihilate each other in the belief that they are laying hands on (the cause of) their misfortune.

und Ratgebern hinter sich, die alles bare Geld auf hundert Wegen abzu-
ziehen wußten. Denn das Fleckchen Erde mit dem Steinhaufen darüber,
auf welchem bereits wieder ein Wald von Nesseln und Disteln blühte,
war nur noch der erste Keim oder der Grundstein einer verworrenen
5   Geschichte und Lebensweise, in welcher die zwei Fünfzigjährigen noch
neue Gewohnheiten und Sitten, Grundsätze und Hoffnungen annahmen,
als sie bisher geübt.

Je mehr Geld sie verloren, desto sehnsüchtiger wünschten sie welches
zu haben, und je weniger sie besaßen, desto hartnäckiger dachten sie
10   reich zu werden und es dem andern zuvorzutun. Sie ließen sich zu
jedem Schwindel verleiten und setzten auch jahraus, jahrein in alle
fremden Lotterien, deren Lose massenhaft in Seldwyla zirkulierten. Aber
nie bekamen sie einen Taler Gewinn zu Gesicht, sondern hörten nur
immer vom Gewinnen anderer Leute und wie sie selbst beinahe gewonnen
15   hätten, indessen diese Leidenschaft ein regelmäßiger Geldabfluß für sie
war. Bisweilen machten sich die Seldwyler den Spaß, beide Bauern,
ohne ihr Wissen, am gleichen Lose teilnehmen zu lassen, so daß beide
die Hoffnung auf Unterdrückung und Vernichtung des andern auf ein
und dasselbe Los setzten. Sie brachten die Hälfte ihrer Zeit in der Stadt
20   zu, wo jeder in einer Spelunke sein Hauptquartier hatte, sich den Kopf
heißmachen und zu den lächerlichsten Ausgaben und einem elenden und
ungeschickten Schlemmen verleiten ließ, bei welchem ihm heimlich doch
selber das Herz blutete, also daß beide, welche eigentlich nur in diesem
Hader lebten, um für keine Dummköpfe zu gelten, nun solche von der
25   besten Sorte darstellten und von jedermann dafür angesehen wurden.[34]
Die andere Hälfte der Zeit lagen sie verdrossen zu Hause oder gingen
ihrer Arbeit nach, wobei sie dann durch ein tolles Überhasten und
Antreiben das Versäumte einzuholen suchten und damit jeden ordentlichen und zuverlässigen Arbeiter verscheuchten.
30   So ging es gewaltig rückwärts mit ihnen, und ehe zehn Jahre vorüber,
steckten sie beide von Grund aus in Schulden und standen wie Störche
auf einem Beine auf der Schwelle ihrer Besitztümer, von der jeder Lufthauch sie herunterwehte.[35] Aber wie es ihnen auch erging, der Haß

---

[34]**wo ... wurden** where each had his headquarters in some low dive where he
allowed himself to be roused to anger and to be enticed into the most ridiculous ex-
penditures and into a wretched and clumsy debauchery, while secretly his own heart
was bleeding, so that both of them, who were living in this state of strife only in order
not to appear to be blockheads, actually represented blockheads of the choicest sort
and were looked upon as such by everyone
[35]**sie herunterwehte** *potential subjunctive,* could blow them down

zwischen ihnen wurde täglich größer, da jeder den andern als den Urheber seines Unsterns betrachtete, als seinen Erbfeind und ganz unvernünftigen Widersacher, den der Teufel absichtlich in die Welt gesetzt habe, um ihn zu verderben. Sie spien aus, wenn sie sich nur von weitem sahen; kein Glied ihres Hauses durfte mit Frau, Kind oder Gesinde des andern ein 5 Wort sprechen, bei Vermeidung der gröbsten Mißhandlung. Ihre Weiber verhielten sich verschieden bei dieser Verarmung und Verschlechterung des ganzen Wesens. Die Frau des Marti, welche von guter Art war, hielt den Verfall nicht aus, härmte sich ab und starb, ehe ihre Tochter vierzehn Jahre alt war. Die Frau des Manz hingegen bequem- 10 te sich der veränderten Lebensweise an, und um sich als eine schlechte Genossin zu entfalten, hatte sie nichts zu tun, als einigen weiblichen Fehlern, die ihr von jeher angehaftet, den Zügel schießen zu lassen und dieselben zu Lastern auszubilden. Ihre Naschhaftigkeit wurde zu wilder Begehrlichkeit, ihre Zungenfertigkeit zu einem grundfalschen und 15 verlogenen Schmeichel- und Verleumdungswesen,[36] mit welchem sie jeden Augenblick das Gegenteil von dem sagte, was sie dachte, alles hintereinander hetzte und ihrem eigenen Manne ein X für ein U vor- machte;[37] ihre ursprüngliche Offenheit, mit der sie sich der unschul- digeren Plauderei erfreut, ward nun zur abgehärteten Schamlosigkeit, 20 mit der sie jenes falsche Wesen betrieb, und so, statt unter ihrem Manne zu leiden, drehte sie ihm eine Nase; wenn er es arg trieb, so machte sie es bunt, ließ sich nichts abgehen und gedieh zu der dicksten Blüte einer Vorsteherin des zerfallenden Hauses.

So war es nun schlimm bestellt um die armen Kinder, welche weder 25 eine gute Hoffnung für ihre Zukunft fassen konnten, noch sich auch nur einer lieblich frohen Jugend erfreuten, da überall nichts als Zank und Sorge war. Vrenchen hatte anscheinend einen schlimmeren Stand als Sali, da seine Mutter tot und es einsam in einem wüsten Hause der Tyrannei eines verwilderten Vaters anheimgegeben war. Als es sechzehn 30 Jahre zählte, war es schon ein schlankgewachsenes, ziervolles Mädchen; seine dunkelbraunen Haare ringelten sich unablässig fast bis über die blitzenden braunen Augen, dunkelrotes Blut durchschimmerte die

---

[36]**Ihre ... Verleumdungswesen** Her fondness for sweets developed into unbri- dled greed, her volubility into a basically false and deceitful system of flattery and slander
[37]**alles ... vormachte** turned everything topsy-turvy and misled her own husband (*This locution has its origin in a landlord's ability to dupe a person by lengthening the two arms of the Roman numeral V so as to make an X, or ten. In medieval orthography the letter V often represents U.*)

Wangen des bräunlichen Gesichtes und glänzte als tiefer Purpur auf den frischen Lippen, wie man es selten sah, und was dem dunklen Kinde ein eigentümliches Ansehen und Kennzeichen gab. Feurige Lebenslust und Fröhlichkeit zitterten in jeder Fiber dieses Wesens; es lachte und war

5 aufgelegt zu Scherz und Spiel, wenn das Wetter nur im mindesten lieblich war, d. h. wenn es nicht zu sehr gequält wurde und nicht zu viel Sorgen ausstand. Diese plagten es aber häufig genug; denn nicht nur hatte es den Kummer und das wachsende Elend des Hauses mit zu tragen, sondern es mußte noch sich selber in acht nehmen und mochte sich gern halbwegs

10 ordentlich und reinlich kleiden, ohne daß der Vater ihm die geringsten Mittel dazu geben wollte.

So hatte Vrenchen die größte Not, ihre anmutige Person einigermaßen auszustaffieren, sich ein allerbescheidenstes Sonntagskleid zu erobern und einige bunte, fast wertlose Halstüchelchen zusammen-

15 zuhalten. Darum war das schöne wohlgemute junge Blut in jeder Weise gedemütigt und gehemmt und konnte am wenigsten der Hoffart anheimfallen. Überdies hatte es bei schon erwachendem Verstande das Leiden und den Tod seiner Mutter gesehen, und dies Andenken war ein weiterer Zügel, der seinem lustigen und feurigen Wesen angelegt war, so daß es

20 nun höchst lieblich, unbedenklich und rührend sich ansah, wenn trotz alledem das gute Kind bei jedem Sonnenblick sich ermunterte und zum Lächeln bereit war.

Sali erging es nicht so hart auf den ersten Anschein; denn er war nun ein hübscher und kräftiger junger Bursche, der sich zu wehren wußte

25 und dessen äußere Haltung wenigstens eine schlechte Behandlung von selbst unzulässig machte. Er sah wohl die üble Wirtschaft seiner Eltern und glaubte sich erinnern zu können, daß es einst nicht so gewesen; ja, er bewahrte noch das frühere Bild seines Vaters wohl in seinem Gedächtnisse als das eines festen, klugen und ruhigen Bauers, desselben Mannes,

30 den er jetzt als einen grauen Narren, Händelführer und Müßiggänger vor sich sah, der mit Toben und Prahlen auf hundert törichten und verfänglichen Wegen wandelte und mit jeder Stunde rückwärts ruderte, wie ein Krebs. Wenn ihm nun dies mißfiel und ihn oft mit Scham und Kummer erfüllte, während es seiner Unerfahrenheit nicht klar war, wie die Dinge

35 so gekommen, so wurden seine Sorgen wieder betäubt durch die Schmeichelei, mit der ihn die Mutter behandelte. Denn um in ihrem Unwesen ungestörter zu sein und einen guten Parteigänger zu haben, auch um ihrer Großtuerei zu genügen, ließ sie ihm zukommen, was er wünschte, kleidete ihn sauber und prahlerisch und unterstützte ihn in allem, was er

zu seinem Vergnügen vornahm. Er ließ sich dies gefallen ohne viel
Dankbarkeit, da ihm die Mutter viel zu viel dazu schwatzte und log; und
indem er so wenig Freude daran empfand, tat er lässig und gedankenlos,
was ihm gefiel, ohne daß dies jedoch etwas Übles war, weil er für jetzt
noch unbeschädigt war von dem Beispiele der Alten und das jugendliche   5
Bedürfnis fühlte, im ganzen einfach, ruhig und leidlich tüchtig zu sein.

Er war ziemlich genau so, wie sein Vater in diesem Alter gewesen
war, und dieses flößte demselben eine unwillkürliche Achtung vor dem
Sohne ein, in welchem er mit verwirrtem Gewissen und gepeinigter
Erinnerung seine eigene Jugend achtete. Trotz dieser Freiheit, welche   10
Sali genoß, ward er seines Lebens doch nicht froh und fühlte wohl, wie
er nichts Rechtes vor sich hatte und ebensowenig etwas Rechtes lernte,
da von einem zusammenhängenden und vernunftgemäßen Arbeiten in
Manzens Hause längst nicht mehr die Rede war.[38] Sein bester Trost war
daher, stolz auf seine Unabhängigkeit und einstweilige Unbescholtenheit 15
zu sein, und in diesem Stolze ließ er die Tage trotzig verstreichen und
wandte die Augen von der Zukunft ab.

Der einzige Zwang, dem er unterworfen, war die Feindschaft
seines Vaters gegen alles, was Marti hieß und an diesen erinnerte. Doch
wußte er nichts anderes, als daß Marti seinem Vater Schaden zugefügt   20
und daß man in dessen Hause ebenso feindlich gesinnt sei, und es fiel
ihm daher nicht schwer, weder den Marti noch seine Tochter anzusehen
und seinerseits auch einen angehenden, doch ziemlich zahmen Feind
vorzustellen. Vrenchen hingegen, welches mehr erdulden mußte als
Sali, und in seinem Hause viel verlassener war, fühlte sich weniger zu   25
einer förmlichen Feindschaft aufgelegt und glaubte sich nur verachtet
von dem wohlgekleideten und scheinbar glücklicheren Sali; deshalb
verbarg sie sich vor ihm, und wenn er irgendwo nur in der Nähe war, so
entfernte sie sich eilig, ohne daß er sich die Mühe gab, ihr nachzublicken.
So kam es, daß er das Mädchen schon seit ein paar Jahren nicht mehr in   30
der Nähe gesehen und gar nicht wußte, wie es aussah, seit es herange-
wachsen. Und doch wunderte es ihn zuweilen ganz gewaltig, und wenn
überhaupt von den Martis gesprochen wurde, so dachte er unwillkürlich
nur an die Tochter, deren jetziges Aussehen ihm nicht deutlich und
deren Andenken ihm gar nicht verhaßt war.   35

---

[38]**ward ... war** he did not enjoy his life, felt that he had nothing worthwhile to
look forward to, and that he was likewise learning nothing worthwhile, since there had
not for a long time been any thought of systematic, rational work in Manz's household

Doch war sein Vater Manz nun der erste von den beiden Feinden,
der sich nicht mehr halten konnte und von Haus und Hof springen
mußte. Dieser Vortritt rührte daher, daß er eine Frau besaß, die ihm
geholfen, und einen Sohn, der doch auch einiges mit brauchte, während
5 Marti der einzige Verzehrer war in seinem wackeligen Königreich, und
seine Tochter durfte wohl arbeiten wie ein Haustierchen, aber nichts
gebrauchen. Manz aber wußte nichts anderes anzufangen, als auf den
Rat seiner Seldwyler Gönner in die Stadt zu ziehen und da sich als Wirt
aufzutun.

10 Es ist immer betrüblich anzusehen, wenn ein ehemaliger Landmann,
der auf dem Felde alt geworden ist, mit den Trümmern seiner Habe in
eine Stadt zieht und da eine Schenke oder Kneipe auftut, um als letzten
Rettungsanker den freundlichen und gewandten Wirt zu machen, während
es ihm nichts weniger als freundlich zumut ist.[39] Als die Manzen vom
15 Hofe zogen, sah man erst, wie arm sie bereits waren; denn sie luden
lauter alten und zerfallenen Hausrat auf, dem man es ansah, daß seit
vielen Jahren nichts erneuert und angeschafft worden war. Die Frau legte
aber nichtsdestominder ihren besten Staat an, als sie sich oben auf die
Gerümpelfuhre setzte, und machte ein Gesicht voller Hoffnungen, als
20 künftige Stadtfrau schon mit Verachtung auf die Dorfgenossen herab-
sehend, welche voll Mitleid hinter den Hecken hervor dem bedenklichen
Zuge zuschauten. Denn sie nahm sich vor, mit ihrer Liebenswürdigkeit
und Klugheit die ganze Stadt zu bezaubern, und was ihr versimpelter
Mann nicht machen könne, das wolle sie schon ausrichten, wenn sie nur
25 erst einmal als Frau Wirtin in einem stattlichen Gasthofe säße.

Dieser Gasthof bestand aber in einer trübseligen Winkelschenke in
einem abgelegenen schmalen Gäßchen, auf der eben ein anderer zugrunde
gegangen war und welche die Seldwyler dem Manz verpachteten, da er
noch einige hundert Taler einzuziehen hatte. Sie verkauften ihm auch
30 ein paar Fäßchen angemachten Weines und das Wirtschaftsmobiliar, das
aus einem Dutzend weißen geringen Flaschen, ebensoviel Gläsern und
einigen tannenen Tischen und Bänken bestand, welche einst blutrot
angestrichen gewesen und jetzt vielfältig abgescheuert waren. Vor dem
Fenster knarrte ein eiserner Reifen in einem Haken, und in dem Reifen
35 schenkte eine blecherne Hand Rotwein aus einem Schöppchen in ein
Glas. Überdies hing ein verdorrter Busch von Stechpalme über der
Haustüre, was Manz alles mit in die Pacht bekam.

---

[39]**während ... ist** while he really is feeling anything but pleasant

Um deswillen war er nicht so wohlgemut wie seine Frau, sondern trieb mit schlimmer Ahnung und voll Ingrimm die magern Pferde an, welche er vom neuen Bauern geliehen. Das letzte schäbige Knechtchen, das er gehabt, hatte ihn schon seit einigen Wochen verlassen. Als er solcherweise abfuhr, sah er wohl, wie Marti voll Hohn und Schadenfreude 5 sich unfern der Straße zu schaffen machte, fluchte ihm und hielt denselben für den alleinigen Urheber seines Unglücks. Sali aber, sobald das Fuhrwerk im Gange war, beschleunigte seine Schritte, eilte voraus und ging allein auf Scitenwegen nach der Stadt.

"Da wären wir!"⁴⁰ sagte Manz, als die Fuhre vor dem Spelunkelein 10 anhielt. Die Frau erschrak darüber, denn das war in der Tat ein trauriger Gasthof. Die Leute traten eilfertig unter die Fenster und vor die Häuser, um sich den neuen Bauernwirt anzusehen, und machten mit ihrer Seldwyler Überlegenheit mitleidig spöttische Gesichter. Zornig und mit nassen Augen kletterte die Manzin vom Wagen herunter und lief, ihre 15 Zunge vorläufig wetzend, in das Haus, um sich heute vornehm nicht wieder blicken zu lassen; denn sie schämte sich des schlechten Gerätes und der verdorbenen Betten, welche nun abgeladen wurden. Sali schämte sich auch, aber er mußte helfen und machte mit seinem Vater einen seltsamen Verlag in dem Gäßchen, auf welchem alsbald die Kinder der 20 Falliten herumsprangen und sich über das verlumpte Bauernpack lustig machten. Im Hause aber sah es noch trübseliger aus, und es glich einer vollkommenen Räuberhöhle. Die Wände waren schlecht geweißtes feuchtes Mauerwerk, außer der dunklen unfreundlichen Gaststube mit ihren ehemals blutroten Tischen waren nur noch ein paar schlechte 25 Kämmerchen da, und überall hatte der ausgezogene Vorgänger den trostlosesten Schmutz und Kehricht zurückgelassen.

So war der Anfang, und so ging es auch fort. Während der ersten Wochen kamen, besonders am Abend wohl hin und wieder ein Tisch voll Leute aus Neugierde, den Bauernwirt zu sehen, und ob es da viel- 30 leicht einigen Spaß absetzte. Am Wirt hatten sie nicht viel zu betrachten, denn Manz war ungelenk, starr, unfreundlich und melancholisch und wußte sich gar nicht zu benehmen, wollte es auch nicht wissen. Er füllte langsam und ungeschickt die Schöppchen, stellte sie mürrisch vor die Gäste und versuchte etwas zu sagen, brachte aber nichts heraus. 35

Desto eifriger warf sich nun seine Frau ins Geschirr und hielt die

---

⁴⁰**Da ... wir** Well, here we are, I guess! (*The subjunctive here expresses caution, deliberation, diplomacy.*)

Leute wirklich einige Tage zusammen, aber in einem ganz anderen
Sinne, als sie meinte. Die ziemlich dicke Frau hatte sich eine eigene
Haustracht zusammengesetzt, in der sie unwiderstehlich zu sein glaubte.
Zu einem leinenen ungefärbten Landrock trug sie einen alten grünseidenen

5 Spenser, eine baumwollene Schürze und einen schlimmen weißen Halskragen. Von ihrem nicht mehr dichten Haar hatte sie an den Schläfen
possierliche Schnecken gewickelt und in das Zöpfchen hinten einen
hohen Kamm gesteckt. So schwänzelte und tänzelte sie mit angestrengter
Anmut herum, spitzte lächerlich das Maul, daß es süß aussehen sollte,

10 hüpfte elastisch an die Tische hin, und das Glas oder den Teller mit
gesalzenem Käse hinsetzend, sagte sie lächelnd: "So, so? so, soli! herrlich, herrlich,[41] ihr Herren!" und solches dummes Zeug mehr; denn
obwohl sie sonst eine geschliffene Zunge hatte, so wußte sie jetzt doch
nichts Gescheites vorzubringen, da sie fremd war und die Leute nicht

15 kannte.

Die Seldwyler von der schlechtesten Sorte, die da hockten, hielten
die Hand vor den Mund, wollten vor Lachen ersticken, stießen sich
unter dem Tisch mit den Füßen und sagten: "Potz tausig! das ist ja eine
Herrliche!"

20 "Eine Himmlische!" sagte ein anderer, "beim ewigen Hagel! es ist
der Mühe wert, hieher zu kommen, so eine haben wir lange nicht gesehen!"

Ihr Mann bemerkte das wohl mit finsterem Blicke; er gab ihr einen
Stoß in die Rippen und flüsterte: "Du alte Kuh! Was machst du denn?"

25 "Störe mich nicht", sagte sie unwillig, "du alter Tolpatsch! siehst
du nicht, wie ich mir Mühe gebe und mit den Leuten umzugehen weiß?
Das sind aber nur Lumpen von deinem Anhang! Laß mich nur machen,
ich will bald fürnehmere Kundschaft hier haben!"

Dies alles war beleuchtet von einem oder zwei dünnen Talglichten;

30 Sali, der Sohn, aber ging hinaus in die dunkle Küche, setzte sich auf den
Herd und weinte über Vater und Mutter.

Die Gäste hatten aber das Schauspiel bald satt, welches ihnen die
gute Frau Manz gewährte, und blieben wieder, wo es ihnen wohler war
und sie über die wunderliche Wirtschaft lachen konnten; nur dann und

35 wann erschien ein einzelner, der ein Glas trank und die Wände angähnte,
oder es kam ausnahmsweise eine ganze Bande, die armen Leute mit einem
vorübergehenden Trubel und Lärm zu täuschen. Es ward ihnen angst

---

[41]**So . . . herrlich** There now! all righty! isn't that nice now!

und bange in dem engen Mauerwinkel, wo sie kaum die Sonne sahen, und Manz, welcher sonst gewohnt war, tagelang in der Stadt zu liegen, fand es jetzt unerträglich zwischen diesen Mauern. Wenn er an die freie Weite der Felder dachte, so stierte er finster brütend an die Decke oder auf den Boden, lief unter die enge Haustüre und wieder zurück, da die 5
Nachbaren den bösen Wirt, wie sie ihn schon nannten, angafften.

Nun dauerte es aber nicht mehr lange und sie verarmten gänzlich und hatten gar nichts mehr in der Hand; sie mußten, um etwas zu essen, warten, bis einer kam und für wenig Geld etwas von dem noch vorhandenen Wein verzehrte, und wenn er eine Wurst oder dergleichen 10
begehrte, so hatten sie oft die größte Angst und Sorge, dieselbe beizutreiben. Bald hatten sie auch den Wein nur noch in einer großen Flasche verborgen, die sie heimlich in einer andern Kneipe füllen ließen, und so sollten sie nun die Wirte machen ohne Wein und Brot und freundlich sein, ohne ordentlich gegessen zu haben. Sie waren beinahe froh, wenn 15
nur niemand kam, und hockten so in ihrem Kneipchen, ohne leben noch sterben zu können.

Als die Frau diese traurigen Erfahrungen machte, zog sie den grünen Spenser wieder aus und nahm abermals eine Veränderung vor, indem sie nun, wie früher die Fehler, so nun einige weibliche Tugenden 20
aufkommen ließ und mehr ausbildete, da Not an den Mann ging. Sie übte Geduld und suchte den Alten aufrecht zu halten und den Jungen zum Guten anzuweisen; sie opferte sich vielfältig in allerlei Dingen, kurz sie übte in ihrer Weise eine Art von wohltätigem Einfluß, der zwar nicht weit reichte und nicht viel besserte, aber immerhin besser war als 25
gar nichts oder als das Gegenteil und die Zeit wenigstens verbringen half, welche sonst viel früher hätte brechen müssen[42] für diese Leute. Sie wußte manchen Rat zu geben nunmehr in erbärmlichen Dingen, nach ihrem Verstande, und wenn der Rat nichts zu taugen schien und fehlschlug, so ertrug sie willig den Grimm der Männer, kurzum, sie tat 30
jetzt alles, da sie alt war, was besser gedient hätte, wenn sie es früher geübt.

Um wenigstens etwas Beißbares zu erwerben und die Zeit zu verbringen, verlegten sich Vater und Sohn auf die Fischerei, d. h. mit der Angelrute, soweit es für jeden erlaubt war, sie in den Fluß zu hängen. 35
Dies war auch eine Hauptbeschäftigung der Seldwyler, nachdem sie

---

[42]**welche ... müssen** which would otherwise necessarily have become unendurable much sooner

falliert hatten. Bei günstigem Wetter, wenn die Fische gern anbissen, sah man sie dutzendweise hinauswandern mit Rute und Eimer, und wenn man an den Ufern des Flusses wandelte, hockte alle Spanne lang einer, der angelte, der eine in einem langen braunen Bürgerrock, die bloßen

5 Füße im Wasser, der andere in einem spitzen blauen Frack auf einer alten Weide stehend, den alten Filz schief auf dem Ohre; weiterhin angelte gar einer im zerrissenen großblumigen Schlafrock, da er keinen andern mehr besaß, die lange Pfeife in der einen, die Rute in der andern Hand, und wenn man um eine Krümmung des Flusses bog, stand ein

10 alter kahlköpfiger Dickbauch faselnackt auf einem Stein und angelte; dieser hatte, trotz des Aufenthaltes am Wasser, so schwarze Füße, daß man glaubte, er habe die Stiefel anbehalten. Jeder hatte ein Töpfchen oder ein Schächtelchen neben sich, in welchem Regenwürmer wimmelten, nach denen sie zu andern Stunden zu graben pflegten. Wenn der

15 Himmel mit Wolken bezogen und es ein schwüles dämmeriges Wetter war, welches Regen verkündete, so standen diese Gestalten am zahlreichsten an dem ziehenden Strome, regungslos, gleich einer Galerie von Heiligen- oder Prophetenbildern. Achtlos zogen die Landleute mit Vieh und Wagen an ihnen vorüber, und die Schiffer auf dem Flusse

20 sahen sie nicht an, während sie leise murrten über die störenden Schiffe.

Wenn man Manz vor zwölf Jahren, als er mit einem schönen Gespann pflügte auf dem Hügel über dem Ufer, geweissagt hätte, er würde sich einst zu diesen wunderlichen Heiligen gesellen und gleich ihnen Fische fange, so wäre er nicht übel aufgefahren.[43] Auch eilte er jetzt

25 hastig an ihnen vorüber hinter ihrem Rücken und eilte stromaufwärts, gleich einem eigensinnigen Schatten der Unterwelt, der sich zu seiner Verdammnis ein bequemes einsames Plätzchen sucht an den dunklen Wässern. Mit der Angelrute zu stehen hatten er und sein Sohn indessen keine Geduld, und sie erinnerten sich der Art, wie die Bauern auf manche

30 andere Weise etwa Fische fangen, wenn sie übermütig sind, besonders mit den Händen in den Bächen; daher nahmen sie die Ruten nur zum Schein mit und gingen an den Borden der Bäche hinauf, wo sie wußten, daß es teuere und gute Forellen gab.

Dem auf dem Lande zurückgebliebenen Marti ging es inzwischen

35 auch immer schlimmer, und es war ihm höchst langweilig dabei, so daß

---

[43]**so . . . aufgefahren** he would have flared up considerably. *Note how here, and hereafter, water becomes a symbol of dissolution and decay, in contrast with the land, which has been from the beginning a symbol of strength and social responsibility.*

er, anstatt auf seinem vernachlässigten Felde zu arbeiten, ebenfalls auf
das Fischen verfiel und tagelang im Wasser herumplätscherte. Vrenchen
durfte nicht von seiner Seite und mußte ihm Eimer und Geräte nachtragen
durch nasse Wiesengründe, durch Bäche und Wassertümpel aller Art,
bei Regen und Sonnenschein, indessen sie das Notwendigste zu Hause   5
liegen lassen mußte. Denn es war sonst keine Seele mehr da und wurde
auch keine gebraucht, da Marti das meiste Land schon verloren hatte
und nur noch wenige Äcker besaß, die er mit seiner Tochter liederlich
genug oder gar nicht bebaute.

So kam es, daß, als er eines Abends einen ziemlich tiefen und reißen-   10
den Bach entlang ging, in welchem die Forellen fleißig sprangen, da der
Himmel voll Gewitterwolken hing, er unverhofft auf seinen Feind
Manz traf, der an dem andern Ufer daherkam. Sobald er ihn sah, stieg
ein schrecklicher Groll und Hohn in ihm auf; sie waren sich seit Jahren
nicht so nahe gewesen, ausgenommen vor den Gerichtsschranken, wo   15
sie nicht schelten durften, und Marti rief jetzt voll Grimm: "Was tust du
hier, du Hund? Kannst du nicht in deinem Lotterneste bleiben, du
Seldwyler Lumpenhund?"

"Wirst nächstens wohl auch ankommen, du Schelm!" rief Manz.
"Fische fängst du ja auch schon und wirst deshalb nicht viel mehr zu   20
versäumen haben!"

"Schweig, du Galgenhund!" schrie Marti, da hier die Wellen des
Baches stärker rauschten, "du hast mich ins Unglück gebracht!"

Und da jetzt auch die Weiden am Bache gewaltig zu rauschen
anfingen im aufgehenden Wetterwind, so mußte Manz noch lauter   25
schreien: "Wenn dem nur so wäre, so wollte ich mich freuen, du elender
Tropf!" "O du Hund!" schrie Marti herüber und Manz hinüber: "O du
Kalb, wie dumm tust du!" Und jener sprang wie ein Tiger den Bach
entlang und suchte herüberzukommen. Der Grund, warum er der
Wütendere war, lag in seiner Meinung, daß Manz als Wirt wenigstens   30
genug zu essen und zu trinken hätte und gewissermaßen ein kurzweiliges
Leben führe, während es ungerechterweise ihm so langweilig wäre auf
seinem zertrümmerten Hofe.

Manz schritt indessen auch grimmig genug an der andern Seite hin;
hinter ihm sein Sohn, welcher, statt auf den bösen Streit zu hören,   35
neugierig und verwundert nach Vrenchen hinübersah, welche hinter
ihrem Vater ging, vor Scham in die Erde sehend, daß ihr die braunen
krausen Haare ins Gesicht fielen. Sie trug einen hölzernen Fischeimer in
der einen Hand, in der andern hatte sie Schuhe und Strümpfe getragen

und ihr Kleid der Nässe wegen aufgeschürzt. Seit aber Sali auf der
andern Seite ging, hatte sie es schamhaft sinken lassen und war nun
dreifach belästigt und gequält, da sie alle das Zeug tragen, den Rock
zusammenhalten und des Streites wegen sich grämen mußte. Hätte sie
5 aufgesehen und nach Sali geblickt, so würde sie entdeckt haben, daß er
weder vornehm noch sehr stolz mehr aussah und selbst bekümmert
genug war.

Während Vrenchen so ganz beschämt und verwirrt auf die Erde
sah und Sali nur diese in allem Elende schlanke und anmutige Gestalt im
10 Auge hatte, die so verlegen und demütig dahinschritt, beachteten sie
dabei nicht, wie ihre Väter still geworden, aber mit verstärkter Wut
einem hölzernen Stege zueilten, der in kleiner Entfernung über den
Bach führte und eben sichtbar wurde. Es fing an zu blitzen und erleuchtete
seltsam die dunkle melancholische Wassergegend; es donnerte auch in
15 den grauschwarzen Wolken mit dumpfem Grolle und schwere Regentropfen fielen, als die verwilderten Männer gleichzeitig auf die schmale,
unter ihren Tritten schwankende Brücke stürzten, sich gegenseitig
packten und die Fäuste in die vor Zorn und ausbrechendem Kummer
bleichen zitternden Gesichter schlugen.[44]

20 Es ist nichts Anmutiges und nichts weniger als artig, wenn sonst
gesetzte Menschen noch in den Fall kommen, aus Übermut, Unbedacht
oder Notwehr unter allerhand Volk, das sie nicht näher berührt, Schläge
auszuteilen oder welche zu bekommen;[45] allein dies ist eine harmlose
Spielerei gegen das tiefe Elend, das zwei alte Menschen überwältigt, die
25 sich wohl kennen und seit lange kennen, wenn diese aus innerster Feindschaft und aus dem Gange einer ganzen Lebensgeschichte heraus sich
mit nackten Händen anfassen und mit Fäusten schlagen. So taten jetzt
diese beiden ergrauten Männer; vor fünfzig Jahren vielleicht hatten sie
sich als Buben zum letztenmal gerauft, dann aber fünfzig lange Jahre
30 mit keiner Hand mehr berührt, ausgenommen in ihrer guten Zeit, wo sie
sich etwa zum Gruß die Hände geschüttelt, und auch dies nur selten bei
ihrem trockenen und sicheren Wesen.

Nachdem sie ein- oder zweimal geschlagen, hielten sie inne und

---

[44]**sich ... schlugen** seized each other and struck with their fists at each other's
faces, which were pale and trembling from rage and from their outbursting resentment

[45]**Es ... bekommen** It is not a charming thing and is anything but pretty when
otherwise steady men get into circumstances where, through arrogance or indiscretion
or in self-defense, they deal out or receive blows amid a crowd of people who do not
particularly concern them

rangen still zitternd miteinander, nur zuweilen aufstöhnend und elendiglich knirschend, und einer suchte den andern über das knackende Geländer ins Wasser zu werfen. Jetzt waren aber auch ihre Kinder nachgekommen und sahen den erbärmlichen Auftritt. Sali sprang eines Satzes heran, um seinem Vater beizustehen und ihm zu helfen, dem gehaßten Feinde den Garaus zu machen, der ohnehin der schwächere schien und eben zu unterliegen drohte. Aber auch Vrenchen sprang, alles wegwerfend, mit einem langen Aufschrei herzu und umklammerte ihren Vater, um ihn zu schützen, während sie ihn dadurch nur hinderte und beschwerte. Tränen strömten aus ihren Augen, und sie sah flehend den Sali an, der im Begriff war, ihren Vater ebenfalls zu fassen und vollends zu überwältigen. Unwillkürlich legte er aber seine Hand an seinen eigenen Vater und suchte denselben mit festem Arm von dem Gegner loszubringen und zu beruhigen, so daß der Kampf eine kleine Weile ruhte oder vielmehr die ganze Gruppe unruhig hin und her drängte, ohne auseinanderzukommen.

Darüber waren die jungen Leute, sich mehr zwischen die Alten schiebend, in dichte Berührung gekommen, und in diesem Augenblicke erhellte ein Wolkenriß, der den grellen Abendschein durchließ, das nahe Gesicht des Mädchens, und Sali sah in dies ihm so wohlbekannte und doch so viel anders und schöner gewordene Gesicht. Vrenchen sah in diesem Augenblicke auch sein Erstaunen, und es lächelte ganz kurz und geschwind mitten in seinem Schrecken und seinen Tränen ihn an. Doch ermannte sich Sali, geweckt durch die Anstrengungen seines Vaters, ihn abzuschütteln, und brachte ihn mit eindringlich bittenden Worten und fester Haltung endlich ganz von seinem Feinde weg. Beide alte Gesellen atmeten hoch auf und begannen jetzt wieder zu schelten und zu schreien, sich voneinander abwendend; ihre Kinder aber atmeten kaum und waren still wie der Tod, gaben sich aber im Wegwenden und Trennen, ungesehen von den Alten, schnell die Hände, welche vom Wasser und von den Fischen feucht und kühl waren.

Als die grollenden Parteien ihrer Wege gingen, hatten die Wolken sich wieder geschlossen, es dunkelte mehr und mehr, und der Regen goß nun in Bächen durch die Luft. Manz schlenderte voraus auf den dunklen nassen Wegen, er duckte sich, beide Hände in den Taschen, unter den Regengüssen, zitterte noch in seinen Gesichtszügen und mit den Zähnen, und ungesehene Tränen rieselten ihm in den Stoppelbart, die er fließen ließ, um sie durch das Wegwischen nicht zu verraten. Sein Sohn hatte aber nichts gesehen, weil er in glückseligen

Bildern verloren daherging. Er merkte weder Regen noch Sturm, weder
Dunkelheit noch Elend; sondern leicht, hell und warm war es ihm innen
und außen, und er fühlte sich so reich und wohlgeborgen wie ein Königs-
sohn. Er sah fortwährend das sekundenlange Lächeln des nahen schönen
5 Gesichtes und erwiderte dasselbe erst jetzt, eine gute halbe Stunde nachher, indem er voll Liebe in Nacht und Wetter hinein und das liebe Gesicht
anlachte, das ihm allerwegen aus dem Dunkel entgegentrat, so daß er
glaubte, Vrenchen müsse auf seinen Wegen dies Lachen notwendig
sehen und seiner inne werden.

III

10   Sein Vater war des andern Tags wie zerschlagen und wollte nicht
aus dem Hause. Der ganze Handel und das vieljährige Elend nahm heute
eine neue, deutlichere Gestalt an und breitete sich dunkel aus in der
drückenden Luft der Spelunke, also daß Mann und Frau matt und scheu
um das Gespenst herumschlichen, aus der Stube in die dunklen Käm-
15 merchen, von da in die Küche, und aus dieser wieder sich in die Stube
schleppten, in welcher kein Gast sich sehen ließ. Zuletzt hockte jedes in
einem Winkel und begann den Tag über ein müdes, halbtotes Zanken und
Vorhalten mit dem andern, wobei sie zeitweise einschliefen, von unruhigen Tagträumen geplagt, welche aus dem Gewissen kamen und sie
20 wieder weckten.

Nur Sali sah und hörte nichts davon, denn er dachte nur an Vrenchen.
Es war ihm immer noch zumut, nicht nur als ob er unsäglich reich wäre,
sondern auch was Rechts gelernt hätte und unendlich viel Schönes und
Gutes wüßte, da er nun so deutlich und bestimmt um das wußte, was er
25 gestern gesehen.[46] Diese Wissenschaft war ihm wie vom Himmel gefallen,
und er war in einer unaufhörlichen glücklichen Verwunderung darüber;
und doch war es ihm, als ob er es eigentlich von jeher gewußt und gekannt
hätte, was ihn jetzt mit so wundersamer Süßigkeit erfüllte. Denn nichts
gleicht dem Reichtum und der Ergründlichkeit eines Glückes, das an
30 den Menschen herantritt in einer so klaren und deutlichen Gestalt, vom

---

[46]**Es . . . gesehen** He still felt not only as if he were unspeakably rich, but also
that he had learned something that was worth knowing and that he knew infinitely
much that was beautiful and good, since he now recalled so distinctly and definitely
what he had seen the day before.

Pfäfflein getauft und wohl versehen mit einem eigenen Namen, der nicht tönt wie andere Namen.[47] Sali fühlte sich an diesem Tage weder müßig noch unglücklich, weder arm noch hoffnungslos; vielmehr war er vollauf beschäftigt, sich Vrenchens Gesicht und Gestalt vorzustellen, unaufhörlich, eine Stunde 5 wie die andere; über dieser aufgeregten Tätigkeit aber verschwand ihm der Gegenstand derselben fast vollständig, das heißt, er bildete sich endlich ein, nun doch nicht zu wissen, wie Vrenchen recht genau aussehe, er habe wohl ein allgemeines Bild von ihr im Gedächtnis, aber wenn er sie beschreiben sollte, so könnte er das nicht. Er sah fortwährend dies 10 Bild, als ob es vor ihm stände, und fühlte seinen angenehmen Eindruck, und doch sah er es nur wie etwas, das man eben nur einmal gesehen, in dessen Gewalt man liegt und das man doch noch nicht kennt. Er erinnerte sich genau der Gesichtszüge, welche das kleine Dirnchen einst gehabt, mit großem Wohlgefallen, aber nicht eigentlich derjenigen, welche 15 er gestern gesehen. Hätte er Vrenchen nie wieder zu sehen bekommen, so hätten sich seine Erinnerungskräfte schon behelfen müssen und das liebe Gesicht säuberlich wieder zusammengetragen, daß nicht ein Zug daran fehlte. Jetzt aber versagten sie schlau und hartnäckig ihren Dienst, weil die Augen nach ihrem Recht und ihrer Lust verlangten, und als am 20 Nachmittage die Sonne warm und hell die oberen Stockwerke der schwarzen Häuser beschien, strich Sali aus dem Tore und seiner alten Heimat zu, welche ihm jetzt erst ein himmlisches Jerusalem zu sein schien mit zwölf glänzenden Pforten, und die sein Herz klopfen machte, als er sich ihr näherte. 25

Er stieß auf dem Wege auf Vrenchens Vater, welcher nach der Stadt zu gehen schien. Der sah sehr wild und liederlich aus, sein grau gewordener Bart war seit Wochen nicht geschoren, und er sah aus wie ein recht böser verlorener Bauersmann, der sein Feld verscherzt hat und nun geht, um andern Übles zuzufügen. Dennoch sah ihn Sali, als sie 30 sich vorübergingen, nicht mehr mit Haß, sondern voll Furcht und Scheu an, als ob sein Leben in dessen Hand stände und er es lieber von ihm erflehen als ertrotzen möchte. Marti aber maß ihn mit einem bösen Blicke von oben bis unten und ging seines Weges.

---

[47]**Denn . . . Namen** For nothing can equal the wealth nor the depth of that good fortune which comes to a man in such a clear and distinct form, christened by the parson and properly endowed with a name that does not sound like any other name.

Das war indessen dem Sali recht, welchem es nun, da er den Alten das Dorf verlassen sah, deutlicher wurde, was er eigentlich da wolle, und er schlich sich auf altbekannten Pfaden so lange um das Dorf herum und durch dessen verdeckte Gäßchen, bis er sich Martis Haus und Hof

5 gegenüber befand. Seit mehreren Jahren hatte er diese Stätte nicht mehr so nah gesehen; denn auch als sie noch hier wohnten, hüteten sich die verfeindeten Leute gegenseitig, sich ins Gehege zu kommen. Deshalb war er nun erstaunt über das, was er doch an seinem eigenen Vaterhause erlebt, und starrte voll Verwunderung in die Wüstenei, die er vor sich

10 sah. Dem Marti war ein Stück Ackerland um das andere abgepfändet worden, er besaß nichts mehr als das Haus und den Platz davor nebst etwas Garten und dem Acker auf der Höhe am Flusse, von welchem er hartnäckig am längsten nicht lassen wollte.

Es war aber keine Rede mehr von einer ordentlichen Bebauung, und

15 auf dem Acker, der einst so schön im gleichmäßigen Korne gewogt, wenn die Ernte kam, waren jetzt allerhand abfällige Samenreste gesäet und aufgegangen, aus alten Schachteln und zerrissenen Tüten zusammengekehrt, Rüben, Kraut und dergleichen und etwas Kartoffeln, so daß der Acker aussah wie ein recht übel gepflegter Gemüseplatz, und eine

20 wunderliche Musterkarte war, dazu angelegt, um von der Hand in den Mund zu leben, hier eine Handvoll Rüben auszureißen, wenn man Hunger hatte und nichts Besseres wußte, dort eine Tracht Kartoffeln oder Kraut, und das übrige fortwuchern oder verfaulen zu lassen, wie es mochte. Auch lief jedermann darin herum, wie es ihm gefiel, und das schöne Stück

25 Feld sah beinahe so aus wie einst der herrenlose Acker, von dem alles Unheil herkam.

Deshalb war um das Haus nicht eine Spur von Ackerwirtschaft zu sehen. Der Stall war leer, die Türe hing nur in einer Angel, und unzählige Kreuzspinnen, den Sommer hindurch halb groß geworden, ließen ihre

30 Fäden in der Sonne glänzen vor dem dunklen Eingang. An dem offen stehenden Scheunentor, wo einst die Früchte des festen Landes[48] eingefahren, hing schlechtes Fischergeräte, zum Zeugnis der verkehrten Wasserpfuscherei; auf dem Hofe war nicht ein Huhn und nicht eine Taube, weder Katze noch Hund zu sehen; nur der Brunnen war noch als

---

[48]**Früchte ... Landes** fruits of the dry land, *as compared with* **der verkehrten Wasserpfuscherei,** the absurd dabbling in the water. *See note 43 on the symbolism of land and water.*

etwas Lebendiges da, aber er floß nicht mehr durch die Röhre, sondern sprang durch einen Riß nahe am Boden über diesen hin und setzte überall kleine Tümpel an, so daß er das beste Sinnbild der Faulheit abgab. Denn während mit wenig Mühe des Vaters das Loch zu verstopfen und die Röhre herzustellen gewesen wäre,[49] mußte sich Vrenchen nun ab- 5 quälen, selbst das lautere Wasser dieser Verkommenheit abzugewinnen und seine Wäscherei in den seichten Sammlungen am Boden vorzunehmen, statt in dem vertrockneten und zerspellten Troge. Das Haus selbst war ebenso kläglich anzusehen; die Fenster waren vielfältig zerbrochen und mit Papier verklebt, aber doch waren sie das Freundlichste an dem 10 Verfall; denn sie waren, selbst die zerbrochenen Scheiben, klar und sauber gewaschen, ja förmlich poliert und glänzten so hell wie Vrenchens Augen, welche ihm in seiner Armut ja auch allen übrigen Staat ersetzen mußten. Und wie die krausen Haare und die rotgelben Kattunhalstücher zu Vrenchens Augen, stand zu diesen blinkenden Fenstern das wilde 15 grüne Gewächs,[50] was da durcheinander rankte um das Haus, flatternde Bohnenwäldchen und eine ganze duftende Wildnis von rotgelbem Goldlack. Die Bohnen hielten sich, so gut sie konnten, hier an einem Harkenstiel oder an einem verkehrt in die Erde gesteckten Stumpfbesen, dort an einer von Rost zerfressenen Helbarte oder Sponton, wie man es 20 nannte, als Vrenchens Großvater das Ding als Wachtmeister getragen, welches es jetzt aus Not in die Bohnen gepflanzt hatte; dort kletterten sie wieder lustig eine verwitterte Leiter empor, die am Hause lehnte seit undenklichen Zeiten, und hingen von da an in die klaren Fensterchen hinunter wie Vrenchens Kräuselhaare in seine Augen. 25

Dieser mehr malerische als wirtliche Hof lag etwas beiseit und hatte keine näheren Nachbarhäuser, auch ließ sich in diesem Augenblicke nirgends eine lebendige Seele wahrnehmen; Sali lehnte daher in aller Sicherheit an einem alten Scheunchen, etwa dreißig Schritte entfernt, und schaute unverwandt nach dem stillen wüsten Hause hinüber. Eine 30 geraume Zeit lehnte und schaute er so, als Vrenchen unter die Haustür kam und lange vor sich hin blickte, wie mit allen ihren Gedanken an einem Gegenstande hängend. Sali rührte sich nicht und wandte kein

---

[49]**das Loch ... wäre** the hole could have been stopped up and the pipe repaired

[50]**welche ... Gewächs** which likewise (*i.e., as the windows did for her house*) had to compensate her in her poverty for her lack of other finery. And just as her curly hair and her orange calico neckerchiefs went well with Vrenchen's eyes, just so did this wild, green vegetation go well with the shining windows

Auge von ihr. Als sie endlich zufällig in dieser Richtung hinsah, fiel er ihr in die Augen. Sie sahen sich eine Weile an, herüber und hinüber, als ob sie eine Lufterscheinung betrachteten, bis sich Sali endlich aufrichtete und langsam über die Straße und über den Hof ging auf Vrenchen los.

5 Als er dem Mädchen nahe war, streckte es seine Hände gegen ihn aus und sagte: "Sali!"

Er ergriff die Hände und sah ihr immerfort ins Gesicht. Tränen stürzten aus ihren Augen, während sie unter seinen Blicken vollends dunkelrot wurde, und sie sagte: "Was willst du hier?"

10 "Nur dich sehen!" erwiderte er, "wollen wir nicht wieder gute Freunde sein?"

"Und unsere Eltern?" fragte Vrenchen, sein weinendes Gesicht zur Seite neigend, da es die Hände nicht frei hatte, um es zu bedecken.

"Sind wir schuld an dem, was sie getan und geworden sind?" sagte
15 Sali, "vielleicht können wir das Elend nur gutmachen, wenn wir zwei zusammenhalten und uns recht lieb sind!"

"Es wird nie gut kommen", antwortete Vrenchen mit einem tiefen Seufzer, "geh in Gottes Namen deiner Wege, Sali!"

"Bist du allein?" fragte dieser, "kann ich einen Augenblick hinein-
20 kommen?"

"Der Vater ist zur Stadt, wie er sagte, um deinem Vater irgend etwas anzuhängen; aber hereinkommen kannst du nicht, weil du später viel-leicht nicht so ungesehen weggehen kannst wie jetzt. Noch ist alles still und niemand um den Weg, ich bitte dich, geh jetzt!"

25 "Nein, so geh' ich nicht! ich mußte seit gestern immer an dich denken, und ich geh' nicht so fort, wir müssen miteinander reden, wenig-stens eine halbe Stunde lang oder eine Stunde, das wird uns gut tun!"

Vrenchen besann sich ein Weilchen und sagte dann: "Ich geh' gegen Abend auf unsern Acker hinaus, du weißt welchen, wir haben nur noch
30 den, und hole etwas Gemüse. Ich weiß, daß niemand weiter dort sein wird, weil die Leute anderswo schneiden; wenn du willst, so komm dorthin, aber jetzt geh und nimm dich in acht, daß dich niemand sieht! Wenn auch kein Mensch hier mehr mit uns umgeht, so würden sie doch ein solches Gerede machen, daß es der Vater sogleich vernähme."

35 Sie ließen sich jetzt die Hände frei, ergriffen sie aber auf der Stelle wieder, und beide sagten gleichzeitig: "Und wie geht es dir auch?"

Aber statt sich zu antworten, fragten sie das gleiche aufs neue, und die Antwort lag nur in den beredten Augen, da sie nach Art der Verliebten

die Worte nicht mehr zu lenken wußten und ohne sich weiter etwas zu
sagen, endlich halb selig und halb traurig auseinanderhuschten.
"Ich komme recht bald hinaus, geh nur gleich hin!" rief Vrenchen
noch nach.

Sali ging auch alsobald auf die stille schöne Anhöhe hinaus, über   5
welche die zwei Äcker sich erstreckten, und die prächtige stille Julisonne,
die fahrenden weißen Wolken, welche über das reife wallende Kornfeld
wegzogen, der glänzende blaue Fluß, der unten vorüberwallte, alles dies
erfüllte ihn zum ersten Male seit langen Jahren wieder mit Glück und
Zufriedenheit, statt mit Kummer, und er warf sich der Länge nach in den   10
durchsichtigen Halbschatten des Kornes, wo dasselbe Martis wilden
Acker begrenzte und guckte glückselig in den Himmel.

Obgleich es kaum eine Viertelstunde währte, bis Vrenchen nachkam
und er an nichts anderes dachte als an sein Glück und dessen Namen,[51]
stand es doch plötzlich und unverhofft vor ihm, auf ihn niederlächelnd,   15
und froh erschreckt sprang er auf. "Vreeli!" rief er, und dieses gab ihm
still und lächelnd beide Hände, und Hand in Hand gingen sie nun das
flüsternde Korn entlang, bis gegen den Fluß hinunter und wieder zurück,
ohne viel zu reden; sie legten zwei- oder dreimal den Hin- und Herweg
zurück, still, glückselig und ruhig, so daß dieses einige Paar nun auch   20
einem Sternbilde glich, welches über die sonnige Rundung der Anhöhe
und hinter derselben niederging, wie einst die sichergehenden Pflugzüge
ihrer Väter.

Als sie aber einsmals die Augen von den blauen Kornblumen
aufschlugen, an denen sie gehaftet, sahen sie plötzlich einen andern   25
dunklen Stern vor sich hergehen, einen schwärzlichen Kerl, von dem sie
nicht wußten, woher er so unversehens gekommen. Er mußte im Korne
gelegen haben; Vrenchen zuckte zusammen, und Sali sagte erschreckt:
"Der schwarze Geiger!" In der Tat trug der Kerl, der vor ihnen herstrich,
eine Geige mit dem Bogen unter dem Arm und sah übrigens schwarz   30
genug aus; neben einem schwarzen Filzhütchen und einem schwarzen
rußigen Kittel, den er trug, war auch sein Haar pechschwarz, so wie der
ungeschorene Bart, das Gesicht und die Hände aber ebenfalls geschwärzt;
denn er trieb allerlei Handwerk, meistens Kesselflicken, half auch den
Kohlenbrennern und Pechsiedern in den Wäldern und ging mit der Geige   35

---

[51]**Obgleich ... Namen** Although ... he was thinking of nothing but his
happiness and of its name (*which was Vrenchen*)

nur auf einen guten Schick[52] aus, wenn die Bauern irgendwo lustig waren
und ein Fest feierten.

Sali und Vrenchen gingen mäuschenstill hinter ihm drein und
dachten, er würde vom Felde gehen und verschwinden, ohne sich um-
5   zusehen; und so schien es auch zu sein, denn er tat, als ob er nichts von
ihnen merkte. Dazu waren sie in einem seltsamen Bann, daß sie nicht
wagten, den schmalen Pfad zu verlassen, und dem unheimlichen Gesellen
unwillkürlich folgten, bis an das Ende des Feldes, wo jener ungerechte
Steinhaufen lag, der das immer noch streitige Ackerzipfelchen bedeckte.
10   Eine zahllose Menge von Mohnblumen oder Klatschrosen hatte sich
darauf angesiedelt, weshalb der kleine Berg feuerrot aussah zur Zeit.
Plötzlich sprang der schwarze Geiger mit einem Satze auf die rotbeklei-
dete Steinmasse hinauf, kehrte sich und sah ringsum. Das Pärchen
blieb stehen und sah verlegen zu dem dunklen Burschen hinauf; denn
15   vorbei konnten sie nicht gehen, weil der Weg in das Dorf führte, und
umkehren mochten sie auch nicht vor seinen Augen.

Er sah sie scharf an und rief: "Ich kenne euch, ihr seid die Kinder
derer, die mir den Boden hier gestohlen haben! Es freut mich zu sehen,
wie gut ihr gefahren seid, und werde gewiß noch erleben, daß ihr vor mir
20   den Weg alles Fleisches geht! Seht mich nur an, ihr zwei Spatzen! Gefällt
euch meine Nase, wie?"

In der Tat besaß er eine schreckbare Nase, welche wie ein großes
Winkelmaß aus dem dürren schwarzen Gesicht ragte oder eigentlich
mehr einem tüchtigen Knebel oder Prügel glich, welcher in dies Gesicht
25   geworfen worden war, und unter dem ein kleines rundes Löchelchen von
einem Munde sich seltsam stutzte und zusammenzog,[53] aus dem er
unaufhörlich pustete, pfiff und zischte. Dazu stand[54] das kleine Filzhütchen
ganz unheimlich, welches nicht rund und nicht eckig und so sonderlich
geformt war, daß es alle Augenblicke seine Gestalt zu verändern schien,
30   obgleich es unbeweglich saß; und von den Augen des Kerls war fast
nichts als das Weiße zu sehen, da die Sterne unaufhörlich auf einer
blitzschnellen Wanderung begriffen waren und wie zwei Hasen im
Zickzack umhersprangen.

"Seht mich nur an", fuhr er fort, "eure Väter kennen mich wohl,
35   und jedermann in diesem Dorfe weiß, wer ich bin, wenn er nur meine

---

[52]**auf ... Schick** on the chance of doing a good business
[53]**unter ... zusammenzog** below which a small, round little hole of a mouth
(alternately) protruded and contracted
[54]**Dazu stand** This was matched by

Nase ansieht. Da haben sie vor Jahren ausgeschrieben, daß ein Stück
Geld für den Erben dieses Ackers bereit liege; ich habe mich zwanzigmal
gemeldet, aber ich habe keinen Taufschein und keinen Heimatschein,
und meine Freunde, die Heimatlosen, die meine Geburt gesehen, haben
kein gültiges Zeugnis, und so ist die Frist längst verlaufen und ich bin   5
um den blutigen Pfennig gekommen,[55] mit dem ich hätte auswandern
können! Ich habe eure Väter angefleht, daß sie mir bezeugen möchten,
sie müßten mich nach ihrem Gewissen für den rechten Erben halten;
aber sie haben mich von ihren Höfen gejagt, und nun sind sie selbst zum
Teufel gegangen! Itcm, das ist der Welt Lauf, mir kann's recht sein, ich   10
will euch doch geigen, wenn ihr tanzen wollt!" Damit sprang er auf der
andern Seite von den Steinen hinunter und machte sich dem Dorfe zu,
wo gegen Abend der Erntesegen eingebracht wurde und die Leute
guter Dinge waren.

Als er verschwunden, ließ sich das Paar ganz mutlos und betrübt   15
auf die Steine nieder; sie ließen ihre verschlungenen Hände fahren und
stützten die traurigen Köpfe darauf; denn die Erscheinung des Geigers
und seine Worte hatten sie aus der glücklichen Vergessenheit gerissen,
in welcher sie wie zwei Kinder auf und ab gewandelt; und wie sie nun
auf dem harten Grund ihres Elendes saßen, verdunkelte sich das heitere   20
Lebenslicht, und ihre Gemüter wurden so schwer wie Steine.

Da erinnerte sich Vrenchen unversehens der wunderlichen Gestalt
und der Nase des Geigers, es mußte plötzlich hell auflachen und rief:
"Der arme Kerl sieht gar zu spaßhaft aus! Was für eine Nase!" Und eine
allerliebste, sonnenhelle Lustigkeit verbreitete sich über des Mädchens   25
Gesicht, als ob sie nur geharrt hätte, bis des Geigers Nase die trüben
Wolken wegstieße. Sali sah Vrenchen an und sah diese Fröhlichkeit.
Es hatte die Ursache aber schon wieder vergessen und lachte nur noch auf
eigene Rechnung dem Sali ins Gesicht.

Dieser, verblüfft und erstaunt, starrte unwillkürlich mit lachendem   30
Munde auf die Augen, gleich einem Hungrigen, der ein süßes Weizenbrot
erblickt und rief: "Bei Gott, Vreeli! wie schön bist du!"

Vrenchen lachte ihn nur noch mehr an und hauchte dazu aus klang-
voller Kehle einige kurze mutwillige Lachtöne, welche dem armen
Sali nicht anders dünkten als der Gesang einer Nachtigall.   35

"O du Hexe!" rief er, "wo hast du das gelernt? Welche Teufelskünste
treibst du da?"

---

[55]**bin ... gekommen** have been robbed of the pittance

"Ach du lieber Gott!" sagte Vrenchen mit schmeichelnder Stimme und nahm Salis Hand, "das sind keine Teufelskünste! Wie lange hätte ich gern einmal gelacht![56] Ich habe wohl zuweilen, wenn ich ganz allein war, über irgend etwas lachen müssen, aber es war nichts Rechts dabei; jetzt aber möchte ich dich immer und ewig anlachen, wenn ich dich sehe, und ich möchte dich wohl immer und ewig sehen! Bist du mir auch ein bißchen recht gut?"[57]

"O Vreeli!" sagte er und sah ihr ergeben und treuherzig in die Augen, "ich habe noch nie ein Mädchen angesehen, es war mir immer, als ob ich dich einst liebhaben müßte, und ohne daß ich wollte oder wußte, hast du mir doch immer im Sinn gelegen!"

"Und du mir auch", sagte Vrenchen, "und das noch vielmehr; denn du hast mich nie angesehen und wußtest nicht, wie ich geworden bin; ich aber habe dich zuzeiten aus der Ferne und sogar heimlich aus der Nähe recht gut betrachtet und wußte immer, wie du aussiehst! Weißt du noch, wie oft wir als Kinder hiehergekommen sind? Denkst du noch des kleinen Wagens? Wie kleine Leute sind wir damals gewesen, und wie lang ist es her! Man sollte denken, wir wären recht alt."

"Wie alt bist du jetzt," fragte Sali voll Vergnügen und Zufriedenheit, "du mußt ungefähr siebzehn sein?"

"Siebzehn und ein halbes Jahr bin ich alt!" erwiderte Vrenchen, "und wie alt bist du? Ich weiß aber schon, du bist bald zwanzig?"

"Woher weißt du das?" fragte Sali.

"Gelt, wenn ich es sagen wollte!"

"Du willst es nicht sagen?"

"Nein!"

"Gewiß nicht?"

"Nein, nein!"

"Du sollst es sagen!"

"Willst du mich etwa zwingen?"

"Das wollen wir sehen!"

Diese einfältigen Reden führte Sali, um seine Hände zu beschäftigen und mit ungeschickten Liebkosungen, welche wie eine Strafe aussehen sollten, das schöne Mädchen zu bedrängen. Sie führte auch, sich wehrend, mit vieler Langmut den albernen Wortwechsel fort, der trotz seiner Leerheit beide witzig und süß genug dünkte, bis Sali erbost und kühn

---

[56]**Wie ... gelacht** I've been wanting to laugh for such a long time!
[57]**Bist ... gut** Are you just a little bit fond of me?

genug war, Vrenchens Hände zu bezwingen und es in die Mohnblumen zu drücken. Da lag es nun und zwinkerte in der Sonne mit den Augen; seine Wangen glühten wie Purpur, und sein Mund war halb geöffnet und ließ zwei Reihen weiße Zähne durchschimmern. Fein und schön flossen die dunklen Augenbrauen ineinander, und die junge Brust hob und 5 senkte sich mutwillig unter sämtlichen vier Händen, welche sich kunterbunt darauf streichelten und bekriegten.

Sali wußte sich nicht zu lassen vor Freuden,[58] das schlanke schöne Geschöpf vor sich zu sehen, es sein eigen zu wissen, und es dünkte ihm ein Königreich. "Alle deine weißen Zähne hast du noch!" lachte er, 10 "weißt du noch, wie oft wir sie einst gezählt haben? Kannst du jetzt zählen?"

"Das sind ja nicht die gleichen, du Kind!" sagte Vrenchen, "jene sind längst ausgefallen!"

Sali wollte nun in seiner Einfalt jenes Spiel wieder erneuern und die 15 glänzenden Zahnperlen zählen; aber Vrenchen verschloß plötzlich den roten Mund, richtete sich auf und begann einen Kranz von Mohnrosen zu winden, den es sich auf den Kopf setzte. Der Kranz war voll und breit und gab der bräunlichen Dirne ein fabelhaftes, reizendes Ansehen, und der arme Sali hielt in seinem Arm, was reiche Leute teuer bezahlt hätten, 20 wenn sie es nur gemalt an ihren Wänden hätten sehen können.

Jetzt sprang sie aber empor und rief: "Himmel, wie heiß ist es hier! Da sitzen wir wie die Narren und lassen uns versengen! Komm, mein Lieber! laß uns ins hohe Korn sitzen!"

Sie schlüpften hinein so geschickt und sachte, daß sie kaum eine 25 Spur zurückließen, und bauten sich einen engen Kerker in den goldenen Ähren, die ihnen hoch über den Kopf ragten, als sie drin saßen, so daß sie nur den tiefblauen Himmel über sich sahen und sonst nichts von der Welt. Sie umhalsten sich und küßten sich unverweilt und so lange, bis sie einstweilen müde waren, oder wie man es nennen will, wenn das 30 Küssen zweier Verliebter auf eine oder zwei Minuten sich selbst überlebt und die Vergänglichkeit alles Lebens mitten im Rausche der Blütezeit ahnen läßt. Sie hörten die Lerchen singen hoch über sich und suchten dieselben mit ihren scharfen Augen, und wenn sie glaubten, flüchtig eine in der Sonne aufblitzen zu sehen, gleich einem plötzlich aufleuchtenden 35 oder hinschießenden Stern am blauen Himmel, so küßten sie sich wieder

---

[58]**wußte ... Freuden** was beside himself with joy

zur Belohnung und suchten einander zu übervorteilen und zu täuschen, so viel sie konnten.

"Siehst du, dort blitzt eine!" flüsterte Sali, und Vrenchen erwiderte ebenso leise: "Ich höre sie wohl, aber ich sehe sie nicht!"

5 "Doch, paß nur auf, dort, wo das weiße Wölkchen steht, ein wenig rechts davon!"

Und beide sahen eifrig hin und sperrten vorläufig ihre Schnäbel auf, wie die jungen Wachteln im Neste, um sie unverzüglich aufeinander zu heften, wenn sie sich einbildeten, die Lerche gesehen zu haben.

10 Auf einmal hielt Vrenchen inne und sagte: "Dies ist also eine ausgemachte Sache, daß jedes von uns einen Schatz hat, dünkt es dich nicht so?"

"Ja", sagte Sali, "es scheint mir auch so!"

"Wie gefällt dir denn dein Schätzchen", sagte Vrenchen, "was ist 15 es für ein Ding, was hast du von ihm zu melden?"

"Es ist ein gar feines Ding", sagte Sali, "es hat zwei braune Augen, einen roten Mund und läuft auf zwei Füßen, aber seinen Sinn kenn' ich weniger als den Papst zu Rom! Und was kannst du von deinem Schatz berichten?"

20 "Er hat zwei blaue Augen, einen nichtsnutzigen Mund und braucht zwei verwegene starke Arme; aber seine Gedanken sind mir unbekannter als der türkische Kaiser!"

"Es ist eigentlich wahr", sagte Sali, "daß wir uns weniger kennen, als wenn wir uns nie gesehen hätten, so fremd hat uns die lange Zeit 25 gemacht, seit wir groß geworden sind! Was ist alles vorgegangen in deinem Köpfchen, mein liebes Kind?"

"Ach, nicht viel! Tausend Narrenspossen haben sich wollen regen, aber es ist mir immer so trübselig ergangen, daß sie nicht aufkommen konnten!"

30 "Du armes Schätzchen", sagte Sali, "ich glaube aber, du hast es hinter den Ohren,[59] nicht?"

"Das kannst du ja nach und nach erfahren, wenn du mich recht lieb hast!"

"Wenn du einst meine Frau bist?"

35 Vrenchen zitterte leis bei diesem letzten Worte und schmiegte sich tiefer in Salis Arme, ihn von neuem lange und zärtlich küssend. Es traten ihr dabei Tränen in die Augen, und beide wurden auf einmal

---

[59]**du ... Ohren** you are more cunning than you appear

traurig, da ihnen ihre hoffnungsarme Zukunft in den Sinn kam und die
Feindschaft ihrer Eltern.

Vrenchen seufzte und sagte: "Komm, ich muß nun gehen!" und so
erhoben sie sich und gingen Hand in Hand aus dem Kornfeld, als sie
Vrenchens Vater spähend vor sich sahen. 5
Mit dem kleinlichen Scharfsinn des müßigen Elendes hatte dieser,
als er dem Sali begegnet, neugierig gegrübelt, was der wohl allein im
Dorfe zu suchen ginge; und sich des gestrigen Vorfalles erinnernd, verfiel
er, immer nach der Stadt zu schlendernd, endlich auf die richtige Spur,
rein aus Groll und unbeschäftigter Bosheit, und nicht sobald gewann der 10
Verdacht eine bestimmte Gestalt, als er mitten in den Gassen von Seldwyla
umkehrte und wieder in das Dorf hinaustrollte, wo er seine Tochter in
Haus und Hof und rings in den Hecken vergeblich suchte. Mit wachsender
Neugier rannte er auf den Acker hinaus, und als er da Vrenchens Korb
liegen sah, in welchem es die Früchte zu holen pflegte, das Mädchen 15
selbst aber nirgends erblickte, spähte er eben am Korne des Nachbarn
herum, als die erschrockenen Kinder herauskamen.

Sie standen wie versteinert, und Marti stand erst auch da und beschaute sie mit bösen Blicken, bleich wie Blei; dann fing er fürchterlich an
zu toben in Gebärden und Schimpfworten und langte zugleich grimmig 20
nach dem jungen Burschen, um ihn zu würgen; Sali wich aus und floh
einige Schritte zurück, entsetzt über den wilden Mann, sprang aber
sogleich wieder zu, als er sah, daß der Alte statt seiner nun das zitternde
Mädchen faßte, ihm eine Ohrfeige gab, daß der rote Kranz herunterflog
und seine Haare um die Hand wickelte, um es mit sich fortzureißen und 25
weiter zu mißhandeln. Ohne sich zu besinnen, raffte er einen Stein auf und
schlug mit demselben den Alten gegen den Kopf, halb in Angst um
Vrenchen und halb im Jähzorn. Marti taumelte erst ein wenig, sank dann
bewußtlos auf den Steinhaufen nieder und zog das erbärmlich aufschrei-
ende Vrenchen mit. Sali befreite noch dessen Haare aus der Hand des 30
Bewußtlosen und richtete es auf; dann stand er da wie eine Bildsäule,
ratlos und gedankenlos. Das Mädchen, als es den wie tot daliegenden
Vater sah, fuhr sich mit den Händen über das erbleichende Gesicht,
schüttelte sich und sagte: "Hast du ihn erschlagen?"

Sali nickte lautlos, und Vrenchen schrie: "O Gott, du lieber Gott! 35
Es ist mein Vater! Der arme Mann!"

Und sinnlos warf es sich über ihn und hob seinen Kopf auf, an
welchem indessen kein Blut floß. Es ließ ihn wieder sinken; Sali ließ
sich auf der andern Seite des Mannes nieder, und beide schauten, still

wie das Grab und mit erlahmten reglosen Händen in das leblose Gesicht.

Um nur etwas anzufangen, sagte endlich Sali: "Er wird doch nicht gleich tot sein müssen?[60] Das ist gar nicht ausgemacht!"

5 Vrenchen riß ein Blatt von einer Klatschrose ab und legte es auf die erblaßten Lippen, und es bewegte sich schwach. "Er atmet noch", rief es, "so lauf doch ins Dorf und hol' Hilfe!"

Als Sali aufsprang und laufen wollte, streckte es ihm die Hand nach und rief ihn zurück: "Komm aber nicht mit zurück und sage nichts, wie 10 es zugegangen, ich werde auch schweigen, man soll nichts aus mir herausbringen!" sagte es, und sein Gesicht, das es dem armen, ratlosen Burschen zuwandte, überfloß von schmerzlichen Tränen. "Komm, küss' mich noch einmal! Nein, geh, mach dich fort! Es ist aus, es ist ewig aus, wir können nicht zusammenkommen!"

15 Es stieß ihn fort, und er lief willenlos dem Dorfe zu. Er begegnete einem Knäbchen, das ihn nicht kannte; diesem trug er auf, die nächsten Leute zu holen und beschrieb ihm genau, wo die Hilfe nötig sei. Dann machte er sich verzweifelt fort und irrte die ganze Nacht im Gehölze herum.

20 Am Morgen schlich er in die Felder, um zu erspähen, wie es gegangen sei, und hörte von frühen Leuten, welche miteinander sprachen, daß Marti noch lebe, aber nichts von sich wisse, und wie das eine seltsame Sache wäre, da kein Mensch wisse, was ihm zugestoßen. Erst jetzt ging er in die Stadt zurück und verbarg sich in dem dunklen Elend des Hauses.

25 Vrenchen hielt ihm Wort; es war nichts aus ihm herauszufragen, als daß es selbst den Vater so gefunden habe, und da er am andern Tage sich wieder tüchtig regte und atmete, freilich ohne Bewußtsein, und überdies kein Kläger da war, so nahm man an, er sei betrunken gewesen und auf die Steine gefallen und ließ die Sache auf sich beruhen. Vrenchen 30 pflegte ihn und ging nicht von seiner Seite, außer um die Arzneimittel zu holen beim Doktor und etwa für sich selbst eine schlechte Suppe zu kochen; denn es lebte beinahe von nichts, obgleich es Tag und Nacht wach sein mußte und niemand ihm half. Es dauerte beinahe sechs Wochen, bis der Kranke allmählich zu seinem Bewußtsein kam, obgleich er vorher 35 schon wieder aß und in seinem Bette ziemlich munter war. Aber es war nicht das alte Bewußtsein, das er jetzt erlangte, sondern es zeigte sich immer deutlicher, je mehr er sprach, daß er blödsinnig geworden, und zwar auf die wunderlichste Weise. Er erinnerte sich nur dunkel an das

---

[60]**Er ... müssen** He isn't necessarily dead already, is he?

Geschehene und wie an etwas sehr Lustiges, was ihn nicht weiter berührte,[61] lachte immer wie ein Narr und war guter Dinge. Noch im Bette liegend brachte er hundert närrische, sinnlos mutwillige Redensarten und Einfälle zum Vorschein, schnitt Gesichter und zog sich die schwarzwollene Zipfelmütze in die Augen und über die Nase herunter, daß diese 5 aussah, wie ein Sarg unter einem Bahrtuch.

Das bleiche und abgehärmte Vrenchen hörte ihm geduldig zu, Tränen vergießend über das törichte Wesen, welches die arme Tochter noch mehr ängstigte, als die frühere Bosheit; aber wenn der Alte zuweilen etwas gar zu Drolliges anstellte, so mußte es mitten in seiner Qual laut 10 auflachen, da sein unterdrücktes Wesen immer zur Lust aufzuspringen bereit war, wie ein gespannter Bogen, worauf dann eine um so tiefere Betrübnis erfolgte. Als der Alte aber aufstehen konnte, war gar nichts mehr mit ihm anzustellen; er machte nichts als Dummheiten; lachte und stöberte um das Haus herum, setzte sich in die Sonne und streckte die 15 Zunge heraus oder hielt lange Reden in die Bohnen hinein.

IV

Um die gleiche Zeit aber war es auch aus mit den wenigen Überbleibseln seines ehemaligen Besitzes und die Unordnung so weit gediehen, daß auch sein Haus und der letzte Acker, seit geraumer Zeit verpfändet, nun gerichtlich verkauft wurden. Denn der Bauer, welcher 20 die zwei Äcker des Manz gekauft, benutzte die gänzliche Verkommenheit Martis und seine Krankheit und führte den alten Streit wegen des streitigen Steinfleckes kurz und entschlossen zu Ende, und der verlorene Prozeß trieb Martis Faß vollends den Boden aus, indessen er in seinem Blödsinne nichts mehr von diesen Dingen wußte. Die Versteige- 25 rung fand statt; Marti wurde von der Gemeinde in einer Stiftung für dergleichen arme Tröpfe auf öffentliche Kosten untergebracht. Diese Anstalt befand sich in der Hauptstadt des Ländchens; der gesunde und eßbegierige Blödsinnige wurde noch gut gefüttert, dann auf ein mit Ochsen bespanntes Wägelchen geladen, das ein ärmlicher Bauersmann 30 nach der Stadt führte, um zugleich einen oder zwei Säcke Kartoffeln zu verkaufen, und Vrenchen setzte sich zu dem Vater auf das Fuhrwerk, um ihn auf diesem letzten Gange zu dem lebendigen Begräbnis zu begleiten. Es war eine traurige und bittere Fahrt, aber Vrenchen wachte sorg-

---

[61]**was . . . berührte** which didn't really concern him

fältig über seinen Vater und ließ es ihm an nichts fehlen, und es sah sich nicht um und ward nicht ungeduldig, wenn durch die Kapriolen des Unglücklichen die Leute aufmerksam wurden und dem Wägelchen nachliefen, wo sie durchfuhren.

5 Endlich erreichten sie das weitläufige Gebäude in der Stadt, wo die langen Gänge, die Höfe und ein freundlicher Garten von einer Menge ähnlicher Tröpfe belebt waren, die alle in weiße Kittel gekleidet waren und dauerhafte Lederkäppchen auf den harten Köpfen trugen. Auch Marti wurde noch vor Vrenchens Augen in diese Tracht gekleidet, und 10 er freute sich wie ein Kind darüber und tanzte singend umher. "Gott grüß euch, ihr geehrten Herren!" rief er seine neuen Genossen an, "ein schönes Haus habt ihr hier! Geh heim, Vrengel, und sag' der Mutter, ich komme nicht mehr nach Haus, hier gefällt's mir bei Gott! Juchhei! Es kreucht[62] ein Igel über den Hag, ich hab' ihn hören bellen! O Meitli, küss' kein' 15 alten Knab', küss' nur die junge Gesellen! Alle die Wässerlein laufen in Rhein, die mit dem Pflaumenaug', die muß es sein! Gehst du schon, Vreeli? Du siehst ja aus wie der Tod im Häfelein,[63] und geht es mir doch so erfreulich! Die Füchsin schreit im Felde: Halleo, halleo! das Herz tut ihr weho! hoho!"

20 Ein Aufseher gebot ihm Ruhe und führte ihn zu einer leichten Arbeit, und Vrenchen ging das Fuhrwerk aufzusuchen. Es setzte sich auf den Wagen, zog ein Stückchen Brot hervor und aß dasselbe; dann schlief es, bis der Bauer kam und mit ihm nach dem Dorfe zurückfuhr. Sie kamen erst in der Nacht an. Vrenchen ging nach dem Hause, in dem 25 es geboren und nur zwei Tage bleiben durfte, und es war jetzt zum erstenmal in seinem Leben ganz allein darin. Es machte ein Feuer, um das letzte Restchen Kaffee zu kochen, das es noch besaß, und setzte sich auf den Herd, denn es war ihm ganz elendiglich zumut. Es sehnte sich und härmte sich ab, den Sali nur ein einziges Mal zu sehen, und dachte inbrün- 30 stig an ihn; aber die Sorgen und der Kummer verbitterten seine Sehnsucht, und diese machte die Sorgen wieder viel schwerer.

So saß es und stützte den Kopf in die Hände, als jemand durch die offen stehende Tür hereinkam. "Sali!" rief Vrenchen, als es aufsah, und

---

[62]**Es kreucht** (=kriecht) **ein Igel** a hedgehog crawls. *Marti's speech consists in large part of snatches of folk songs.*

[63]**Du . . . erfreulich** You look like death in the pot, and yet I'm so happy. (*Cf.* II Kings, 4:40: "*So they poured out for the men to eat and it came to pass as they were eating of the pottage that they cried out and said; 'Oh man of God, there is death in the pot,' and they could not eat thereof.*")

fiel ihm um den Hals; dann sahen sich aber beide erschrocken an und
riefen: "Wie siehst du elend aus!" Denn Sali sah nicht minder als Vrenchen bleich und abgezehrt aus. Alles vergessend zog es ihn zu sich auf
den Herd und sagte: "Bist du krank gewesen, oder ist es dir auch so
schlimm gegangen?"   5
Sali antwortete: "Nein, ich bin gerade nicht krank, außer vor
Heimweh nach dir! Bei uns geht es jetzt hoch und herrlich zu; der Vater
hat einen Einzug und Unterschleif von auswärtigem Gesindel,[64] und ich
glaube, so viel ich merkte, ist er ein Diebshehler geworden. Deshalb ist
jetzt einstweilen Hülle und Fülle in unserer Taverne, solang es geht und   10
bis es ein Ende mit Schrecken nimmt. Die Mutter hilft dazu, aus bit-
terlicher Gier, nur etwas im Hause zu sehen, und glaubt den Unfug noch
durch eine gewisse Aufsicht und Ordnung annehmlich und nützlich zu
machen! Mich fragt man nicht, und ich konnte mich nicht viel darum
kümmern; denn ich kann nur an dich denken Tag und Nacht. Da al-   15
lerhand Landstreicher bei uns einkehren, so haben wir alle Tage gehört,
was bei euch vorgeht, worüber mein Vater sich freut wie ein kleines
Kind. Daß dein Vater heute nach dem Spittel gebracht wurde, haben
wir auch vernommen; ich habe gedacht, du werdest jetzt allein sein, und
bin gekommen, um dich zu sehen!"   20
Vrenchen klagte ihm jetzt auch alles, was sie drückte und was sie
erlitt, aber mit so leichter zutraulicher Zunge, als ob sie ein großes
Glück beschreibe, weil sie glücklich war, Sali neben sich zu sehen. Sie
brachte inzwischen notdürftig ein Becken voll warmen Kaffee zusammen,
welchen mit ihr zu teilen sie den Geliebten zwang.   25
"Also übermorgen mußt du hier weg?" sagte Sali, "was soll denn
um's Himmels willen werden?"
"Das weiß ich nicht", sagte Vrenchen, "ich werde dienen müssen
und in die Welt hinaus! Ich werde es aber nicht aushalten ohne dich, und
doch kann ich dich nie bekommen, auch wenn alles andere nicht wäre,   30
bloß weil du meinen Vater geschlagen und um den Verstand gebracht
hast! Dies würde immer ein schlechter Grundstein unserer Ehe sein und
wir beide nie sorglos werden, nie!"
Sali seufzte und sagte: "Ich wollte auch schon hundertmal Soldat
werden oder mich in einer fremden Gegend als Knecht verdingen, aber   35
ich kann noch nicht fortgehen, solange du hier bist, und hernach wird

---

[64]**Bei . . . Gesindel** Things are going high and handsome at our place now;
father is maintaining a shelter and a hideout for foreign rabble

es mich aufreiben.[65] Ich glaube, das Elend macht meine Liebe zu dir stärker und schmerzhafter, so daß es um Leben und Tod geht! Ich habe von dergleichen keine Ahnung gehabt!" Vrenchen sah ihn liebevoll lächelnd an; sie lehnten sich an die 5 Wand zurück und sprachen nichts mehr, sondern gaben sich schweigend der glückseligen Empfindung hin, die sich über allen Gram erhob, daß sie sich im größten Ernste gutwären und geliebt wüßten.[66] Darüber schliefen sie friedlich ein auf dem unbequemen Herde, ohne Kissen und Pfühl, und schliefen so sanft und ruhig wie zwei Kinder in einer Wiege.

10 Schon graute der Morgen, als Sali zuerst erwachte; er weckte Vrenchen, so sacht er konnte; aber es duckte sich immer wieder an ihn, schlaftrunken, und wollte sich nicht ermuntern. Da küßte er es heftig auf den Mund, und Vrenchen fuhr empor, machte die Augen weit auf, und als es Sali erblickte, rief es: "Herrgott! ich habe eben noch von dir 15 geträumt! Es träumte mir, wir tanzten miteinander auf unserer Hochzeit, lange, lange Stunden! und waren so glücklich, sauber geschmückt, und es fehlte uns an nichts. Da wollten wir uns endlich küssen und dürsteten darnach, aber immer zog uns etwas auseinander, und nun bist du es selbst gewesen, der uns gestört und gehindert hat! Aber wie gut, daß du 20 gleich da bist!" Gierig fiel es ihm um den Hals und küßte ihn, als ob es kein Ende nehmen sollte. "Und was hast du denn geträumt?" fragte sie und streichelte ihm Wangen und Kinn.

"Mir träumte, ich ginge endlos auf einer langen Straße durch einen Wald und du in der Ferne immer vor mir her; zuweilen sahest du nach 25 mir um, winktest mir und lachtest, und dann war ich wie im Himmel. Das ist alles!"

Sie traten unter die offen gebliebene Küchentüre, die unmittelbar ins Freie führte, und mußten lachen, als sie sich ins Gesicht sahen. Denn die rechte Wange Vrenchens und die linke Salis, welche im Schlafe 30 aneinandergelehnt hatten, waren von dem Drucke ganz rot gefärbt, während die Blässe der andern durch die kühle Nachtluft noch erhöht war. Sie rieben sich zärtlich die kalte bleiche Seite ihrer Gesichter, um sie auch rot zu machen; die frische Morgenluft, der tauige stille Frieden, der über der Gegend lag, das junge Morgenrot machten sie fröhlich und 35 selbstvergessen, und besonders in Vrenchen schien ein freundlicher Geist der Sorglosigkeit gefahren zu sein.

---

[65]**hernach . . . aufreiben** and after (you are gone) I'll worry myself to death
[66]**daß . . . wüßten** that each earnestly loved the other and knew that he was loved

"Morgen abend muß ich also aus diesem Hause fort", sagte es, "und ein anderes Obdach suchen. Vorher möchte ich e i n m a l, nur e i n m a l recht lustig sein, und zwar mit dir; ich möchte recht herzlich und fleißig mit dir tanzen irgendwo, denn das Tanzen aus dem Traume steckt mir immerfort im Sinn!" 5

"Jedenfalls will ich dabei sein und sehen, wo du unterkommst", sagte Sali, "und tanzen wollte ich auch gerne mit dir, du herziges Kind! aber wo?"

"Es ist morgen Kirchweih an zwei Orten nicht sehr weit von hier", erwiderte Vrenchen, "da kennt und beachtet man uns weniger; draußen 10 am Wasser will ich auf dich warten, und dann können wir gehen, wohin es uns gefällt, um uns lustig zu machen, einmal, e i n m a l nur! Aber je,[67] wir haben ja gar kein Geld!" setzte es traurig hinzu, "da kann nichts daraus werden!"

"Laß nur", sagte Sali, "ich will schon etwas mitbringen!" 15

"Doch nicht von deinem Vater, von—von dem Gestohlenen?"

"Nein, sei nur ruhig! Ich habe noch meine silberne Uhr bewahrt bis dahin, die will ich verkaufen."

"Ich will dir nicht abraten", sagte Vrenchen errötend, "denn ich glaube, ich müßte sterben, wenn ich nicht morgen mit dir tanzen könnte." 20

"Es wäre das beste, wir beide könnten sterben!" sagte Sali; sie umarmten sich wehmütig und schmerzlich zum Abschied, und als sie voneinander ließen, lachten sie sich doch freundlich an in der sicheren Hoffnung auf den nächsten Tag.

"Aber wann willst du denn kommen?" rief Vrenchen noch. 25

"Spätestens um elf Uhr mittags", erwiderte er, "wir wollen recht ordentlich zusammen Mittag essen!"[68]

"Gut, gut! komm lieber um halb elf schon!" Doch als Sali schon im Gehen war, rief sie ihn noch einmal zurück und zeigte ein plötzlich verändertes, verzweiflungsvolles Gesicht. "Es wird doch nichts daraus", 30 sagte sie bitterlich weinend, "ich habe keine Sonntagsschuhe mehr. Schon gestern habe ich diese groben hier anziehen müssen, um nach der Stadt zu kommen! Ich weiß keine Schuhe aufzubringen!"[69]

Sali stand ratlos und verblüfft. "Keine Schuhe!" sagte er, "da mußt du halt in diesen kommen!" 35

---

[67]**Aber je** But oh dear!
[68]**recht . . . essen** eat a regular, good dinner together
[69]**Ich . . . aufzubringen** I don't know what to do for shoes!

"Nein, nein, in denen kann ich nicht tanzen!"

"Nun, so müssen wir welche kaufen!"

"Wo, mit was?"

"Ei, in Seldwyl, da gibt es Schuhläden genug! Geld werde ich in
minder als zwei Stunden haben."

"Aber ich kann doch nicht mit dir in Seldwyl herumgehen, und dann
wird das Geld nicht langen, auch noch Schuhe zu kaufen!"

"Es muß! und ich will die Schuhe kaufen und morgen mitbringen!"

"O du Närrchen, sie werden ja nicht passen, die du kaufst!"

"So gib mir einen alten Schuh mit, oder halt, noch besser, ich will
dir das Maß nehmen, das wird doch kein Hexenwerk sein!"

"Das Maß nehmen? Wahrhaftig, daran hab' ich nicht gedacht!
Komm, komm, ich will dir ein Schnürchen suchen!"

Sie setzte sich wieder auf den Herd, zog den Rock etwas zurück
und streifte den Schuh vom Fuße, der noch von der gestrigen Reise her
mit einem weißen Strumpfe bekleidet war. Sali kniete nieder und nahm,
so gut er es verstand, das Maß, indem er den zierlichen Fuß der Länge
und Breite nach umspannte mit dem Schnürchen und sorgfältig Knoten
in dasselbe knüpfte.

"Du Schuhmacher!" sagte Vrenchen und lachte errötend und
freundschaftlich zu ihm nieder.

Sali wurde aber auch rot und hielt den Fuß fest in seinen Händen,
länger als nötig war, so daß Vrenchen ihn noch tiefer errötend zurückzog,
den verwirrten Sali aber noch einmal stürmisch umhalste und küßte,
dann aber fortschickte.

Sobald er in der Stadt war, trug er seine Uhr zu einem Uhrmacher,
der ihm sechs oder sieben Gulden dafür gab; für die silberne Kette
bekam er auch einige Gulden, und er dünkte sich nun reich genug, denn
er hatte, seit er groß war, nie so viel Geld besessen auf einmal. Wenn nur
erst der Tag vorüber und der Sonntag angebrochen wäre, um das Glück
damit zu erkaufen, das er sich von dem Tage versprach, dachte er; denn
wenn das Übermorgen auch um so dunkler und unbekannter hereinragte,
so gewann die ersehnte Lustbarkeit von morgen nur einen seltsamern
erhöhten Glanz und Schein.[70] Indessen brachte er die Zeit noch leidlich
hin, indem er ein Paar Schuhe für Vrenchen suchte, und dies war ihm

---

[70]**denn ... Schein** for even though the day after tomorrow loomed the more
darkly and unknown (in his mind) the anticipated pleasures of the morrow thereby
gained a more extraordinary splendor and glory

das vergnügteste Geschäft, das er je betrieben. Er ging von einem
Schuhmacher zum andern, ließ sich alle Weiberschuhe zeigen, die vorhanden waren, und endlich handelte er ein leichtes und feines Paar ein, so
hübsch, wie sie Vrenchen noch nie getragen. Er verbarg die Schuhe
unter seiner Weste und tat sie die übrige Zeit des Tages nicht mehr von 5
sich; er nahm sie sogar mit ins Bett und legte sie unter das Kopfkissen.
Da er das Mädchen heute früh noch gesehen und morgen wieder sehen
sollte, so schlief er fest und ruhig, war aber in aller Frühe munter und
begann seinen dürftigen Sonntagsstaat zurechtzumachen und auszuputzen,
so gut es gelingen wollte. 10
    Es fiel seiner Mutter auf, und sie fragte verwundert, was er vorhabe,
da er sich schon lange nicht mehr so sorglich angezogen.
    Er wolle einmal über Land gehen und sich ein wenig umtun, er-
widerte er, er werde sonst krank in diesem Hause.
    "Das ist mir die Zeit her ein merkwürdiges Leben", murrte der 15
Vater, "und ein Herumschleichen!"[71]
    "Laß ihn nur gehen", sagte aber die Mutter, "es tut ihm vielleicht
gut, es ist ja ein Elend, wie er aussieht!"
    "Hast du Geld zum Spazierengehen? woher hast du es?" sagte der
Alte. 20
    "Ich brauche keines!" sagte Sali.
    "Da hast du einen Gulden!" versetzte der Alte und warf ihm densel-
ben hin. "Du kannst im Dorf ins Wirtshaus gehen und ihn dort verzehren,
damit sie nicht glauben, wir seien hier so übel dran."
    "Ich will nicht ins Dorf und brauche den Gulden nicht, behaltet 25
ihn nur!"
    "So hast du ihn gehabt, es wäre schad, wenn du ihn haben müßtest,
du Starrkopf!" rief Manz und schob seinen Gulden wieder in die Tasche.
    Seine Frau aber, welche nicht wußte, warum sie heute ihres Sohnes
wegen so wehmütig und gerührt war, brachte ihm ein großes schwarzes 30
Mailänder[72] Halstuch mit rotem Rande, das sie nur selten getragen und
er schon früher gern gehabt hätte. Er schlang es um den Hals und ließ
die langen Zipfel fliegen; auch stellte er zum erstenmal den Hemdkragen,
den er sonst immer umgeschlagen, ehrbar und männlich in die Höhe,
bis über die Ohren hinauf, in einer Anwandlung ländlichen Stolzes, und 35

---

[71]**Das ... Herumschleichen** This has been a strange life (that he's been leading)
lately, this sneaking around!
[72]**Mailänder** Milanese (silk)

machte sich dann, seine Schuhe in der Brusttasche des Rockes, schon nach sieben Uhr auf den Weg. Als er die Stube verließ, drängte ihn ein seltsames Gefühl, Vater und Mutter die Hand zu geben, und auf der Straße sah er sich noch einmal nach dem Hause um.

5 "Ich glaube am Ende", sagte Manz, "der Bursche streicht irgend-einem Weibsbild nach; das hätten wir gerade noch nötig!"[73]

Die Frau sagte: "O wollte Gott! daß er vielleicht ein Glück machte! das täte dem armen Buben gut!"

"Richtig!" sagte der Mann, "das fehlt nicht! das wird ein himm-
10 lisches Glück geben, wenn er nur erst an eine solche Maultasche zu geraten das Unglück hat![74] das täte dem armen Bübchen gut! natürlich!"

V

Sali richtete seinen Schritt erst nach dem Flusse zu, wo er Vrenchen erwarten wollte; aber unterwegs ward er anderen Sinnes und ging geradezu ins Dorf, um Vrenchen im Hause selbst abzuholen, weil es ihm
15 zu lang währte bis halb elf. Was kümmern uns die Leute! dachte er. Niemand hilft uns, und ich bin ehrlich und fürchte niemand! So trat er unerwartet in Vrenchens Stube, und ebenso unerwartet fand er es schon vollkommen angekleidet und geschmückt dasitzen und der Zeit harren, wo es gehen könne; nur die Schuhe fehlten ihm noch. Aber Sali stand
20 mit offenem Munde still in der Mitte der Stube, als er das Mädchen erblickte so schön sah es aus. Es hatte nur ein einfaches Kleid an von blaugefärbter Leinwand, aber dasselbe war frisch und sauber und saß ihm sehr gut um den schlanken Leib. Darüber trug es ein schneeweißes Musselinehalstuch, und dies war der ganze Anzug. Das braune gekräuselte Haar war sehr
25 wohl geordnet, und die sonst so wilden Löckchen lagen nun fein und lieblich um den Kopf; da Vrenchen seit vielen Wochen fast nicht aus dem Hause gekommen, so war seine Farbe zarter und durchsichtiger geworden, so wie auch vom Kummer; aber in diese Durchsichtigkeit goß jetzt die Liebe und die Freude ein Rot um das andere, und an der
30 Brust trug es einen schönen Blumenstrauß von Rosmarin, Rosen und prächtigen Astern. Es saß am offenen Fenster und atmete still und hold die frisch durchsonnte Morgenluft; wie es aber Sali erscheinen sah,

---

[73]**das ... nötig** that would be just what we need, *or* that would be the last straw!
[74]**wenn ... hat** if he just has the misfortune of getting into the hands of such a chatterbox (as you are)

streckte es ihm beide hübsche Arme entgegen, welche vom Ellbogen an
bloß waren, und rief: "Wie recht hast du, daß du schon jetzt und hieher
kommst! Aber hast du mir Schuhe gebracht? Gewiß? Nun steh' ich nicht
auf, bis ich sie anhabe!"

Er zog die ersehnten aus der Tasche und gab sie dem begierigen 5
schönen Mädchen; es schleuderte die alten von sich, schlüpfte in die
neuen, und sie paßten sehr gut. Erst jetzt erhob es sich vom Stuhl, wiegte
sich in den neuen Schuhen und ging eifrig einige Male auf und nieder.
Es zog das lange blaue Kleid etwas zurück und beschaute wohlgefällig
die roten wollenen Schleifen, welche die Schuhe zierten, während Sali 10
unaufhörlich die feine reizende Gestalt betrachtete, welche da in lieblicher
Aufregung vor ihm sich regte und freute.

"Du beschaust meinen Strauß?" sagte Vrenchen, "hab' ich nicht
einen schönen zusammengebracht? Du mußt wissen, dies sind die letzten
Blumen, die ich noch aufgefunden in dieser Wüstenei. Hier war noch ein 15
Röschen, dort eine Aster, und wie sie nun gebunden sind, würde man
es ihnen nicht ansehen, daß sie aus einem Untergange zusammengesucht
sind![75] Nun ist es aber Zeit, daß ich fortkomme, nicht ein Blümchen
mehr im Garten, und das Haus auch leer!"

Sali sah sich um und bemerkte erst jetzt, daß alle Fahrhabe, die noch 20
dagewesen, weggebracht war. "Du armes Vreeli!" sagte er, "haben sie
dir schon alles genommen?"

"Gestern", erwiderte es, "haben sie's weggeholt, was sich von der
Stelle bewegen ließ, und mir kaum mehr mein Bett gelassen. Ich hab's
aber auch gleich verkauft und hab' jetzt auch Geld, sieh!" Es holte einige 25
neue glänzende Talerstücke aus der Tasche seines Kleides und zeigte
sie ihm. "Damit", fuhr es fort, "sagte der Waisenvogt, der auch hier
war, solle ich mir einen Dienst suchen in einer Stadt, und ich solle mich
heute gleich auf den Weg machen!"

"Da ist aber auch gar nichts mehr vorhanden", sagte Sali, nachdem 30
er in die Küche geguckt hatte, "ich sehe kein Hölzchen, kein Pfännchen,
kein Messer! Hast du denn auch nicht zu Morgen gegessen?"

"Nichts!" sagte Vrenchen, "ich hätte mir etwas holen können, aber
ich wollte lieber hungrig bleiben, damit ich recht viel essen könne mit
dir zusammen, denn ich freue mich so sehr darauf; du glaubst nicht, wie 35
ich mich freue!"

---

[75]**aus . . . sind** have been gathered among the ruins

"Wenn ich dich nur anrühren dürfte", sagte Sali, "so wollte ich dir zeigen, wie es mir ist, du schönes, schönes Ding!"

"Du hast recht, du würdest meinen ganzen Staat verderben, und wenn wir die Blumen ein bißchen schonen, so kommt es zugleich meinem armen Kopf zugut, den du mir übel zuzurichten pflegst!"[76]

"So komm, jetzt wollen wir ausrücken!"

"Noch müssen wir warten, bis das Bett abgeholt wird; denn nachher schließe ich das leere Haus zu und gehe nicht mehr hieher zurück! Mein Bündelchen gebe ich der Frau aufzuheben, die das Bett gekauft hat."

Sie setzten sich daher einander gegenüber und warteten; die Bäuerin kam bald, eine vierschrötige Frau mit lautem Mundwerk, und hatte einen Burschen bei sich, welcher die Bettstelle tragen sollte. Als diese Frau Vrenchens Liebhaber erblickte und das geputzte Mädchen selbst, sperrte sie Maul und Augen auf, stemmte die Arme unter und schrie: "Ei sieh da, Vreeli! Du treibst es ja schon gut! Hast einen Besucher und bist gerüstet wie eine Prinzeß?"

"Gelt aber!"[77] sagte Vrenchen freundlich lachend, "wißt Ihr auch, wer das ist?"

"Ei, ich denke, das ist wohl der Sali Manz? Berg und Tal kommen nicht zusammen, sagt man, aber die Leute! Aber nimm dich doch in acht, Kind, und denk, wie es euren Eltern ergangen ist!"

"Ei, das hat sich jetzt gewendet, und alles ist gut geworden", erwiderte Vrenchen lächelnd und freundlich mitteilsam, ja beinahe herablassend, "seht, Sali ist mein Hochzeiter!"

"Dein Hochzeiter! was du sagst!"

"Ja, und er ist ein reicher Herr, er hat hunderttausend Gulden in der Lotterie gewonnen! Denket einmal, Frau!"

Diese tat einen Sprung, schlug ganz erschrocken die Hände zusammen und schrie: "Hund—hunderttausend Gulden!"

"Hunderttausend Gulden!" versicherte Vrenchen ernsthaft.

"Herr du meines Lebens! Es ist aber nicht wahr, du lügst mich an, Kind!"

"Nun, glaubt was Ihr wollt!"

"Aber wenn es wahr ist und du heiratest ihn, was wollt ihr denn machen mit dem Gelde? Willst du wirklich eine vornehme Frau werden?"

---

[76]wenn . . . pflegst if we spare the flowers a bit, it will at the same time be a good thing for my poor head, which you ordinarily put in a terrible state
[77]Gelt aber Ain't I, though!

"Versteht sich, in drei Wochen halten wir die Hochzeit!"

"Geh mir weg, du bist eine häßliche Lügnerin!"

"Das schönste Haus hat er schon gekauft in Seldwyl, mit einem großen Garten und Weinberg; Ihr müßt mich auch besuchen, wenn wir eingerichtet sind, ich zähle darauf!" 5

"Allweg, du Teufelshexlein, was du bist!"

"Ihr werdet sehen, wie schön es da ist! Einen herrlichen Kaffee werde ich machen und Euch mit feinem Eierbrot aufwarten, mit Butter und Honig!"

"O du Schelmenkind! zähl' drauf, daß ich komme!" rief die Frau 10 mit lüsternem Gesicht und der Mund wässerte ihr.

"Kommt Ihr aber um die Mittagszeit und seid ermüdet vom Markt, so soll Euch eine kräftige Fleischbrühe und ein Glas Wein immer parat stehen!"

"Das wird mir baß[78] tun!" 15

"Und an etwas Zuckerwerk oder weißen Wecken für die lieben Kinder zu Hause soll es Euch auch nicht fehlen!"

"Es wird mir ganz schmachtend!"

"Ein artiges Halstüchelchen oder ein Restchen Seidenzeug oder ein hübsches altes Band für Euere Röcke, oder ein Stück Zeug zu einer 20 neuen Schürze wird gewiß auch zu finden sein, wenn wir meine Kisten und Kasten durchmustern in einer vertrauten Stunde!"

Die Frau drehte sich auf den Hacken herum und schüttelte jauchzend ihre Röcke.

"Und wenn Euer Mann ein vorteilhaftes Geschäft machen könnte 25 mit einem Land- oder Viehhandel, und er mangelt des Geldes, so wißt Ihr, wo Ihr anklopfen sollt. Mein lieber Sali wird froh sein, jederzeit ein Stück Bares sicher und erfreulich anzulegen! Ich selbst werde auch etwa einen Sparpfennig haben, einer vertrauten Freundin beizustehen!"

Jetzt war der Frau nicht mehr zu helfen, sie sagte gerührt: "Ich 30 habe immer gesagt, du seist ein braves und gutes und schönes Kind! Der Herr wolle es dir wohl ergehen lassen immer und ewiglich und es dir gesegnen, was du an mir tust!"

"Dagegen verlange ich aber auch, daß Ihr es gut mit mir meint!"

"Allweg kannst du das verlangen!" 35

"Und daß Ihr jederzeit Euere Ware, sei es Obst, seien es Kartoffeln, sei es Gemüse, erst zu mir bringet und mir anbietet, ehe Ihr auf den

---

[78]baß = gut

Markt gehet, damit ich sicher sei, eine rechte Bäuerin an der Hand zu haben, auf die ich mich verlassen kann! Was irgendeiner gibt für die Ware, werde ich gewiß auch geben mit tausend Freuden, Ihr kennt mich ja! Ach, es ist nichts Schöneres, als wenn eine wohlhabende Stadtfrau, die

5 so ratlos in ihren Mauern sitzt und doch so vieler Dinge benötigt ist, und eine rechtschaffene, ehrliche Landfrau, erfahren in allem Wichtigen und Nützlichen, eine gute und dauerhafte Freundschaft zusammen haben! Es kommt einem zugut in hundert Fällen, in Freud und Leid, bei Gevatterschaften und Hochzeiten, wenn die Kinder unterrichtet werden und

10 konfirmiert, wenn sie in die Lehre kommen und wenn sie in die Fremde sollen! Bei Mißwachs und Überschwemmungen, bei Feuersbrünsten und Hagelschlag, wofür uns Gott behüte!"

"Wofür uns Gott behüte!" sagte die gute Frau schluchzend und trocknete mit ihrer Schürze die Augen; "welch ein verständiges und

15 tiefsinniges Bräutlein bist du; ja, dir wird es gut gehen, da müßte keine Gerechtigkeit in der Welt sein! Schön, sauber, klug und weise bist du, arbeitsam und geschickt zu allen Dingen! Keine ist feiner und besser als du, in und außer dem Dorfe; und wer dich hat, der muß meinen, er sei im Himmelreich, oder er ist ein Schelm und hat es mit mir zu tun. Hör',

20 Sali, daß du nur recht artlich bist mit meinem Vreeli, oder ich will dir den Meister zeigen, du Glückskind, das du bist, ein solches Röslein zu brechen!"

"So nehmt jetzt auch hier noch mein Bündel mit, wie Ihr mir versprochen habt, bis ich es abholen lassen werde! Vielleicht komme ich

25 aber selbst in der Kutsche und hole es ab, wenn Ihr nichts dagegen habt! Ein Töpfchen Milch werdet Ihr mir nicht abschlagen alsdann, und etwa eine schöne Mandeltorte dazu werde ich schon selbst mitbringen!"

"Tausendskind![79] Gib her den Bündel!"

Vrenchen lud ihr auf das zusammengebundene Bett, das sie schon

30 auf dem Kopfe trug, einen langen Sack, in welchen es sein Plunder und Habseliges gestopft, so daß die arme Frau mit einem schwankenden Turme auf dem Haupte dastand. "Es wird mir doch fast zu schwer auf einmal", sagte sie, "könnte ich nicht zweimal dran machen?"

"Nein, nein! wir müssen jetzt augenblicklich gehen, denn wir

35 haben einen weiten Weg, um vornehme Verwandte zu besuchen, die sich jetzt gezeigt haben, seit wir reich sind! Ihr wißt ja, wie es geht!"

---

[79]**Tausendskind** Oh you marvelous child!

"Weiß wohl! so behüt' dich Gott, und denk' an mich in deiner Herrlichkeit!"

Die Bäuerin zog ab mit ihrem Bündelturme, mit Mühe das Gleichgewicht behauptend, und hinter ihr drein ging ihr Knechtchen, das sich in Vrenchens einst buntbemalte Bettstatt hineinstellte, den Kopf 5 gegen den mit verblichenen Sternen bedeckten Himmel derselben stemmte und, ein zweiter Simson,[80] die zwei vorderen zierlich geschnitzten Säulen faßte, welche diesen Himmel trugen. Als Vrenchen, an Sali gelehnt, dem Zuge nachschaute und den wandelnden Tempel zwischen den Gärten sah, sagte es: "Das gäbe noch ein artiges Garten- 10 häuschen oder eine Laube, wenn man's in einen Garten pflanzte, ein Tischchen und ein Bänklein drein stellte und Winden drum herumsäete! Wolltest du mit darin sitzen, Sali?"

"Ja, Vreeli! besonders wenn die Winden aufgewachsen wären!"

"Was stehen wir noch?" sagte Vrenchen, "nichts hält uns mehr 15 zurück!—So komm und schließ das Haus zu!"

"Wem willst du denn den Schlüssel übergeben?"

Vrenchen sah sich um. "Hier an die Helbart wollen wir ihn hängen; sie ist über hundert Jahr in diesem Hause gewesen, habe ich den Vater oft sagen hören, nun steht sie da als der letzte Wächter!" Sie hingen den 20 rostigen Hausschlüssel an einen rostigen Schnörkel der alten Waffe, an welcher die Bohnen rankten, und gingen davon. Vrenchen wurde aber bleicher und verhüllte ein Weilchen die Augen, daß Sali es führen mußte, bis sie ein Dutzend Schritte entfernt waren. Es sah aber nicht zurück. "Wo gehen wir nun zuerst hin?" fragte es. 25

"Wir wollen ordentlich über Land gehen", erwiderte Sali, "wo es uns freut den ganzen Tag, uns nicht übereilen, und gegen Abend werden wir dann schon einen Tanzplatz finden!"

"Gut!" sagte Vrenchen, "den ganzen Tag werden wir beisammen sein und gehen, wo wir Lust haben. Jetzt ist mir aber elend, wir wollen 30 gleich im andern Dorf einen Kaffee trinken!"

"Versteht sich!" sagte Sali, "mach' nur, daß wir aus diesem Dorf wegkommen!"

Bald waren sie auch im freien Felde und gingen still nebeneinander durch die Fluren; es war ein schöner Sonntagmorgen im September, 35

---

[80]**Simson** Judges 16: 3: "*And Samson . . . laid hold of the doors of the gate of the city, and the two posts, and plucked them up, bar and all, and put them upon his shoulders, and carried them up to the top of the mountain.*"

keine Wolke stand am Himmel, die Höhen und die Wälder waren mit
einem zarten Duftgewebe bekleidet, welches die Gegend geheimnisvoller
und feierlicher machte, und von allen Seiten tönten die Kirchenglocken
herüber, hier das harmonische tiefe Geläute einer reichen Ortschaft, dort
5   die geschwätzigen zwei Bimmelglöcklein eines kleinen armen Dörfchens.
Das liebende Paar vergaß, was am Ende dieses Tages werden sollte, und
gab sich einzig der hoch aufatmenden wortlosen Freuden hin, sauber
gekleidet und frei, wie zwei Glückliche, die sich von Rechts wegen
angehören, in den Sonntag hineinzuwandeln.[81] Jeder in der Sonntags-
10   stille verhallende Ton oder ferne Ruf klang ihnen erschütternd durch die
Seele; denn die Liebe ist eine Glocke, welche das Entlegenste und
Gleichgültigste widertönen läßt und in eine besondere Musik verwandelt.
   Obgleich sie hungrig waren, dünkte sie die halbe Stunde Weges
bis zum nächsten Dorfe nur ein Katzensprung lang zu sein, und sie
15   betraten zögernd das Wirtshaus am Eingang des Ortes. Sali bestellte
ein gutes Frühstück, und während es bereitet wurde, sahen sie mäuschenstill in der sichern und freundlichen Wirtschaft in der großen reinlichen
Gaststube zu. Der Wirt war zugleich ein Bäcker, das eben Gebackene
durchduftete angenehm das ganze Haus, und Brot allerart wurde in
20   gehäuften Körben herbeigetragen, da nach der Kirche die Leute hier ihr
Weißbrot holten oder ihren Frühschoppen tranken. Die Wirtin, eine
artige und saubere Frau, putzte gelassen und freundlich ihre Kinder heraus
und so wie eines entlassen war, kam es zutraulich zu Vrenchen gelaufen,
zeigte ihm seine Herrlichkeiten und erzählte von allem, dessen es sich
25   erfreute und rühmte.
   Wie nun der wohlduftende starke Kaffee kam, setzten sich die
zwei Leutchen schüchtern an den Tisch, als ob sie da zu Gast gebeten
wären. Sie ermunterten sich jedoch bald und flüsterten bescheiden, aber
glückselig miteinander; ach wie schmeckte dem aufblühenden Vrenchen
30   der gute Kaffee, der fette Rahm, die frischen noch warmen Brötchen, die
schöne Butter und der Honig, der Eierkuchen und was alles noch für
Leckerbissen da waren! Sie schmeckten ihm, weil es den Sali dazu
ansah, und es aß so vergnügt, als ob es ein Jahr lang gefastet hätte. Dazu
freute es sich über das feine Geschirr, über die silbernen Kaffeelöffelchen;
35   denn die Wirtin schien sie für rechtliche junge Leutchen zu halten, die

---

[81]**gab ... hineinzuwandeln** surrendered themselves solely to the deep-felt,
speechless joy of going for a Sunday walk, neatly clothed and free from care, like two
happy people who belong to each other by right

man anständig bedienen müsse, und setzte sich auch ab und zu plaudernd
zu ihnen; und die beiden gaben ihr verständigen Bescheid, welches ihr
gefiel.

Es war dem guten Vrenchen so wählig zumut,[82] daß es nicht wußte,
mochte es lieber wieder ins Freie, um allein mit seinem Schatz herum-
zuschweifen durch Auen oder Wälder, oder mochte es lieber in der
gastlichen Stube bleiben, um wenigstens auf Stunden sich an einem stattlichen Orte zu Hause zu träumen. Doch Sali erleichterte die Wahl,
indem er ehrbar und geschäftig zum Aufbruch mahnte, als ob sie einen
bestimmten und wichtigen Weg zu machen hätten. Die Wirtin und der
Wirt begleiteten sie bis vor das Haus und entließen sie auf das wohlwol-
lendste wegen ihres guten Benehmens, trotz der durchscheinenden
Dürftigkeit, und das arme junge Blut verabschiedete sich mit den besten
Manieren von der Welt und wandelte sittig und ehrbar von hinnen.

Aber auch als sie schon wieder im Freien waren und einen stun-
denlangen Eichwald betraten, gingen sie noch in dieser Weise nebeneinander her, in angenehme Träume vertieft, als ob sie nicht aus zank- und
elenderfüllten vernichteten Häusern herkämen, sondern guter Leute
Kinder wären, welche in lieblicher Hoffnung wandelten. Vrenchen
senkte das Köpfchen tiefsinnig gegen seine blumengeschmückte Brust
und ging, die Hände sorglich an das Gewand gelegt, einher auf dem
glatten feuchten Waldboden; Sali dagegen schritt schlank aufgerichtet,
rasch und nachdenklich, die Augen auf die festen Eichenstämme geheftet
wie ein Bauer, der überlegt, welche Bäume er am vorteilhaftesten fällen
soll.

Endlich erwachten sie aus diesen vergeblichen Träumen, sahen sich
an und entdeckten, daß sie immer noch in der Haltung gingen, in welcher
sie das Gasthaus verlassen, erröteten und ließen traurig die Köpfe hängen.
Aber Jugend hat keine Tugend,[83] der Wald war grün, der Himmel blau
und sie allein in der weiten Welt, und sie überließen sich alsbald wieder
diesem Gefühle. Doch blieben sie nicht lange mehr allein, da die schöne
Waldstraße sich belebte mit lustwandelnden Gruppen von jungen
Leuten, sowie mit einzelnen Paaren, welche schäkernd und singend die
Zeit nach der Kirche verbrachten.

Denn die Landleute haben so gut ihre ausgesuchten Promenaden
und Lustwälder wie die Städter, nur mit dem Unterschied, daß dieselben

---

[82]**war ... zumut** felt so undecided
[83]**Jugend ... Tugend** young folk will be young folk

keine Unterhaltung kosten und noch schöner sind; sie spazieren nicht nur mit einem besonderen Sinn des Sonntags durch ihre blühenden und reifenden Felder, sondern sie machen sehr gewählte Gänge durch Gehölze und an grünen Halden entlang, setzen sich hier auf eine anmutige,

5 fernsichtige Höhe, dort an einen Waldrand, lassen ihre Lieder ertönen und die schöne Wildnis ganz behaglich auf sich einwirken; und da sie dies offenbar nicht zu ihrer Pönitenz tun, sondern zu ihrem Vergnügen, so ist wohl anzunehmen, daß sie Sinn für die Natur haben, auch abgesehen von ihrer Nützlichkeit. Immer brechen sie was Grünes ab, junge wie

10 alte Mütterchen, welche die alten Wege ihrer Jugend aufsuchen, und selbst steife Landmänner in den besten Geschäftsjahren, wenn sie über Land gehen, schneiden sich gern eine schlanke Gerte, sobald sie durch einen Wald gehen, und schälen die Blätter ab, von denen sie nur oben ein grünes Büschel stehen lassen. Solche Rute tragen sie wie ein Zepter vor

15 sich hin; wenn sie in eine Amtsstube oder Kanzlei treten, so stellen sie die Gerte ehrerbietig in einen Winkel, vergessen aber auch nach den ernstesten Verhandlungen nie, dieselbe säuberlich wieder mitzunehmen und unversehrt nach Hause zu tragen, wo es erst dem kleinsten Söhnchen gestattet ist, sie zugrunde zu richten.

20   Als Sali und Vrenchen die vielen Spaziergänger sahen, lachten sie ins Fäustchen und freuten sich, auch gepaart zu sein, schlüpften aber seitwärts auf engere Waldpfade, wo sie sich in tiefen Einsamkeiten verloren. Sie hielten sich auf, wo es sie freute, eilten vorwärts und ruhten wieder, und wie keine Wolke am reinen Himmel stand, trübte auch keine

25 Sorge in diesen Stunden ihr Gemüt; sie vergaßen, woher sie kamen und wohin sie gingen, und benahmen sich so fein und ordentlich dabei, daß trotz aller frohen Erregung und Bewegung Vrenchens niedlicher einfacher Aufputz so frisch und unversehrt blieb, wie er am Morgen gewesen war. Sali betrug sich auf diesem Wege nicht wie ein beinahe zwanzigjähriger

30 Landbursche oder der Sohn eines verkommenen Schenkwirtes, sondern wie wenn er einige Jahre jünger und sehr wohl erzogen wäre, und es war beinahe komisch, wie er nur immer sein feines lustiges Vrenchen ansah, voll Zärtlichkeit, Sorgfalt und Achtung. Denn die armen Leutchen mußten an diesem einen Tage, der ihnen vergönnt war, alle Manieren

35 und Stimmungen der Liebe durchleben und sowohl die verlorenen Tage der zarteren Zeit nachholen als das leidenschaftliche Ende vorausnehmen mit her Hingabe ihres Lebens.[84]

---

[84]**alle ... Lebens** experience all the phases and moods of love and had to make up for the lost days of its tender beginnings as well as to anticipate its passionate ending in the surrender of their lives

So liefen sie sich wieder hungrig und waren erfreut, von der Höhe eines schattenreichen Berges ein glänzendes Dorf vor sich zu sehen, wo sie Mittag halten wollten. Sie stiegen rasch hinunter, betraten dann aber ebenso sittsam diesen Ort, wie sie den vorigen verlassen. Es war niemand um den Weg, der sie erkannt hätte; denn besonders Vrenchen war die   5 letzten Jahre hindurch gar nicht unter die Leute und noch weniger in andere Dörfer gekommen. Deshalb stellten sie ein wohlgefälliges, ehrsames Pärchen vor, das irgendeinen angelegentlichen Gang tut. Sie gingen ins erste Wirtshaus des Dorfes, wo Sali ein erkleckliches Mahl bestellte; ein eigener Tisch wurde ihnen sonntäglich gedeckt, und sie   10 saßen wieder still und bescheiden daran und beguckten die schön getäfelten Wände von gebohntem Nußbaumholz, das ländliche, aber glänzende und wohlbestellte Büfett von gleichem Holze und die klaren weißen Fenstervorhänge.

Die Wirtin trat zutulich herzu und setzte ein Geschirr voll frischer   15 Blumen auf den Tisch. "Bis die Suppe kommt", sagte sie, "könnt Ihr, wenn es Euch gefällig ist, einstweilen die Augen sättigen an dem Strauße. Allem Anschein nach, wenn es erlaubt ist zu fragen, seid Ihr ein junges Brautpaar, das gewiß nach der Stadt geht, um sich morgen kopulieren zu lassen?"   20

Vrenchen wurde rot und wagte nicht aufzusehen, Sali sagte auch nichts, und die Wirtin fuhr fort: "Nun, Ihr seid beide noch wohl jung, aber jung geheiratet lebt lang,[85] sagt man zuweilen, und Ihr seht wenigstens hübsch und brav aus und braucht Euch nicht zu verbergen. Ordentliche Leute können etwas zuwege bringen, wenn sie so jung   25 zusammenkommen und fleißig und treu sind. Aber das muß man freilich sein, denn die Zeit ist kurz und doch lang, und es kommen viele Tage, viele Tage! Je nun, schön genug sind sie und amüsant dazu, wenn man gut Haus hält damit! Nichts für ungut, aber es freut mich, Euch anzusehen, so ein schmuckes Pärchen seid Ihr!"   30

Die Kellnerin brachte die Suppe, und da sie einen Teil dieser Worte noch gehört und lieber selbst geheiratet hätte, so sah sie Vrenchen mit scheelen Augen an, welches nach ihrer Meinung so gedeihliche Wege ging. In der Nebenstube ließ die unliebliche Person ihren Unmut frei und sagte zur Wirtin, welche dort zu schaffen hatte, so laut, daß man es   35 hören konnte: "Das ist wieder ein rechtes Hudelvölkchen, das wie es geht und steht nach der Stadt läuft und sich kopulieren läßt, ohne einen Pfennig, ohne Freunde, ohne Aussteuer und ohne Aussicht, als auf Armut und Bettelei! Wo soll das noch hinaus, wenn solche Dinger heiraten,

---

[85]**jung . . . lang** marry young, live long

die die Jüppe nocht nicht allein anziehen und keine Suppe kochen
können? Ach, der hübsche junge Mensch kann mich nur dauern, der ist
schön petschiert mit seiner jungen Gungeline!"[86]
"Bscht! willst du wohl schweigen, du hässiges Ding!" sagte die
5   Wirtin, "denen lasse ich nichts geschehen! Das sind gewiß recht ordentliche Leutlein aus den Bergen, wo die Fabriken sind; dürftig sind sie
gekleidet, aber sauber; und wenn sie sich nur gern haben und arbeitsam
sind, so werden sie weiter kommen, als du mit deinem bösen Maul! Du
kannst freilich noch lang warten, bis dich einer abholt, wenn du nicht
10 freundlicher bist, du Essighafen!"

So genoß Vrenchen alle Wonnen einer Braut, die zur Hochzeit
reiset: die wohlwollende Ansprache und Aufmunterung einer sehr ver-
nünftigen Frau, den Neid einer heiratslustigen bösen Person, welche aus
Ärger den Geliebten lobte und bedauerte, und ein leckeres Mittagsmahl
15 an der Seite eben dieses Geliebten. Es glühte im Gesicht wie eine rote
Nelke, das Herz klopfte ihm, aber es aß und trank nichtsdestominder mit
gutem Appetit und war der aufwartenden Kellnerin nur um so artiger,
konnte aber nicht unterlassen, dabei den Sali zärtlich anzusehen und mit
ihm zu lispeln, so daß es diesem auch ganz kraus im Gemüt wurde. Sie
20 saßen indessen lang und gemächlich am Tische, wie wenn sie zögerten
und sich scheuten, aus der holden Täuschung herauszugehen. Die Wirtin
brachte zum Nachtisch süßes Backwerk, und Sali bestellte feineren und
stärkeren Wein dazu, welcher Vrenchen feurig durch die Adern rollte,
als es ein wenig davon trank; aber es nahm sich in acht, nippte bloß
25 zuweilen und saß so züchtig und verschämt da, wie eine wirkliche Braut.
Halb spielte es aus Schalkheit diese Rolle und aus Lust, zu versuchen,
wie es tue, halb war es ihm in der Tat so zumut, und vor Bangigkeit und
heißer Liebe wollte ihm das Herz brechen, so daß es ihm zu eng ward
innerhalb der vier Wände und es zu gehen begehrte.

30 Es war, als ob sie sich scheuten, auf dem Wege wieder so abseits
und allein zu sein; denn sie gingen unverabredet auf der Hauptstraße
weiter, mitten durch die Leute, und sahen weder rechts noch links. Als
sie aber aus dem Dorfe waren und auf das nächstgelegene zugingen, wo
Kirchweih war, hing sich Vrenchen an Salis Arm und flüsterte mit
35 zitternden Worten: "Sali! warum sollen wir uns nicht haben und glücklich
sein!"

"Ich weiß auch nicht warum!" erwiderte er und heftete seine Augen

---

[86]**Gungeline** *a Swiss term of opprobrium. Translate*: witless young thing

an den milden Herbstsonnenschein, der auf den Auen webte, und er
mußte sich bezwingen und das Gesicht ganz sonderbar verziehen. Sie
standen still, um sich zu küssen; aber es zeigten sich Leute, und sie
unterließen es und zogen weiter.

Das große Kirchdorf, in dem Kirchweih war, belebte sich schon von   5
der Lust des Volkes; und aus dem stattlichen Gasthofe tönte eine pomp-
hafte Tanzmusik, da die jungen Dörfler bereits um Mittag den Tanz
angehoben, und auf dem Platz vor dem Wirtshause war ein kleiner
Markt aufgeschlagen, bestehend aus einigen Tischen mit Süßigkeiten und
Backwerk, und ein paar Buden mit Flitterstaat, um welche sich die   10
Kinder und dasjenige Volk drängten, welches sich einstweilen mehr mit
Zusehen begnügte. Sali und Vrenchen traten auch zu den Herrlichkeiten
und ließen ihre Augen darüber fliegen; denn beide hatten zugleich die
Hand in der Tasche, und jedes wünschte dem andern etwas zu schenken,
da sie zum ersten und einzigen Male miteinander zu Markt waren; Sali   15
kaufte ein großes Haus von Lebkuchen, das mit Zuckerzeug freundlich
geweißt war, mit einem grünen Dach, auf welchem weiße Tauben saßen
und aus dessen Schornstein ein Amörchen guckte als Kaminfeger; an den
offenen Fenstern umarmten sich pausbäckige Leutchen mit winzig kleinen
roten Mündchen, die sich recht eigentlich küßten, da der flüchtige   20
praktische Maler mit einem Kleckschen gleich zwei Mündchen gemacht,
die so ineinander verflossen.[87] Schwarze Pünktchen stellten muntere
Äuglein vor. Auf der rosenroten Haustür aber waren diese Verse zu lesen:

> Tritt in mein Haus, o Liebste!
> Doch sei dir unverhehlt: 25
> Drin wird allein nach Küssen
> Gerechnet und gezählt.
>
> Die Liebste sprach: "O Liebster,
> Mich schrecket nichts zurück!
> Hab' alles wohl erwogen: 30
> In dir nur lebt mein Glück!
>
> "Und wenn ich's recht bedenke,
> Kam ich deswegen auch!"
> Nun denn, spazier' mit Segen
> Herein und üb' den Brauch!   35

---

[87]**die ... verflossen** who were quite definitely kissing each other, since the hasty
and practical painter had made two mouths with a single daub, so that they ran together

Ein Herr in einem blauen Frack und eine Dame mit einem sehr
hohen Busen komplimentierten sich diesen Versen gemäß in das Haus
hinein, links und rechts an die Mauer gemalt.

Vrenchen schenkte Sali dagegen ein Herz, auf dessen einer Seite
5   ein Zettelchen klebte mit den Worten:

> Ein süßer Mandelkern steckt in dem Herze hier,
> Doch süßer als der Mandelkern ist meine Lieb' zu dir!

Und auf der andern Seite:

> Wenn du dies Herz gegessen, vergiß dies Sprüchlein nicht!
10 > Viel eh'r als meine Liebe mein braunes Auge bricht!

Sie lasen eifrig die Sprüche, und nie ist etwas Gereimtes und Gedruck-
tes schöner befunden und tiefer empfunden worden als diese Pfef-
ferkuchensprüche; sie hielten, was sie lasen, in besonderer Absicht auf
sich gemacht, so gut schien es ihnen zu passen.

15 "Ach", seufzte Vrenchen, "du schenkst mir ein Haus! Ich habe dir
auch eines und erst das wahre geschenkt; denn unser Herz ist jetzt unser
Haus, darin wir wohnen, und wir tragen so unsere Wohnung mit uns, wie
die Schnecken! Andere haben wir nicht!"

"Dann sind wir aber zwei Schnecken, von denen jede das Häuschen
20 der andern trägt!" sagte Sali, und Vrenchen erwiderte: "Desto weniger
dürfen wir voneinander gehen, damit jedes seiner Wohnung nah bleibt!"
Doch wußten sie nicht, daß sie in ihren Reden eben solche Witze machten,
als auf den vielfach geformten Lebkuchen zu lesen waren, und fuhren
fort, diese süße einfache Liebesliteratur zu studieren, die da ausgebreitet
25 lag und besonders auf vielfach verzierte kleine und große Herzen geklebt
war. Alles dünkte sie schön und einzig zutreffend; als Vrenchen auf einem
vergoldeten Herzen, das wie eine Lyra mit Saiten bespannt war, las:
Mein Herz ist wie ein Zitherspiel, rührt man es viel, so tönt es viel!
ward ihm so musikalisch zumut, daß es glaubte, sein eigenes Herz
30 klingen zu hören. Ein Napoleonsbild war da, welches aber auch der
Träger eines verliebten Spruches sein mußte, denn es stand darunter
geschrieben: Groß war der Held Napoleon, sein Schwert von Stahl, sein
Herz von Ton; meine Liebe trägt ein Röslein frei, doch ist ihr Herz wie
Stahl so treu!

35 Während sie aber beiderseitig in das Lesen vertieft schienen, nahm
jedes die Gelegenheit wahr, einen heimlichen Einkauf zu machen. Sali

kaufte für Vrenchen ein vergoldetes Ringelchen mit einem grünen
Glassteinchen, und Vrenchen einen Ring von schwarzem Gemshorn, auf
welchem ein goldenes Vergißmeinnicht eingelegt war. Wahrscheinlich
hatten sie die gleichen Gedanken, sich diese armen Zeichen bei der
Trennung zu geben.

Während sie in diese Dinge sich versenkten, waren sie so vergessen,
daß sie nicht bemerkten, wie nach und nach ein weiter Ring sich um sie
gebildet hatte von Leuten, die sie aufmerksam und neugierig betrachteten.
Denn da viele junge Burschen und Mädchen aus ihrem Dorfe hier waren,
so waren sie erkannt worden, und alles stand jetzt in einiger Entfernung   10
um sie herum und sah mit Verwunderung auf das wohlgeputzte Paar,
welches in andächtiger Innigkeit die Welt um sich her zu vergessen
schien.

"Ei sieht!" hieß es, "das ist ja wahrhaftig das Vrenchen Marti und
der Sali aus der Stadt! Die haben sich ja säuberlich gefunden und ver-   15
bunden! Und welche Zärtlichkeit und Freundschaft, seht doch, seht!
Wo die wohl hinaus wollen?"[88]

Die Verwunderung dieser Zuschauer war ganz seltsam gemischt aus
Mitleid mit dem Unglück, aus Verachtung der Verkommenheit und
Schlechtigkeit der Eltern und aus Neid gegen das Glück und die Einigkeit   20
des Paares, welches auf eine ganz ungewöhnliche und fast vornehme
Weise verliebt und aufgeregt war und in dieser rückhaltlosen Hingebung
und Selbstvergessenheit dem rohen Völkchen ebenso fremd erschien,
wie in seiner Verlassenheit und Armut. Als sie daher endlich aufwachten
und um sich sahen, erschauten sie nichts als gaffende Gesichter von allen   25
Seiten; niemand grüßte sie, und sie wußten nicht, sollten sie jemand
grüßen; und diese Verfremdung und Unfreundlichkeit war von beiden
Seiten mehr Verlegenheit als Absicht.

Es wurde Vrenchen bang und heiß, es wurde bleich und rot; Sali
nahm es aber bei der Hand und führte das arme Wesen hinweg, das ihm   30
mit seinem Haus in der Hand willig folgte, obgleich die Trompeten im
Wirtshause lustig schmetterten und Vrenchen so gern tanzen wollte.

Hier können wir nicht tanzen!" sagte Sali, als sie sich etwas entfernt
hatten, "wir würden hier wenig Freude haben, wie es scheint!"

"Jedenfalls", sagte Vrenchen traurig, "es wird auch am besten sein,   35
wir lassen es ganz bleiben, und ich sehe, wo ich ein Unterkommen
finde!"

---

[88]**Wo . . . wollen** I wonder what they think they are up to.

"Nein", rief Sali, "du sollst einmal tanzen, ich habe dir darum
Schuhe gebracht. Wir wollen gehen, wo das arme Volk sich lustig macht,
zu dem wir jetzt auch gehören, da werden sie uns nicht verachten; im
Paradiesgärtchen wird jedesmal auch getanzt, wenn hier Kirchweih ist,
5   da es in die Kirchgemeinde gehört; und dorthin wollen wir gehen; dort
kannst du zur Not auch übernachten." Vrenchen schauerte zusammen
bei dem Gedanken, nun zum erstenmal an einem unbekannten Ort zu
schlafen; doch folgte es willenlos seinem Führer, der jetzt alles war, was
es in der Welt hatte.

VI

10   Das Paradiesgärtlein war ein schöngelegenes Wirtshaus an einer
einsamen Berghalde, das weit über das Land wegsah, in welchem aber an
solchen Vergnügungstagen nur das ärmere Volk, die Kinder der ganz
kleinen Bauern und Tagelöhner und sogar mancherlei fahrendes Gesinde
verkehrte. Vor hundert Jahren war es als ein kleines Landhaus von
15   einem reichen Sonderling gebaut worden, nach welchem niemand mehr
da wohnen mochte; und da der Platz sonst zu nichts zu gebrauchen war,
so geriet der wunderliche Landsitz in Verfall und zuletzt in die Hände
eines Wirtes, der da sein Wesen trieb. Der Name und die demselben
entsprechende Bauart waren aber dem Hause geblieben.
20   Es bestand nur aus einem Erdgeschoß, über welchem ein offener
Estrich[89] gebaut war, dessen Dach an den vier Ecken von Bildern aus
Sandstein getragen wurde, so[90] die vier Erzengel vorstellten und gänzlich
verwittert waren. Auf dem Gesimse des Daches saßen ringsherum kleine
musizierende Engel mit dicken Köpfen und Bäuchen, den Triangel, die
25   Geige, die Flöte, Zimbel und Tamburin spielend, ebenfalls aus Sandstein,
und die Instrumente waren ursprünglich vergoldet gewesen. Die Decke
inwendig sowie die Brustwehr des Estrichs und das übrige Gemäuer des
Hauses waren mit verwaschenen Freskomalereien bedeckt, welche lustige
Engelscharen sowie singende und tanzende Heilige darstellten. Aber
30   alles war verwischt und undeutlich wie ein Traum und überdies reichlich
mit Weinreben übersponnen, und blaue reifende Trauben hingen überall
in dem Laube. Um das Haus herum standen verwilderte Kastanienbäume,

---

[89]**Estrich** platform. (*The flat roof of the one-story building, covered by a second roof
supported by the four pillars in the form of statues and surrounded by a parapet, served as an
open-air dancing pavilion.*)
[90]**so = welche**

und knorrige starke Rosenbüsche, auf eigene Hand fortlebend,[91] wuchsen da und dort so wild herum, wie anderswo die Holunderbäume.

Der Estrich diente zum Tanzsaal; als Sali mit Vrenchen daherkam, sahen sie schon von weitem die Paare unter dem offenen Dache sich drehen, und rund um das Haus zechten und lärmten eine Menge lustiger Gäste. 5

Vrenchen, welches andächtig und wehmütig sein Liebeshaus trug, glich einer heiligen Kirchenpatronin auf alten Bildern, welche das Modell eines Domes oder Klosters auf der Hand hält, so sie gestiftet; aber aus der frommen Stiftung, die ihr im Sinne lag, konnte nichts werden. Als es aber die wilde Musik hörte, welche vom Estrich ertönte, vergaß es 10 sein Leid und verlangte endlich nichts, als mit Sali zu tanzen.

Sie drängten sich durch die Gäste, die vor dem Hause saßen und in der Stube, verlumpte Leute aus Seldwyla, die eine billige Landpartie machten, armes Volk von allen Enden, und stiegen die Treppe hinauf, und sogleich drehten sie sich im Walzer herum, keinen Blick voneinander 15 abwendend. Erst als der Walzer zu Ende, sahen sie sich um; Vrenchen hatte sein Haus zerdrückt und zerbrochen und wollte eben betrübt darüber werden, als es noch mehr erschrak über den schwarzen Geiger, in dessen Nähe sie standen.

Er saß auf einer Bank, die auf einem Tische stand, und sah so 20 schwarz aus wie gewöhnlich; nur hatte er heute einen grünen Tannenbusch auf sein Hütchen gesteckt; zu seinen Füßen hatte er eine Flasche Rotwein und ein Glas stehen, welche er nie umstieß, obgleich er fortwährend mit den Beinen strampelte, wenn er geigte, und so eine Art von Eiertanz[92] damit vollbrachte. Neben ihm saß noch ein schöner, aber trauriger 25 junger Mensch mit einem Waldhorn, und ein Buckliger stand an einer Baßgeige.

Sali erschrak auch, als er den Geiger erblickte; dieser grüßte sie aber auf das freundlichste und rief: "Ich habe doch gewußt, daß ich euch noch einmal aufspielen werde! So macht euch nur recht lustig, ihr Schätzchen, 30 und tut mir Bescheid!"

Er bot Sali das volle Glas, und Sali trank und tat ihm Bescheid. Als der Geiger sah, wie erschrocken Vrenchen war, suchte er ihm freundlich zuzureden und machte einige fast anmutige Scherze, die es zum Lachen brachten. Es ermunterte sich wieder, und nun waren sie froh, hier einen 35

---

[91]**auf . . . fortlebend** living on without care or restraint
[92]**Eiertanz** egg dance (*a dance performed between rows of eggs by a person who is blindfolded.*)

Bekannten zu haben und gewissermaßen unter dem besonderen Schutze des Geigers zu stehen. Sie tanzten nun ohne Unterlaß, sich und die Welt vergessend in dem Drehen, Singen und Lärmen, welches in und außer dem Hause rumorte und vom Berge weit in die Gegend hinausschallte,

5   welche sich allmählich in den silbernen Duft des Herbstabends hüllte. Sie tanzten, bis es dunkelte und der größere Teil der lustigen Gäste sich schwankend und johlend nach allen Seiten entfernte. Was noch zurückblieb, war das eigentliche Hudelvölkchen, welches nirgends zu Hause war und sich zum guten Tag auch noch eine gute Nacht machen

10 wollte. Unter diesen waren einige, welche mit dem Geiger gut bekannt schienen und fremdartig aussahen in ihrer zusammengewürfelten Tracht. Besonders ein junger Bursche fiel auf, der eine grüne Manchesterjacke[93] trug und einen zerknitterten Strohhut, um den er einen Kranz von

15 Ebereschen oder Vogelbeerbüscheln[94] gebunden hatte. Dieser führte eine wilde Person mit sich, die einen Rock von kirschrotem, weiß getüpfeltem Kattun trug und sich einen Reifen von Rebenschossen um den Kopf gebunden, so daß an jeder Schläfe eine blaue Traube hing. Dies Paar war das ausgelassenste von allen, tanzte und sang unermüdlich und

20 war in allen Ecken zugleich. Dann war noch ein schlankes hübsches Mädchen da, welches ein schwarzseidenes abgeschossenes Kleid trug und ein weißes Tuch um den Kopf, daß der Zipfel über den Rücken fiel. Das Tuch zeigte rote, eingewobene Streifen, und war eine gute leinene Handzwehle oder Serviette.

25 Darunter leuchteten aber ein Paar veilchenblaue Augen hervor. Um den Hals und auf der Brust hing eine sechsfache Kette von Vogelbeeren auf einen Faden gezogen und ersetzte die schönste Korallenschnur. Diese Gestalt tanzte fortwährend allein mit sich selbst und verweigerte hartnäckig mit einem der Gesellen zu tanzen. Nichtsdestominder bewegte

30 sie sich anmutig und leicht herum und lächelte jedesmal, wenn sie sich an dem traurigen Waldhornbläser vorüberdrehte, wozu dieser immer den Kopf abwandte. Noch einige andere vergnügte Frauensleute waren da mit ihren Beschützern, alle von dürftigem Aussehen, aber sie waren um so lustiger

35 und in bester Eintracht untereinander. Als es gänzlich dunkel war, wollte der Wirt keine Lichter anzünden, da er behauptete, der Wind lösche sie

---

[93]**Manchesterjacke** *jacket of cotton velvet*
[94]**Eberesche, Vogelbeer** *two names for the same tree:* mountain ash

aus, auch ginge der Vollmond sogleich auf und für das, was ihm diese
Herrschaften einbrächten, sei das Mondlicht gut genug. Diese Eröffnung
wurde mit großem Wohlgefallen aufgenommen; die ganze Gesellschaft
stellte sich an die Brüstung des luftigen Saales und sah dem Aufgange des
Gestirnes entgegen, dessen Röte schon am Horizonte stand; und sobald 5
der Mond aufging und sein Licht quer durch den Estrich des Paradies-
gärtels warf, tanzten sie im Mondschein weiter, und zwar so still, artig
und seelenvergnügt, als ob sie im Glanze von hundert Wachskerzen
tanzten.

Das seltsame Licht machte alle vertrauter und so konnten Sali und 10
Vrenchen nicht umhin, sich unter die gemeinsame Lustbarkeit zu mischen
und auch mit andern zu tanzen. Aber jedesmal, wenn sie ein Weilchen
getrennt gewesen, flogen sie zusammen und feierten ein Wiedersehen, als
ob sie sich jahrelang gesucht und endlich gefunden. Sali machte ein
trauriges und unmutiges Gesicht, wenn er mit einer andern tanzte, und 15
drehte fortwährend das Gesicht nach Vrenchen hin, welches ihn nicht
ansah, wenn es vorüberschwebte, glühte wie eine Purpurrose und
überglücklich schien, mit wem es auch tanzte.

"Bist du eifersüchtig, Sali?" fragte es ihn, als die Musikanten müde
waren und aufhörten. 20

"Gott bewahre!" sagte er, "ich wüßte nicht, wie ich es anfangen
sollte!"

"Warum bist du denn so bös, wenn ich mit andern tanze?"

"Ich bin nicht darüber bös, sondern weil ich mit andern tanzen muß!
Ich kann kein anderes Mädchen ausstehen, es ist mir, als wenn ich ein 25
Stück Holz im Arm habe, wenn du es nicht bist! Und du? wie geht es
dir?"

"O, ich bin immer wie im Himmel, wenn ich nur tanze und weiß,
daß du zugegen bist! Aber ich glaube, ich würde sogleich tot umfallen,
wenn du weggingest und mich daließest!" 30

Sie waren hinabgegangen und standen vor dem Hause; Vrenchen
umschloß ihn mit beiden Armen, schmiegte seinen schlanken zitternden
Leib an ihn, drückte seine glühende Wange, die von heißen Tränen
feucht war, an sein Gesicht und sagte schluchzend: "Wir können nicht
zusammen sein und doch kann ich nicht von dir lassen, nicht einen Augen- 35
blick mehr, nicht eine Minute!"

Sali umarmte und drückte das Mädchen heftig an sich und bedeckte
es mit Küssen. Seine verwirrten Gedanken rangen nach einem Ausweg,
aber er sah keinen. Wenn auch das Elend und die Hoffnungslosigkeit

seiner Herkunft zu überwinden gewesen wäre, so war seine Jugend und
unerfahrene Leidenschaft nicht beschaffen, sich eine lange Zeit der
Prüfung und Entsagung vorzunehmen und zu überstehen, und dann
wäre erst noch Vrenchens Vater dagewesen, welchen er zeitlebens elend
5 gemacht. Das Gefühl, in der bürgerlichen Welt nur in einer ganz ehrlichen
und gewissenfreien Ehe glücklich sein zu können, war in ihm ebenso
lebendig wie in Vrenchen, und in beiden verlassenen Wesen war es die
letzte Flamme der Ehre, die in früheren Zeiten in ihren Häusern geglüht
hatte und welche die sich sicher fühlenden Väter durch einen unschein-
10 baren Mißgriff ausgeblasen und zerstört hatten, als sie, eben diese Ehre
zu äufnen wähnend durch Vermehrung ihres Eigentums, so gedankenlos
sich das Gut eines Verschollenen aneigneten, ganz gefahrlos, wie sie
meinten.[95] Das geschieht nun freilich alle Tage, aber zuweilen stellt das
Schicksal ein Exempel auf und läßt zwei solche Äufner ihrer Hausehre
15 und ihres Gutes zusammentreffen, die sich dann unfehlbar aufreiben und
auffressen wie zwei wilde Tiere. Denn die Mehrer des Reiches[96] verrechnen sich nicht nur auf den Thronen, sondern zuweilen auch in den
niedersten Hütten und langen ganz am entgegengesetzten Ende an, als
wohin sie zu kommen trachteten, und der Schild der Ehre ist im Umsehen
20 eine Tafel der Schande. Sali und Vrenchen hatten aber noch die Ehre
ihres Hauses gesehen in zarten Kinderjahren und erinnerten sich, wie
wohlgepflegte Kinderchen sie gewesen und daß ihre Väter ausgesehen
wie andere Männer, geachtet und sicher. Dann waren sie auf lange getrennt
worden, und als sie sich wiederfanden, sahen sie in sich zugleich das
25 verschwundene Glück des Hauses, und beider Neigung klammerte sich
nur um so heftiger ineinander. Sie mochten so gern fröhlich und glücklich
sein, aber nur auf einem guten Grund und Boden, und dieser schien ihnen
unerreichbar, während ihr wallendes Blut am liebsten gleich zusam-
mengeströmt wäre.
30   "Nun ist es Nacht", rief Vrenchen, "und wir sollen uns trennen?"
      "Ich soll nach Hause gehen und dich allein lassen?" rief Sali, "nein,
das kann ich nicht!"
      "Dann wird es Tag werden und nicht besser um uns stehen!"

---

[95]**welche ... meinten** which their fathers, each feeling himself secure, had blown
out and destroyed by a seemingly trifling misstep, when they so thoughtlessly ap-
propriated the property of a missing man, thinking to enhance their honor by the
increase of their wealth, and believing themselves safe in doing so. *The whole irony of
the children's fate is expressed in this one sentence.*
      [96]**Mehrer** (*Swiss dial.* = **Äufner**) **des Reiches** Augmenter of the empire. (*One
of the titles borne by the emperors of the Holy Roman Empire.*)

"Ich will euch einen Rat geben, ihr närrischen Dinger!" tönte eine
schrille Stimme hinter ihnen und der Geiger trat vor sie hin. "Da steht
ihr", sagte er, "wißt nicht wo hinaus und hättet euch gern. Ich rate euch,
nehmt euch, wie ihr seid, und säumet nicht. Kommt mit mir und meinen
guten Freunden in die Berge, da brauchet ihr keinen Pfarrer, kein Geld,   5
keine Schriften, keine Ehre, kein Bett, nichts als eueren guten Willen!
Es ist gar nicht so übel bei uns, gesunde Luft und genug zu essen, wenn
man tätig ist; die grünen Wälder sind unser Haus, wo wir uns liebhaben,
wie es uns gefällt, und im Winter machen wir uns die wärmsten Schlupfwinkel oder kriechen den Bauern ins warme Heu. Also kurz entschlossen,   10
haltet gleich hier Hochzeit und kommt mit uns, dann seid ihr aller Sorgen
los und habt euch für immer und ewiglich, solang es euch gefällt wenigstens; denn alt werdet ihr bei unserem freien Leben, das könnt ihr glauben!
Denkt nicht etwa, daß ich euch nachtragen will, was eure Alten an mir
getan! Nein! es macht mir zwar Vergnügen, euch da angekommen zu   15
sehen, wo ihr seid; allein damit bin ich zufrieden und werde euch behilflich und dienstfertig sein, wenn ihr mir folgt." Er sagte das wirklich in
einem aufrichtigen und gemütlichen Tone. "Nun besinnt euch ein bißchen,
aber folget mir, wenn ich euch gut zum Rat bin.[97] Laßt fahren die Welt
und nehmet euch und fraget niemandem was nach! Denkt an das lustige   20
Hochzeitbett im tiefen Wald oder auf einem Heustock, wenn es euch zu
kalt ist!" Damit ging er ins Haus.

Vrenchen zitterte in Salis Armen und dieser sagte: "Was meinst du
dazu? Mich dünkt, es wäre nicht übel, die ganze Welt in den Wind zu
schlagen und uns dafür zu lieben ohne Hindernis und Schranken!" Er   25
sagte es aber mehr als einen verzweifelten Scherz, denn im Ernst.

Vrenchen aber erwiderte ganz treuherzig und küßte ihn: "Nein,
dahin möchte ich nicht gehen, denn da geht es auch nicht nach meinem
Sinne zu. Der junge Mensch mit dem Waldhorn und das Mädchen mit
dem seidenen Rocke gehören auch so zueinander und sollen sehr verliebt   30
gewesen sein. Nun sei letzte Woche die Person ihm zum erstenmal
untreu geworden, was ihm nicht in den Kopf wolle, und deshalb sei er
so traurig und schmolle mit ihr und mit den andern, die ihn auslachen.
Sie aber tut eine mutwillige Buße, indem sie allein tanzt und mit niemandem spricht, und lacht ihn auch nur aus damit. Dem armen Musikanten   35
sieht man es jedoch an, daß er sich noch heute mit ihr versöhnen wird. Wo
es aber so hergeht, möchte ich nicht sein, denn nie möcht' ich dir untreu

---

[97]**wenn . . . bin** if my advice seems good to you

werden, wenn ich auch sonst noch alles ertragen würde, um dich zu besitzen!"

Indessen aber fieberte das arme Vrenchen immer heftiger an Salis Brust;[98] denn schon seit dem Mittag, wo jene Wirtin es für eine Braut gehalten und es eine solche ohne Widerrede vorgestellt, lohte ihm das Brautwesen im Blute,[99] und je hoffnungsloser es war, um so wilder und unbezwinglicher.

Dem Sali erging es ebenso schlimm, da die Reden des Geigers, so wenig er ihnen folgen mochte, dennoch seinen Kopf verwirrten, und er sagte mit ratlos stockender Stimme: "Komm herein, wir müssen wenigstens noch was essen und trinken."

Sie gingen in die Gaststube, wo niemand mehr war, als die kleine Gesellschaft der Heimatlosen, welche bereits um einen Tisch saß und eine spärliche Mahlzeit hielt. "Da kommt unser Hochzeitspaar!" rief der Geiger, "jetzt seid lustig und fröhlich und laßt euch zusammengeben!"

Sie wurden an den Tisch genötigt und flüchteten sich vor sich selbst an denselben hin;[100] sie waren froh, nur für den Augenblick unter Leuten zu sein. Sali bestellte Wein und reichlichere Speisen, und es begann eine große Fröhlichkeit. Der Schmollende hatte sich mit der Untreuen versöhnt und das Paar liebkoste sich in begieriger Seligkeit; das andere wilde Paar sang und trank und ließ es ebenfalls nicht an Liebesbezeigungen fehlen, und der Geiger nebst dem buckligen Baßgeiger lärmten ins Blaue hinein.[101] Sali und Vrenchen waren still und hielten sich umschlungen; auf einmal gebot der Geiger Stille und führte eine spaßhafte Zeremonie auf, welche eine Trauung vorstellen sollte. Sie mußten sich die Hände geben und die Gesellschaft stand auf und trat der Reihe nach zu ihnen, um sie zu beglückwünschen und in ihrer Verbrüderung willkommen zu heißen. Sie ließen es geschehen, ohne ein Wort zu sagen, und betrachteten es als einen Spaß, während es sie doch kalt und heiß durchschauderte.

Die kleine Versammlung wurde jetzt immer lauter und aufgeregter, angefeuert durch den stärkeren Wein, bis plötzlich der Geiger zum Aufbruch mahnte. "Wir haben weit", rief er, "und Mitternacht ist

---

[98]**fieberte . . . Brust** poor Vrenchen's love grew more and more ardent as she lay on Sali's breast

[99]**lohte . . . Blute** a bride's emotion burned in her

[100]**flüchteten . . . hin** fled from themselves by taking their place at it

[101]**lärmten . . . hinein** played loudly whatever came to their minds

vorüber! Auf! wir wollen dem Brautpaar das Geleit geben und ich will vorausgeigen, daß es eine Art hat!"[102]

Da die ratlosen Verlassenen nichts Besseres wußten und überhaupt ganz verwirrt waren, ließen sie abermals geschehen, daß man sie voranstellte und die übrigen zwei Paare einen Zug hinter ihnen formierten, welchen der Bucklige abschloß mit seiner Baßgeige über der Schulter. Der Schwarze zog voraus und spielte auf seiner Geige wie besessen den Berg hinunter, und die andern lachten, sangen und sprangen hintendrein. So strich der tolle nächtliche Zug durch die stillen Felder und durch das Heimatdorf Salis und Vrenchens, dessen Bewohner längst schliefen.

Als sie durch die stillen Gassen kamen und an ihren verlorenen Vaterhäusern vorüber, ergriff sie eine schmerzhafte wilde Laune, und sie tanzten mit den andern um die Wette[103] hinter dem Geiger her, küßten sich, lachten und weinten. Sie tanzten auch den Hügel hinauf, über welchen der Geiger sie führte, wo die drei Äcker lagen, und oben strich der schwärzliche Kerl die Geige noch einmal so wild,[104] sprang und hüpfte wie ein Gespenst, und seine Gefährten blieben nicht zurück in der Ausgelassenheit, so daß es ein wahrer Blocksberg[105] war auf der stillen Höhe; selbst der Bucklige sprang keuchend mit seiner Last herum, und keines schien mehr das andere zu sehen.

Sali faßte Vrenchen fester in den Arm und zwang es stillzustehen; denn er war zuerst zu sich gekommen.[106] Er küßte es, damit es schweige, heftig auf den Mund, da es sich ganz vergessen hatte und laut sang. Es verstand ihn endlich und sie standen still und lauschend, bis ihr tobendes Hochzeitgeleite das Feld entlang gerast war und, ohne sie zu vermissen, am Ufer des Stromes hinauf sich verzog. Die Geige, das Gelächter der Mädchen und die Jauchzer der Burschen tönten aber noch eine gute Zeit durch die Nacht, bis zuletzt alles verklang und still wurde.

"Diesen sind wir entflohen", sagte Sali, "aber wie entfliehen wir uns selbst? Wie meiden wir uns?"

Vrenchen war nicht imstande zu antworten und lag hochaufatmend an seinem Halse. "Soll ich dich nicht lieber ins Dorf zurückbringen und Leute wecken, daß sie dich aufnehmen? Morgen kannst du ja dann deines

---

[102]**ich . . . hat** I will go ahead and fiddle with a vengeance
[103]**sie . . . Wette** they tried to outdo the others in dancing
[104]**noch . . . wild** twice as wildly
[105]**Blocksberg** witches' sabbath. *After the Harz Mountain peak, legendary scene of the festival of witches on Walpurgis night (the eve of May first).*
[106]**war . . . gekommen** was the first to come to his senses

Weges ziehen und gewiß wird es dir wohl gehen, du kommst überall fort!"

"Fortkommen, ohne dich!"

"Du mußt mich vergessen!"

5 "Das werde ich nie! Könntest denn du es tun?"

"Darauf kommt's nicht an, mein Herz!" sagte Sali und streichelte ihm die heißen Wangen, je nachdem es sie leidenschaftlich an seiner Brust herumwarf,[107] "es handelt sich jetzt nur um dich; du bist noch so ganz jung und es kann dir noch auf allen Wegen gut gehen!"

10 "Und dir nicht auch, du alter Mann?"

"Komm!" sagte Sali und zog es fort. Aber sie gingen nur einige Schritte und standen wieder still, um sich bequemer zu umschlingen und zu herzen. Die Stille der Welt sang und musizierte ihnen durch die Seelen, man hörte nur den Fluß unten sacht und lieblich rauschen im langsamen

15 Ziehen.

"Wie schön ist es da ringsherum! Hörst du nicht etwas tönen, wie ein schöner Gesang oder ein Geläute?"

"Es ist das Wasser, das rauscht! Sonst ist alles still."

"Nein, es ist noch etwas anderes, hier, dort hinaus, überall tönt's!"

20 "Ich glaube, wir hören unser eigenes Blut in unsern Ohren rauschen!"

Sie horchten ein Weilchen auf diese eingebildeten oder wirklichen Töne, welche von der großen Stille herrührten oder welche sie mit den magischen Wirkungen des Mondlichtes verwechselten, welches nah und fern über die weißen Herbstnebel wallte, welche tief auf den Gründen

25 lagen.

Plötzlich fiel Vrenchen etwas ein; es suchte in seinem Brustgewand und sagte: "Ich habe dir noch ein Andenken gekauft, das ich dir geben wollte!" Und es gab ihm den einfachen Ring und steckte ihm denselben selbst an den Finger.

30 Sali nahm sein Ringlein auch hervor und steckte ihn an Vrenchens Hand, indem er sagte: "So haben wir die gleichen Gedanken gehabt!"

Vrenchen hielt seine Hand in das bleiche Silberlicht und betrachtete den Ring. "Ei, wie ein feiner Ring!" sagte es lachend; "nun sind wir aber doch verlobt und versprochen, du bist mein Mann und ich deine Frau,

35 wir wollen es einmal einen Augenblick lang denken, nur bis jener Nebelstreif am Mond vorüber ist oder bis wir zwölf gezählt haben! Küsse mich zwölfmal!"

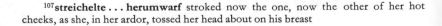

[107]**streichelte ... herumwarf** stroked now the one, now the other of her hot cheeks, as she, in her ardor, tossed her head about on his breast

Sali liebte gewiß ebenso stark als Vrenchen, aber die Heiratsfrage war in ihm doch nicht so leidenschaftlich lebendig als ein bestimmtes Entweder-Oder, als ein unmittelbares Sein oder Nichtsein, wie in Vrenchen, welches nur das eine zu fühlen fähig war und mit leidenschaftlicher Entschiedenheit unmittelbar Tod oder Leben darin sah.[108] Aber jetzt ging ihm endlich ein Licht auf, und das weibliche Gefühl des jungen Mädchens ward in ihm auf der Stelle zu einem wilden und heißen Verlangen und eine glühende Klarheit erhellte ihm die Sinne. So heftig er Vrenchen schon umarmt und liebkost hatte, tat er es jetzt doch ganz anders und stürmischer und übersäete es mit Küssen. Vrenchen fühlte trotz aller eigenen Leidenschaft auf der Stelle diesen Wechsel, und ein heftiges Zittern durchfuhr sein ganzes Wesen, aber ehe jener Nebelstreif am Monde vorüber war, war es auch davon ergriffen. Im heftigen Schmeicheln und Ringen begegneten sich ihre ringgeschmückten Hände und faßten sich fest, wie von selbst eine Trauung vollziehend, ohne den Befehl eines Willens. Salis Herz klopfte bald wie mit Hämmern, bald stand es still, er atmete schwer und sagte leise: "Es gibt eines für uns, Vrenchen, wir halten Hochzeit zu dieser Stunde und gehen dann aus der Welt— dort ist das tiefe Wasser—dort scheidet uns niemand mehr und wir sind zusammen gewesen—ob kurz oder lang, das kann uns dann gleich sein."

Vrenchen sagte sogleich: "Sali—was du da sagst, habe ich schon lang bei mir gedacht und ausgemacht, nämlich daß wir sterben könnten und dann alles vorbei wäre—so schwör mir es, daß du es mit mir tun willst!"

"Es ist schon so gut wie getan, es nimmt dich niemand mehr aus meiner Hand, als der Tod!" rief Sali außer sich.

Vrenchen aber atmete hoch auf, Tränen der Freude entströmten seinen Augen; es raffte sich auf und sprang leicht wie ein Vogel über das Feld gegen den Fluß hinunter. Sali eilte ihm nach; denn er glaubte, es wolle ihm entfliehen, und Vrenchen glaubte, er wolle es zurückhalten, so sprangen sie einander nach und Vrenchen lachte wie ein Kind, welches sich nicht will fangen lassen.

"Bereust du es schon?" rief eines zum andern, als sie am Flusse angekommen waren und sich ergriffen; "nein! es freut mich immer mehr!" erwiderte ein jedes.

Aller Sorgen ledig gingen sie am Ufer hinunter und überholten die

---

[108]**aber . . . sah** but marriage was for him not such a living, burning question—not so much a definite either-or, not an immediate question of to-be-or-not-to-be—as it was for Vrenchen, who was capable of feeling only the one thing and who saw in it with passionate decisiveness an immediate question of life or death

eilenden Wasser, so hastig suchten sie eine Stätte, um sich niederzulassen; denn ihre Leidenschaft sah jetzt nur den Rausch der Seligkeit, der in ihrer Vereinigung lag, und der ganze Wert und Inhalt des übrigen Lebens drängte sich in diesem zusammen; was danach kam, Tod und
5 Untergang, war ihnen ein Hauch, ein Nichts, und sie dachten weniger daran, als ein Leichtsinniger denkt, wie er den andern Tag leben will, wenn er seine letzte Habe verzehrt.

"Meine Blumen gehen mir voraus", rief Vrenchen, "sieh, sie sind ganz dahin und verwelkt!" Es nahm sie von der Brust, warf sie ins Wasser
10 und sang laut dazu: "Doch süßer als ein Mandelkern ist meine Lieb' zu dir!"

"Halt!" rief Sali, "hier ist dein Brautbett!"

Sie waren an einen Fahrweg gekommen, der vom Dorfe her an den Fluß führte, und hier war eine Landungsstelle, wo ein großes Schiff,
15 hoch mit Heu beladen, angebunden lag. In wilder Laune begann er unverweilt die starken Seile loszubinden. Vrenchen fiel ihm lachend in den Arm und rief: "Was willst du tun? Wollen wir den Bauern ihr Heuschiff stehlen zu guter Letzt?"

"Das soll die Aussteuer sein, die sie uns geben, eine schwimmende
20 Bettstelle und ein Bett, wie noch keine Braut gehabt! Sie werden überdies ihr Eigentum unten wieder finden, wo es ja doch hin soll, und werden nicht wissen, was damit geschehen ist. Sieh, schon schwankt es und will hinaus!"

Das Schiff lag einige Schritte vom Ufer entfernt im tieferen Wasser.
25 Sali hob Vrenchen mit seinen Armen hoch empor und schritt durch das Wasser gegen das Schiff; aber es liebkoste ihn so heftig ungebärdig und zappelte wie ein Fisch, daß er im ziehenden Wasser keinen Stand halten konnte. Es strebte Gesicht und Hände ins Wasser zu tauchen und rief: "Ich will auch das kühle Wasser versuchen! Weißt du noch, wie kalt und
30 naß unsere Hände waren, als wir sie uns zum erstenmal gaben? Fische fingen wir damals, jetzt werden wir selber Fische sein und zwei schöne große!"

"Sei ruhig, du lieber Teufel!" sagte Sali, der Mühe hatte, zwischen dem tobenden Liebchen und den Wellen sich aufrecht zu halten, "es
35 zieht mich sonst fort!" Er hob seine Last in das Schiff und schwang sich nach; er hob sie auf die hochgebettete weiche und duftende Ladung und schwang sich auch hinauf, und als sie oben saßen, trieb das Schiff allmählich in die Mitte des Stromes hinaus und schwamm dann, sich langsam drehend, zu Tal.

Der Fluß zog bald durch hohe dunkle Wälder, die ihn überschatteten, bald durch offenes Land; bald an stillen Dörfern vorbei, bald an einzelnen Hütten; hier geriet er in eine Stille,[109] daß er einem ruhigen See glich und das Schiff beinahe stillhielt, dort strömte er um Felsen und ließ die schlafenden Ufer schnell hinter sich; und als die Morgenröte 5 aufstieg, tauchte zugleich eine Stadt mit ihren Türmen aus dem silbergrauen Strome. Der untergehende Mond, rot wie Gold, legte eine glänzende Bahn den Strom hinauf und auf dieser kam das Schiff langsam überquer gefahren. Als es sich der Stadt näherte, glitten im Froste des Herbstmorgens zwei bleiche Gestalten, die sich fest umwanden, von der 10 dunklen Masse herunter in die kalten Fluten.

Das Schiff legte sich eine Weile nachher unbeschädigt an eine Brücke und blieb da stehen. Als man später unterhalb der Stadt die Leichen fand und ihre Herkunft ausgemittelt hatte, war in den Zeitungen zu lesen,[110] zwei junge Leute, die Kinder zweier blutarmen, zugrunde 15 gegangenen Familien, welche in unversöhnlicher Feindschaft lebten, hätten im Wasser den Tod gesucht, nachdem sie einen ganzen Nachmittag herzlich miteinander getanzt und sich belustigt auf einer Kirchweih. Es sei dies Ereignis vermutlich in Verbindung zu bringen mit einem Heuschiff aus jener Gegend, welches ohne Schiffsleute in der Stadt 20 gelandet sei, und man nehme an, die jungen Leute haben das Schiff entwendet, um darauf ihre verzweifelte und gottverlassene Hochzeit zu halten, abermals ein Zeichen von der um sich greifenden Entsittlichung und Verwilderung der Leidenschaften.

---

[109]**hier** . . . **Stille** here it came into a placid stretch
[110]*This is an almost verbatim quotation of an actual newspaper report which had inspired Keller to write this story.*

Vocabulary

A

ab-drehen turn off; twist off
Abendschein *m.* evening light
abenteuerlich bizarre
Aberglaube, -ns, -n *m.* superstition
abergläubisch superstitious
abermals once again
aberwitzig foolish; irrational
ab-fahren *i.* drive off
Abfall, ⸚e *m.* slope; refuse
ab-fallen *i.* fall off; slope
abfällig left-over
(sich) ab-finden settle (with); resign oneself (to); put up (with)
Abgabe, -n *f.* delivery; *pl.* taxes
ab-geben *i.* give; afford
abgehärmt careworn
ab-gehen *i.* come off
  sich nichts — lassen deny oneself nothing
abgelegen remote
abgeschlossen reserved; reticent
abgeschossen threadbare
ab-gewinnen *i.* win (away); wrest from
Abgrund, ⸚e *m.* abyss
ab-handeln purchase
ab-hängen (von) depend (upon)
(sich) ab-härmen languish; pine away
ab-härten harden
ab-holen fetch; go, come, or call for
abjagen snatch away
ab-kratzen scratch off
ab-laden *i.* unload

ab-liegen *i.* lie at one side
ab-lösen detach; replace
ab-mähen mow; harvest
ab-nagen gnaw at
ab-pfänden seize by law
(sich) ab-quälen torment oneself
ab-raten *i.* advise against; dissuade
Abrechnung, -en *f.* settlement (of accounts)
ab-schaben rub or wear off
  abgeschabt threadbare
ab-schälen peel off
ab-scheuern scour off
ab-schlagen *i.* refuse; dock (horse's tail)
ab-schließen *i.* close; decide
  abgeschlossen reticent; reserved
ab-schnallen unstrap
ab-schreiben *i.* copy
ab-schütteln shake off
ab-sehen *i.* look off or away
  abgesehen von aside or apart from; without regard to
ab-setzen discharge; stop; put down
  ob es einigen Spaß absetze whether there was any chance of fun
Absicht, -en *f.* intention; view; purpose
absichtlich purposely
absonderlich peculiar
ab-stäuben dust off
ab-stecken stake out
ab-stellen put a stop to
ab-stoßen *i.* break
ab-streifen strip off
ab-strömen recede

ab-stürzen dump
ab-trennen separate
ab-treten *i.* scrape off
ab-tun *i.* finish; close up
ab-warten wait
ab-wechseln alternate; vary
ab-wenden *i.* turn away
ab-werfen *i.* throw off
  das Abgeworfene the dumped earth
abwesend absent
  wie — absentmindedly
ab-wischen wipe off
ab-zehren emaciate; waste away
ab-zeichnen mark out
  sich — be visible
ab-ziehen *i.* draw off
Achsel, -n *f.* axle; shoulder
  die —n zucken shrug one's shoulders
Acht *f.* care
  sich in — nehmen take heed
achten pay attention; heed; esteem; respect; value
achtlos unmindful
Achtung, -en *f.* esteem; respect; regard
achtzigjährig eighty years old
  die A—e octogenarian
Acker, ⸚ *m.* (tilled) field
Ackerwirtschaft *f.* farm management; cultivation
Ackerzipfel, - *m.* bit of a field
Ader, -n *f.* vein; artery
adies *dial.* farewell
ahnen sense; think; suspect; have a presentiment (of); anticipate;
  — lassen give a presentiment of
ähnlich similar
Ähnlichkeit, -en *f.* resemblance
Ahnung, -en, *f.* foreboding; misgiving
Ähre, -n *f.* head of grain
Akt, -e *m.* footpath (running diagonally up a dike)
akzeptieren accept
allein but (alas)
alleinig sole
allemal every time; always
allerbescheidenst as modest as possible
allerhand all sorts of
Allerheiligen *m. pl.* All Saint's Day (Nov. 1)
Allerheiligentag, -e *m.* All Saint's Day (Nov. 1)
allerlei all sorts of (things)

allerschlimmst worst of all; very worst
allerwegen always; everywhere
Allerweltsbengel, - *m.* devil-may-care fellow
Allerweltsjunge, -n, -n *m.* devil-may-care fellow
allezeit always
allgemach gradually
allgemein general
Allmacht *f.* omnipotence
allmählich gradual
allweise omniscient
allwo where
alsbald immediately
alsdann then
alsobald very soon; forthwith
alt old
  der A—e old man
  die A—e old woman
Altenteil, -e *n.* part of estate set aside for parent's use
  aufs — müssen be forced to retire
altersschwach decrepit
Altweiberglaube, -ns, -n *m.* old wives' tale; superstitious belief
Amörchen, - *n.* cupid
Amt, ⸚er *n.* office
  seines —es warten perform one's official duties
amtlich official
Amtmann, -leute *m.* magistrate
Amtsführung, -en *f.* administration
Amtsgeschäft, -e *n.* official business
Amtssiegel, - *m.* official seal
Amtsstube, -n *f.* public office
Anatomie, -n *f.* anatomical laboratory; dissecting room
an-behalten *i.* keep on
an-beißen *i.* bite (into)
(sich) an-bequemen accommodate oneself
Anberg, -e *m.* slope
an-bieten *i.* offer (for sale)
an-binden *i.* tie (on); moor
an-blicken look at
an-brennen *i.* light
Andacht *f.* reverence
andächtig attentive; reverent
Andenken, - *n.* memory; remembrance; souvenir
ander other
  ein —es something else

(sich) **an-eignen** usurp; take possession (of)
aneinander-klingen clink together
Anerkennung *f.* acknowledgement; approval
an-fahren *i.* bark at
an-fangen *i.* begin; go about; do
  wußte nichts anderes anzufangen didn't know anything else to do
anfänglich at first
an-fassen take or lay hold of; seize; grasp
an-feinden be hostile to
Anfertigung, -en *f.* manufacture
an-feuern inflame; spur on
Anpflanzung, -en *f.* planting
an-flehen implore
an-füllen fill (up); stuff; cram
an-gaffen gape at; stare at
an-gähnen yawn at
an-geben *i.* announce; make a list of
  sich — give oneself up
angebissen bitten into; partially eaten
an-gedeihen lassen *i.* bestow upon
an-gehen *i.* begin; concern
angehend beginning; incipient
Angel, -n *f.* hinge
angelegentlich urgent
Angelrute, -n *f.* fishing rod
Angemeldete *adj. decl.* applicant
Angeredete *adj. decl.* person addressed
Angesicht, -er *n.* face; countenance
angestrengt forced
Angler, - *m.* fisherman
Angorakater, - *m.* angora tomcat
an-greifen *i.* take up
Angriffspunkt, -e *m.* point of attack
angst frightened
  die A— fear; anxiety
  es ward ihnen — und bange they became very uneasy
ängstigen alarm; worry
angstvoll anxious
an-haften cling to
Anhalt *m.* support
an-halten hold
  einen zu etwas — hold someone to something
Anhang, ⁔e *m.* following
an-heben *i.* begin; commence; take up
anheim-fallen *i.* fall (into)
anheim-geben *i.* be subject to
Anhöhe, -n *f.* knoll; eminence; height

an-kaufen buy up
an-klopfen knock
  wo ihr — sollt at whose door you may knock
an-knabbern gnaw at
an-kommen *i.* arrive; depend upon
  es wird ihm schwer — it will be hard for him
an-lächeln smile at
an-langen arrive; come to
Anlaß, ⁔e *m.* cause; occasion
an-legen put on; lay out; design; plan; invest; lay on; land; touch (at)
  die Hand — take a hand
an-liegen *i.* be adjacent
  —d attached
an-machen adulterate (wine)
Anmarsch, ⁔e *m.* approach
  in — approaching
an-mauzen meow at
Anmut *f.* charm; grace; pleasantness
anmutig charming; pleasant; agreeable; graceful
an-nähern accommodate
Annahme, -n *f.* acceptance
an-nehmen *i.* take on; assume; accept; receive
annehmlich acceptable; agreeable
Anordnung, -en *f.* order
  —en machen give orders
an-packen seize; grasp
Anprall *m.* impact
an-rufen *i.* call on; challenge
an-rühren touch
Ansatz, ⁔e *m.* plan; project
an-schaffen purchase; procure
Anschein, -e *m.* appearance
  allem — nach to all appearances
an-scheinen *i.* appear; look
  —d apparently
Anschlag, ⁔e *m.* striking; contact
an-schrauben *i.* screw on
an-sehen *i.* look at; witness; regard
  es einem — be able to tell by looking at a person
  es ist nicht zum A— I can't stand (to see) it
Ansehen *n.* appearance, look
ansehnlich imposing; eminent; considerable
an-setzen set; form
(sich) **an-siedeln** establish oneself

an-spannen hitch up
Ansprache, -n *f.* speech; address; praise
Anspruch, ⁻e *m.* claim; title
Anstalt, -en *f.* institution; preparation; move
anständig becoming; proper; respectable; decent
an-stecken infect
an-stellen do; undertake; perform; be up to
Anstoß, ⁻e *m.* shock; bump
an-stoßen *i.* bump against; border (on); adjoin
—d adjacent
an-streichen *i.* paint
an-strengen exert
Anstrengung, -en *f.* exertion
Anteil, -e *m.* share; participation; interest; sympathy
Anteilbesitzer, - *m.* share holder
Antlitz, -e *n.* face; countenance
Antrag, ⁻e *m.* demand; proposal
an-treiben *i.* drive (on); hasten or push on; urge forward; wash up
das A— pressure
an-treten *i.* enter on
an-tun *i.* do to
sich ein Leid — lay hands on oneself; kill oneself
an-vertrauen entrust to
Anwachs *m.* growth (of grass)
Anwandlung, -en *f.* attack; fit
an-weisen *i.* appoint; instruct; assign
angewiesen sein be dependent upon
einen zum Guten — instruct someone in righteousness
Anweisung, -en *f.* command; direction; order; instruction
anwesend present
die A—en *adj. decl.* those present
Anzahl, -en *f.* number
Anzeige, -n *f.* report; indictment
an-zeigen show
an-ziehen *i.* draw on; attract
sich — dress
Anzug, ⁻e *m.* dress; suit; outfit
an-zünden light
Apotheke, -n *f.* apothecary shop
Apothekerecke, -n *f.* corner near the apothecary shop
apportieren retrieve
Äquinoktialsturm, ⁻e *m.* equinoctial storm

Araber, - *m.* Arabian
Arbeit, -en *f.* work
Arbeitsstrenge *f.* discipline of labor
arg bad; evil; wicked; terrible
da kam es noch ⁻er things got still worse
es — treiben behave badly
Ärger *m.* vexation; annoyance; anger
ärgerlich angry; annoyed
ärgern vex; anger
sich — be vexed
arglos unsuspecting; guileless
arm poor
die Ärmste poor creature
Ärmel, - *m.* sleeve
Armut *f.* poverty
Art, -en *f.* sort; kind; species; breed; stock
artig pretty; nice; neat
artlich nice; proper
Arznei, -en *f.* medicine
Arzneimittel, - *n.* medicine
Arzt, ⁻e *m.* physician
Ast, ⁻e *m.* branch
Atemzug, ⁻e *m.* breath
atmen breathe
das A— breathing
Au(e), -(e)n *f.* meadow; green field
auf-atmen sigh
hoch — heave a deep sigh
auf-blicken look up
auf-blühen burst into bloom
auf-brechen *i.* break up
—der Sturm sudden(-breaking) storm
auf-bringen *i.* produce; procure
Aufbruch, ⁻e *m.* departure
zum — mahnen give the sign for departure
auf-bürden load up; burden
Aufenthalt, -e *m.* stay; sojourn; delay; stop
auf-erstehen *i.* rise (from the dead)
auf-fahren *i.* rise, start, or flare up; bark at
Auffahrt, -en *f.* driveway
auf-fallen *i.* attract attention
—d striking
auffällig striking; strange
auf-fangen *i.* catch up: capture
auf-finden *i.* find; discover
auf-fressen *i.* devour
auf-führen perform
Aufgang, ⁻e *m.* rise; dawn
auf-gären *i.* well up

aufgeregt excited; exciting
aufgerichtet erect
aufgeschossen tall
aufgeweckt wide-awake
auf-graben *i.* dig up
auf-halten *i.* stop
   sich — sojourn; tarry
   sich mit etwas — stop for; take one's
   time for something
auf-heben *i.* preserve; keep; save; take
   care of
auf-hören stop
auf-klimmen *i. dial.* climb up
auf-kommen *i.* come up
   — lassen give scope to
auf-laden *i.* load up
auf-leben take on (new) life
auf-legen dispose (toward)
   zu etwas aufgelegt sein be inclined;
   be in a mood for
auf-lesen *i.* pick up; gather
auf-leuchten flare (up)
auf-lösen dissolve
aufmerksam attentive; intent; observant
Aufmerksamkeit, -en *f.* attention
   — erregen attract attention
Aufmunterung, -en *f.* encouragement
Aufnahme, -n *f.* admission; enrollment
auf-nehmen *i.* receive
äufnen *Swiss dial.* improve; increase
Äufner, - *m. Swiss dial.* augmenter
auf-passen watch
Aufputz *m.* finery
auf-raffen snatch up
   sich — pull oneself together (or up)
auf-räumen straighten or clean up
aufrecht upright; erect; honest
Aufregung, -en *f.* excitement; stir; commotion; agitation
auf-reiben *i.* worry (to death); wear
   down; destroy
auf-reißen *i.* open wide; fling open
auf-richten set up
aufrichtig sincere; honest
auf-ritzen scratch open
auf-rücken be promoted; move up
auf-rühren stir or bring up
auf-rütteln arouse
auf-schießen *i.* shoot up
   lang aufgeschossen tall
auf-schlagen *i.* set up; open (a book);
   lift up (eyes)
auf-schrecken startle

Aufschrei, -e *m.* cry
auf-schreien *i.* cry out
Aufschub, ⸚e *m.* delay; postponement
auf-schürzen fasten or tuck up
auf-schütten dump on; store up
auf-schwatzen talk (someone) into
auf-sehen *i.* look up
   das A— attention; sensation
Aufseher, - *m.* supervisor; foreman
auf-seufzen heave a sigh
Aufsicht *f.* supervision; control
auf-sperren open wide
auf-spielen fiddle; play
auf-stehen *i.* stand up
auf-stellen set up; choose; assert
auf-stemmen set akimbo
auf-stöhnen groan
auf-stören startle
Auftrag, ⸚e *m.* message
auf-tragen *i.* enjoin; command
   einem etwas — commission someone
   to do something
auf-treiben *i.* rouse; raise; swell
Auftritt, -e *m.* scene; event
auf-tun *i.* open
   sich — open; set oneself up
auf-wachen wake up; awake
auf-wachsen *i.* grow up
auf-warten serve
auf-weisen *i.* show
Auge, -n *n.* eye
Augenblick, -e *m.* moment
augenblicklich momentary
Augenhöhle, -n *f.* eye socket
Ausarbeitung, -en *f.* working out
aus-bedingen stipulate
aus-bilden develop
aus-blasen *i.* blow out
aus-bleiben *i.* stay away; be absent; fail
   to appear
aus-breiten spread out
   sich — extend; spread
Ausdruck, ⸚e *m.* expression
auseinander-huschen slip from one
   another
auseinander-kennen *i.* be able to distinguish
auseinander-scheuchen scatter (in all
   directions)
auseinander-setzen explicate; explain
auseinander-stieben *i.* scatter
auseinander-stürzen fall apart
auseinander-zerren pull apart

aus-gehen *i.* end
ausgelassen unrestrained; boisterous
Ausgelassenheit, -en *f.* boisterousness; exuberance
ausgemacht decided; sure
  eine —e Sache an established fact
ausgenommen except
ausgespreizt spread-out
ausgezackt scalloped
aus-gießen *i.* pour out
  ausgegossen filled
aus-halten *i.* hold out; endure; survive
aus-hauen cut out
aus-heilen mend
aus-holen draw back (for a throw); pump out; get information from
aus-lachen laugh at; deride
aus-lassen *i.* leave out; let out
aus-liegen *i.* be spread out
aus-löschen extinguish
aus-messen *i.* measure (with one's eyes)
aus-mitteln ascertain
ausnahmsweise as an exception
ausnehmend exceptional
aus-putzen tidy or spruce up
aus-quetschen squeeze out; crush
aus-recken sprain
aus-reiben *i.* rub out
aus-reuten root or dig up
aus-richten do; perform; deliver (a message)
aus-rücken start out
aus-säen sow
aus-schlafen *i.* sleep (off)
aus-schlagen *i.* refuse; decline
ausschließlich exclusive
aus-schreiben *i.* issue a proclamation
aus-schweigen *i.* keep secret
aus-sehen *i.* appear; look
außer outside of; aside from; in addition to; except
  — sich beside oneself
äußer external
äußern utter; express; show
äußerst outermost
Äußerung, -en *f.* utterance
aus-setzen stop
Aussicht, -en *f.* prospect
aus-sinnen *i.* think out
aus-speien *i.* spit (out)
aus-sperren exclude

aus-spreizen spread out
Ausspülung, -en *f.* washing action
aus-staffieren dress up
aus-stechen *i.* take someone's place
ausstehen *i.* endure; bear
Aussteuer, -n *f.* dowry
aus-stoßen *i.* utter
aus-streichen *i.* strike out; cross out
aus-suchen choose
  ausgesucht select; very special
aus-teilen distribute; deal
aus-treiben *i.* knock out
aus-tun *i.* extinguish
aus-wandern emigrate
aus-waschen *i.* wash out
aus-weichen *i.* dodge; evade
aus-zacken scallop
Avosette, -n *f.* avocet

B

Backe, -n *f.* cheek
Backwerk, -e *n.* pastry
Bahre, -n *f.* litter; bier
Bahrtuch, ⁻er *n.* pall
bald soon; almost
  — ... — now ... now
Balken, - *m.* beam
Balkengefüge *n.* framework (of beams)
Band, ⁻er *n.* ribbon
Bande, -n *f.* gang
bang(e) fearful; uneasy; anxious; afraid
Bangigkeit, -en *f.* apprehension
Bank, ⁻e *f.* bench
Bann, -e *m.* spell
bannen put under a spell
  wie gebannt as if transfixed
bar bare; cash
  —es Geld cash
  ein Stück Bares a little cash
Bärenstimme, -n *f.* bear's voice
Base, -n *f.* (female) cousin
baß *obs.* very; highly
  das wird mir — tun that will do me good
Baßgeige, -n *f.* bass viol
Bauart, -en *f.* architectural style
Bauch, ⁻e *m.* belly
bauen raise; build; cultivate
Bauer, -n *m.* peasant; farmer
Bauernhof, ⁻e *m.* farm
Bauernpack *m. or n.* peasant rabble

Bauersmann, -leute *m.* countryman;
farmer
bäumen rear
baumwollen cotton
beabsichtigen intend
beachten notice
Beamte *adj. decl.* official
bebauen cultivate; till
Becken, - *n.* basin; bowl
bedächtig thoughtful
bedanken thank
　sich — demur; say "no thank you"
bedauern pity
bedecken cover; hide
bedenken *i.* reflect; think over; consider
　sich — think better of; hesitate
Bedenken *m. pl.* doubts
bedenklich serious; grave; suspicious;
questionable
bedeuten mean; point out
bedienen serve
　sich — make use of
bedingen require; condition
bedrängen press hard; oppress; tease
bedürfen *i.* require; need; be necessary
Bedürfnis, -se *n.* need; desire
Beerchen, - *n.* little berry
befallen *i.* befall; attack
befehden fight
　sich — quarrel
Befehl, -e *m.* order; command
befehlen command
befestigen tie; fasten
befinden *i.* exist; be found
　sich — be; find oneself
(sich) befleißen, i, *i.* take pains
　beflissen sein be intent upon
befördern advance
　sich — be advanced
befragen question
befreien free; release
Befreiung, -en *f.* liberation; deliverance
befremdend strange
befreunden befriend
　der Befreundete friend
befriedigen satisfy; content
Befürwortung, -en *f.* recommendation
(sich) begeben *i.* betake oneself; go;
take place; occur; develop
Begebenheit, -en *f.* event
begegnen meet
Begegnung, -en *f.* meeting; encounter

begehen *i.* commit; celebrate
begehren want; desire; request; demand
Begehrlichkeit *f.* covetousness; greed
Begier *f.* desire; fascination
Begierde, -n *f.* longing; (eager) desire
begierig eager
　—**e Seligkeit** amorous bliss
beginnen *i.* begin
beglückwünschen congratulate
begnadigen pardon
begnügen content
　sich — be content
begraben *i.* bury
Begräbnis, -se *n.* burial
Begräbnisplatz, ⁼e *m.* cemetery
Begräbnisstätte, -n *f.* burial place
begreifen *i.* comprehend; understand
　begriffen sein be engaged in
Begriff, -e *m.* idea; concept
　im — about to; on the point of
begrüßen greet; welcome
begucken look at
Behagen *n.* pleasure; delight
　mit — relaxed
behaglich comfortable; cozy; at ease;
agreeable
behalten *i.* keep
beharren continue; persist; insist; per-
severe
behaupten assert; maintain
(sich) behelfen *i.* get along
behilflich helpful
behüten preserve; keep (from)
　behüt dich Gott adieu
bei-bringen *i.* bring forward; produce;
instruct
　einem etwas — inform someone
about something
beide both
　alle — both
　alle — **nicht** neither of them
beiderseitig mutual
beiderseits on each side
Beifall *m.* approval
bei-fallen *i.* occur
Beifallsmurmeln *n.* murmur of approval
bei-kommen *i.* get at
beiläufig casual
　wie — casually
bei-legen lay by; add to
　sich — tie up
Beilegerofen, ⁼ *m.* warming oven

beinahe almost
beisammen together
beisammen-sitzen *i.* sit together
bei-setzen inter
Beispiel, -e *n.* example
beißbar edible
 etwas **B—es** something to eat
bei-stehen *i.* support; help
bei-treiben *i.* procure; "scare up"
bekämpfen combat
Bekanntmachung, -en *f.* announcement
bekehren convert
 sich — turn to
 war nicht zu — could not be convinced
bekennen *i.* confess
beklagen lament; deplore
bekleiden clothe; cover; wainscot; hold
 (office)
beklommen oppressed; uneasy; with
 difficulty
bekommen *i.* receive; get
bekriegen oppose; struggle against
bekümmern concern
 bekümmert grieved; sorrowful
 sich — be anxious or concerned
Belang, -e *m.* importance
belasten load; burden; cover
belästigen burden; annoy; bother
beleben bring to life; populate
 belebt lively; having life
belegen situate
beleuchten light; shine upon
bellen bark; bay; yelp
Belohnung, -en *f.* reward
belustigen amuse
 sich — make merry
(sich) bemächtigen take possession of;
 get in one's power
bemerken notice; remark
bemessen *i.* measure
bemühen trouble
 sich — try
(sich) benehmen behave
 das **B—** conduct; behavior; manners
Bengel, - *m.* rascal
benötigen need
 benötigt sein stand in need of
benutzen use; make use of; take advantage of
bequem convenient; easy
beraten *i.* take counsel; decide
berechnen figure

bereden talk over
 sich — consult
beredt eloquent
bereift covered with hoarfrost
bereit ready
bereiten prepare
bereits already
bereit-stehen *i.* stand ready
bereitwillig willing
bereuen repent; regret
bergen, a, o conceal; hold safe
 sich — take refuge
Berghalde, -n *f.* hillside; mountain slope
Bericht, -e *m.* report
berichten report
berufen call
beruhen rest; be founded
 die **Sache auf sich — lassen** let the
 matter rest
berußt begrimed; sooty
(sich) besaufen *i.* get drunk
besäumen border; edge
beschaffen do; make; procure; supply;
 provide; manage
beschäftigen employ; use; occupy
beschämt ashamed; shamefaced
beschatten shade
beschauen inspect
Beschauer, - *m.* beholder
Bescheid *m.* information; decision
 — geben respond
 — wissen be acquainted (with); have
 knowledge (of)
 einem **— tun** drink to someone
bescheiden modest; discreet
bescheinen *i.* shine upon; illuminate
Bescherung, -en *f.* gift; mischief; "a fine
 kettle of fish"
beschlafen *i.* sleep (on)
Beschlag, ⁼e *m.* seizure
 in — nehmen confiscate; seize
beschleunigen hasten; quicken
beschränkt limited; narrow
beschreiben *i.* describe
Beschützer, - *m.* protector; defender;
 cavalier
beschweren encumber; burden
 sich — complain
besehen *i.* inspect; survey
Beseitigung, -en *f.* removal
Besen, - *m.* broom
besessen possessed; mad

besinnen *i.* reflect
  das B— reflection
  sich — consider; deliberate; reflect; bethink oneself; make up one's mind
Besitz, -e *m.* possession; property
  in — haben own
besitzen *i.* own; possess
Besitzer *m.* owner
Besitztum ⁔er *n.* property
besonders especially
besorgen take care of; fear
Besorgnis, -se *f.* worry
bespannen harness; draw
  mit Ochsen bespannt ox-drawn
  mit Saiten bespannt stringed (instrument)
besprengen sprinkle; fleck; spatter
bespritzen splash; spray
bessern make amends
  — gehen smooth things over
bestätigen confirm
Bestattung, -en *f.* burial
bestehen *i.* exist; consist; persist; endure; go on; survive; pass (a test)
besteigen *i.* climb onto; mount; ascend
bestellen appoint; order
  es war schlimm bestellt things were in a bad way
Bestellung, -en *f.* order
  die — machen give the order
Bestickung, -en *f.* (straw) covering
bestimmen fix; determine
  bestimmt definite; certain
bestreiten *i.* deny; settle (a debt)
bestürzt thunderstruck; aghast
Besuch, -e *m.* visit
betäuben stifle; benumb; strike dumb; deafen
beten pray
betrachten look upon; regard; admire; observe; consider
(sich) betragen *i.* conduct oneself; behave
betreffen *i.* strike; concern; touch (upon)
  was mich betrifft as far as I am concerned
betreiben *i.* carry on or out
betreten enter
betrüben distress
betrüblich sad; distressful
betrübt distressed; sad; desolate
Betrübnis, -se *f.* grief; sadness; sorrow

betrügen, o, o deceive
Bettbühr, -e *n. dial.* pillowcase
Bettelei, -en *f.* beggary
betteln beg
Bettkante, -n *f.* edge of the bed
Bettstatt, ⁔e *f.* bedstead
Bettstelle, -n *f.* bedstead
beugen bend
  sich — bend low; bend down
beunruhigen disturb
Beute, -n *f.* booty
bevor-stchen *i.* impend; await
  einem — be in store for someone
bewahren keep; save; preserve
bewegen move
bewegen, o, o move; induce; prevail upon; persuade
beweglich movable; in motion
Bewegung, -en *f.* movement; agitation
Beweis, -e *m.* proof
Bewirtschaftung, -en *f.* management
bewußt conscious
bewußtlos unconscious
Bewußtsein *n.* consciousness
bezaubern charm; enchant
bezeugen vouch (for)
Bezirksrat, ⁔e *m.* district board
bezogen overcast
bezwingen *i.* restrain; subdue; conquer
Bibliothek, -en *f.* library
biegen, o, o bend; turn
bieten, o, o offer; bid
Bild, -er *n.* picture; image; figure
bilden form
Bildsäule, -n *f.* statue
billig proper; reasonable; cheap
  um ein —es for a low price
Bimmelglöcklein, - *n.* ding-dong bell
binden, a, u tie
Binnenseite, -n *f.* landward side
Birne, -n *f.* pear
bisher hitherto
bislang hitherto
Bissen, - *m.* bite
bisweilen sometimes
bitten, bat, gebeten ask; request; invite
  —d entreating
Bittschrift, -en *f.* written petition
blank shiny
Blase, -n *f.* bubble
Blässe *f.* pallor; wanness
Blatt, ⁔er *n.* leaf; petal; magazine

Blätterkrone, -n *f.* crown of leaves
blaugefärbt blue-colored
blaukariert blue plaid
blechern (of) tin
Blechkessel, - *m.* tin kettle
Blei *n.* lead
  in — gefaßt leaded
bleiben, ie, ie remain; stay
  etwas — lassen give something up
bleich pale
bleigefaßt lead-rimmed
Bleistift, -e *m.* pencil
blenden blind
blendendweiß dazzling white
Blessur, -en *f.* wound
Blick, -e *m.* glance; look
blinken glitter
blinzeln squint
Blitz, -e *m.* flash
blitzen lightning; flash
blöd timid; dull; imbecile
blödsinnig idiotic; imbecilic
bloß bare; naked; only; simply
bloß-legen lay bare
blühen bloom
blumengeschmückt adorned with flowers
Blumenstrauß, ⸗e *m.* bouquet
Blut *n.* blood
  das arme — the poor creature(s)
  das junge — the young creature
Blütezeit, -en *f.* blossom time
Blutfleck, -en *m.* bloodstain
blutjung very young
blutrot bloodred
Boden, - *m.* ground; floor; attic
Böe, -n (=**Bö**) *f.* squall
Bogen, - *m.* bow; arch; curve; arc; sheet (of paper)
Bohne, -n *f.* bean
bohnen polish
Bohnenwäldchen, - *n.* little forest of beans
bohren bore; drill; dig; pierce
Boot, Böte *n.* boat
Bord, -e *n.* bank
bös(e) bad; vicious; wicked; evil; angry
boshaft malicious
Bosheit, -en *f.* malice; spite
Böte (*see* **Boot**)
Bote, -n -n, *m.* messenger
brach fallow; uncultivated

branden break; surge
Brandung, -en *f.* surf
Braten, - *m.* roast
Bratenschüssel, -n *f.* roast platter
Brauch, ⸗e *m.* custom
brauchen need; require
Braue, -n *f.* eyebrow
brauen brew
bräunlich brownish
brausen roar
Braut, ⸗e *f.* bride; fiancée
Bräutigam, -e *m.* fiancé
Brautpaar, -e *n.* betrothed couple
brechen, a, o break; grow dim (in death)
Breite, -n *f.* breadth; latitude
breitgeworden spreading
brennen, brannte, gebrannt burn
Brett, -er *n.* board; table; shelf
bringen, brachte, gebracht bring
  einen um etwas — rob someone of something
Brocken, - *m.* morsel; crumb
Brötchen, - *n.* roll (bread)
Bruch, ⸗e *m.* break; pond (behind a dike)
Bruderssohn, ⸗e *m.* nephew
brummen growl; grumble
Brunnen, - *m.* spring; well
Brustwehr, -en *f.* parapet
brüten brood
Bub, -en *m.* boy
Bubenmädchen, - *n.* tomboy
Bücherregal, -e *n.* bookshelf
Buchstabe, -ns, -n *m.* letter
bücken bend; stoop
bucklig hunchbacked
  der B—e hunchback
Bude, -n *f.* booth
Bügel, - *m.* stirrup
Bummeis *n.* soft ice; frozen snow
Bündelchen, - *n.* bundle
bunt many-colored; gay
  — werden take on color
  es — machen act extravagantly
Bürgerrock, ⸗e *m.* gentleman's coat
Bursche, -n, -n *m.* lad; fellow
bürsten brush
Büschel, - *n.* bunch; tuft
buschen mow
Buße, -n *f.* penance
Bussole, -n *f.* instrument used for measuring angles

C

Christ, -en *m.* Christian
Christenherz, -en *n.* Christian heart
Christentum *n.* Christianity
Christfest, -e *n.* Christmas

D

dabei meanwhile; (in) so doing
— **sein** be present
Dach, ⸚er *n.* roof
dafür for that; instead; to compensate for that
dagegen on the other hand; in return; against it
daher from there; thence; along
dahingehörig pertinent
damalig of that time
dämmen dam
Dämmer *m.* dusk
dämmerig dusky; misty
Dämmerschein *m.* twilight
Dämmerung *f.* dusk; twilight
Dampf, ⸚e *m.* mist; steam; smoke
dämpfen lower (one's voice)
dampfen steam; smoke
danken thank; owe
(von) dannen thence; away
daran-setzen risk; venture
dar-bieten *i.* proffer
darein-geben *i.* give to boot
dar-legen expose
dar-stellen represent; show; present; exhibit
darüber over it
Dasein *n.* existence; presence
daselbst at that place
dauerhaft durable
dauern move to pity; last; endure; continue
—**d** continuous; lasting
Daumen, - *m.* thumb
einem den — halten support someone
dazu furthermore; then too
dazugehörig accompanying
dazwischen mixed in with
Deckbett, -en *n.* coverlet
decken cover; set (the table)
dehnen expand
sich in die Breite — swell (laterally)
Deich, -e *m.* dike

Deichbau *m.* dike construction
Deichbote, -n, -n *m.* dikereeve's messenger or helper
Deichgraf, -en, -en *m.* dikereeve; dikegrave; superintendent of dikes
deichgräflich of the dikereeve
Deichgrafschaft, -en *f.* dignity of the dikereeve
Deichlast, -en *f.* (burden of) dike taxes
Deichordnung, -en *f.* dike ordinance(s)
Deichschaden, ⸚ *m.* damage to the dike
Deichschreiber, - *m.* dikereeve's secretary
Degen, - *m.* sword
Demant (= **Diamant**), **-en** *m.* diamond
Demat *n. dial.* acre
demütigen humiliate
denken, dachte, gedacht think
sich — imagine
Denkmal, ⸚er *n.* monument
Denkstein, -e *m.* gravestone
dennoch nevertheless
derart that kind of
derb rough; firm; solid; robust
dergleichen the like; similar things; the same thing
derzeit at that time
derzeitig of that time
(je ...) desto the ... the
um — mehr all the more
(um) deswillen on that account
deutlich clear; distinct; plain
d. h. *abbrev.* **das heißt**
dicht thick; close; dense
dick thick
Dickbauch, ⸚e *m.* potbelly
Diebeswache, -n *f.* lookout (for thieves)
Diebshehler, - *m.* receiver of stolen goods; "fence"
dienen serve; be useful; go into service; find a job
dienern bow
Dienst, -e *m.* service; job
Dienstbub(e), -(e)n, -(e)n *m.* (servant) boy
dienstfertig obliging
dieser this; the latter
diesmal this time
Ding, -e *n.* thing
guter —e sein be in good spirits
Dirn(e), -(e)n *f.* maid; girl
das —chen lass

Distelblume, -n *f.* thistle flower
Distelstaude, -n *f.* thistle
doch yet; nevertheless
Dom, -e *m.* cathedral
donnerartig thunderous
donnern thunder
Dorf, ⁔er *n.* village; hamlet
Dorfgenoß(sse), -(sse)n, -(sse)n *m.* fellow villager
Dörfler, - *m.* villager
dörren dry; parch
dortig there; at that place
Dossierung, -en *f.* slope
Drachen, - *m.* dragon
dran müssen have to get to work
drängen pull; urge; impel; force; press
    gedrängt crowded; compact
    es drängte ihn he felt impelled
    sich — crowd
    sich herzu — come up close
dräuen (= **drohen**) threaten
draußen outside; out there
    von — from the sea
drehen turn; twist
    einem eine Nase — lead someone by the nose
Dreieck, -e *n.* triangle
drein along
    hinter ihm — along behind him
drein-reden interfere
drein-schlagen *i.* strike (in); shake (hands)
Dreißiger *adj. decl.* (man) in his thirties
dreschen, o, o thresh
dressieren train
dringen, a, u penetrate; get in; enter
    —d urgent
Drittel, - *n.* third
droben above; up there
drohen threaten; be about to
dröhnen resound; thunder
Drohung, -en *f.* threat
drollig droll; funny; odd
drüben over there
drücken oppress
drucken print
    gedruckt in print
(sich) ducken stoop; crouch
duften be fragrant; smell sweet
    —d fragrant
Duftgewebe, - *n.* gossamer mist
dulden endure; tolerate

dumm stupid
Dummheit, -en *f.* stupidity; foolish trick
Dummkopf, ⁔e *m.* blockhead
dumpf dull; hollow; musty; stuffy
dunkel dark; indistinct; vague
dünken seem; fancy
dünn thin
durchaus completely; positively; by all means
(sich) durch-bringen *i.* get along
Durchdämmung, -en *f.* damming up
durch-dringen *i.* penetrate
durchduften fill with fragrance
Durcheinanderreden *n.* confusion of voices
(sich) durch-finden *i.* get along
Durchlaucht *f.* Highness; Grace
    Euere — your Grace
durchmustern examine (one by one)
durchschaudern shudder
    es durchschauderte sie kalt und heiß cold and hot thrills passed through them
durchscheinend obvious
durchschimmern glisten through
durch-setzen put through
durchsichtig transparent; clear; unblemished
durch-sickern trickle through
durchstechen *i.* pierce
dürftig poor; needy; scanty; inadequate
Dürftigkeit *f.* poverty
dürr dry; withered
Durst *m.* thirst
dürsten thirst
Dutzend, -e *n.* dozen
dutzendweise by the dozen

E

Ebbezeit, -en *f.* ebb tide
eben just; exactly; even; flat; smooth
    — erst just (now)
Ebene, -n *f.* plain
ebenfalls likewise
ebenso just as; equally; likewise
ebnen level; smooth
eckig angular
Edelhof, ⁔e *m.* estate of a nobleman
egal the same; immaterial
ehe before

Ehe, -n *f.* marriage
ehelich matrimonial
Eheliebste *adj. decl.* beloved husband or wife
ehemalig former
ehemals formerly
ehrbar proper; decorous
Ehre, -n *f.* (sense of) honor
Ehrenhaftigkeit *f.* honorableness
Ehrenkranz, ⁻e *m.* crown of honor
Ehrenposten, - *m.* honorary position
Ehrentag, -e *m.* day of honor; wedding day
ehrerbietig respectful; deferential
Ehrerbietung *f.* respect
Ehrfurcht *f.* respect; veneration; sense of honor
ehrlich honest; respectable
ehrlos dishonorable
ehrsam honorable; respectable
Ehrsucht *f.* ambition
Eichenstamm, ⁻e *m.* oak trunk
Eich(en) wald, ⁻er *m.* oak forest
Eierbrot, -e *n.* bread made with eggs
Eifer *m.* zeal
Eifersucht *f.* jealousy
eifersüchtig jealous
eifrig zealous; earnest; eager; vigorous
eigen proper; peculiar; own
Eigenschaft, -en *f.* attribute
Eigensinn *m.* stubbornness; obstinacy; caprice
eigensinnig willful; capricious
eigentlich really; truly; properly
Eigentum, ⁻er *n.* property
Eigentümer, - *m.* owner
eigentümlich peculiar; strange; characteristic (as property)
eilen hasten; hurry
eilfertig hasty; speedy
Eimer, - *m.* pail
(sich) ein-bilden imagine; fancy
ein-binden *i.* bind
Einbrecher, - *m.* robber; housebreaker
ein-bringen *i.* bring in; compensate for
ein-bürgern establish
ein-deichen dike in
Eindeichung, -en *f.* diking in
eindringlich penetrating; forceful; fervent; impressive
Eindruck, ⁻e *m.* impression
einerlei all the same

Einfall, ⁻e *m.* idea; thought; fancy notion; whim
ein-fallen *i.* occur to
Einfalt *f.* simplicity; naïveté
einfältig simple; artless; silly
(sich) ein-finden *i.* come; appear; arrive; be present
ein-flößen call forth; inspire with
Einfluß, ⁻sse *m.* influence
(sich) ein-freien marry into property
Eingabe, -n *f.* presentation; request
Eingang *m.* introduction
eingebildet imaginary
eingebürgert established
eingefallen sunken
eingelernt rehearsed
Eingesessener *adj. decl.* land owner
ein-gestehen *i.* confess
eingewoben interwoven
ein-graben *i.* bury
ein-gucken look in
ein-handeln buy
einher-gehen *i.* walk along
ein-holen overtake
einig united
— **werden** agree
einige some; several
ein-kassieren receive
ein-kehren turn in at; visit
ein-klemmen squeeze in; jam in
Einkrümmung, -en *f.* encroachment
ein-laufen *i.* arrive; come in
einmal once
nicht — not even
ein-nehmen *i.* take in; eat
(sich) ein-nisten establish oneself
ein-rammen ram in
ein-räumen furnish
ein-richten settle; arrange; prepare
ein-rücken move into
Einsamkeit, -en *f.* loneliness; solitude
ein-schlafen *i.* go to sleep
ein-schlagen *i.* strike
einem in die Hand — shake hands with someone (to close a bargain)
ein-segnen confirm
ein-sehen *i.* understand; realize; perceive
ein-setzen begin
Einsicht, -en *f.* insight; intelligence; inspection
einspännig one-horse
ein-sperren lock up

Einsprache, -n *f.* protest; opposition
ein-sprechen *i.* inculcate; inspire with
  bei einem — knock at a person's door
einst once; some time
ein-stellen put in; stop; halt
einstens one day
ein-stoßen *i.* knock in
einstweilen temporarily; for the time being
einstweilig present
eintönig monotonous
Eintracht *f.* harmony; accord
ein-treffen *i.* arrive; come true; be fulfilled
ein-treten *i.* step in; kick in; appear; enter; come into office
Eintritt, -e *m.* entrance
Einwand, ⸗e *m.* objection
ein-weihen dedicate
ein-wenden interject; object
Einwendung, -en *f.* objection
ein-wirken work upon; act upon; affect; influence
einzeln single; individual
ein-ziehen *i.* call in; draw in
einzig sole; singular
eisbedeckt ice-covered
Eisbosler, - *m.* ice bowler
Eisenring, -e *m.* iron ring
eisern iron
Eisvogel, ⸗ *m.* kingfisher
elend wretched; miserable; poor; pitiful
Elend *n.* misery
  ins — bringen ruin
elenderfüllt filled with misery
elendiglich wretchedly; miserably
empfangen *i.* welcome
empfinden *i.* feel; perceive; be sensible of
Empfindung, -en *f.* feeling; sensation
empor up
empor-fahren *i.* rise up (suddenly)
empor-gehen *i.* go up(ward)
empor-glimmen blaze up
empor-halten *i.* hold up
empor-heben *i.* lift up; raise
empor-tauchen emerge
empor-tragen *i.* carry up; bear aloft
emsig busy
enden finish, stop
endlich finally
eng narrow; close; tight; constrained
Engelschar, -en *f.* host of angels

Enkel, - *m.* grandchild
entbehren get along without
entbehrlich dispensable
entblößen bare
entbürden relieve (of taxes)
entdecken discover
Ente, -n *f.* duck
entfalten unfold; develop
entfliehen *i.* escape
entfernen remove
  sich — withdraw; depart
entfernt distant; remote
Entfernung, -en *f.* distance
entgegen toward; against
entgegen-dringen *i.* penetrate to
entgegengesetzt reverse; opposite
entgegen-kommen *i.* come toward; meet (halfway)
entgegen-stellen offer (resistance)
entgegnen reply; answer
entgehen *i.* escape (the notice of)
enthalten *i.* contain
entkleiden undress
entlassen *i.* dismiss; release
entleeren empty
entlegen remote; distant
entreißen *i.* wrest from; snatch away
Entsagung, -en *f.* denial; renunciation
entscheiden *i.* decide
  sich — come to a decision; be decided
Entscheidung, -en *f.* decision
entschließen *i.* decide; resolve
  kurz (und) entschloßen with decisive action
entschlummern fall asleep
entschlüpfen slip away
Entschluß, ⸗sse *m.* decision
entschuldigen excuse
entschwinden *i.* disappear; soar away
Entsetzen *n.* horror
entsetzt horrified; frightened; terrified; aghast
entsetzlich terrible
(sich) entsinnen *i.* remember; recollect
Entsittlichung *f.* demoralization
entstehen *i.* arise; originate; come into being; result (from)
entströmen flow out
entwenden steal
entwerfen *i.* draft; sketch; devise; lay out; make
entziehen *i.* deny; withdraw

(sich) **erbarmen** have mercy
  das **E**— compassion; mercy
erbärmlich pitiful; miserable; trivial
Erbauer, - *m.* builder
Erbe *n.* inheritance
erbeuten gain (as booty)
Erbfeind, -e *m.* sworn enemy
erblassen grow pale; fade; blanch
erbleichen *i.* turn pale; blanch
erblicken catch sight of; behold; see;
  perceive
— **lassen** display
erbosen provoke
erbrechen *i.* break open
Erbschaft, -en *f.* legacy
Erbse, -n *f.* pea
Erde, -n *f.* earth
Erdgeschoß, ⁻e *n.* ground floor
Erdhaufen, - *m.* mound of earth
Erdwelle, -n *f.* knoll; hillock
Ereignis, -se *n.* event; occurrence; incident
erfahren *i.* learn; find out; experience
erfangen *i.* catch
erfinden *i.* invent
erflehen obtain by entreaty
erfolgen ensue; follow; result
erfreuen please; make happy
  sich — enjoy; possess
  erfreut pleased
Erfüllung, -en *f.* fulfillment
ergeben *i.* give; yield
— *past part.* devoted
  sich — surrender; come to pass
ergehen *i.* befall; go out; be proclaimed;
  impers. fare
ergraut gray-haired
ergreifen *i.* seize; grasp
erhalten *i.* obtain; get; preserve
Erhaltungskosten *pl.* costs of maintenance
erheben *i.* raise
  erhoben upraised
  sich — rise (up)
erheischen exact; demand; call for
erhellen illumine; make clear
erhören grant
Erinnerung, -en *f.* memory; recollection
Erinnerungskraft, ⁻e *f.* memory; power
  of recollection
erkennen *i.* recognize; distinguish
erklären explain

erklecklich considerable
erlahmt paralyzed
erlangen attain
erlauben allow; permit
Erläuterung, -en *f.* explanation
erleben live to see; witness; experience
erlegen succumb to
erleichtern ease; facilitate
  erleichtert relieved
erleiden *i.* suffer; endure
erleuchten light up; illuminate
Erlös, -e *m.* proceeds
erlöschen *i.* extinguish
erlösen save; redeem
(sich) **ermannen** recover oneself; take
  heart
ermuntern encourage
  sich — rouse up; come to life
ermutigen encourage
erneuern renew; repair
ernst grave; solemn; earnest
Ernst *m.* earnestness
  ist das dein — ? are you serious?
ernsthaft earnest; grave
Ernte, -n *f.* harvest, crop
Erntesegen *m.* (rich) harvest
erobern conquer; secure
Eröffnung, -en *f.* disclosure
Erquickung, -en *f.* refreshment; comfort
erregen arouse; stir up; provoke; inspire
erreichen reach; attain
errichten erect; build; raise up
erringen *i.* win; achieve
erröten blush; redden
ersaufen drown
erschallen *i.* resound
erschauen behold; see
erscheinen *i.* appear; seem
Erscheinung, -en *f.* appearance; phenom-
  enon; apparition
erschießen *i.* shoot (to death)
erschlagen *i.* kill
erschöpfen exhaust
erschrecken *i.* (be) frighten(ed)
  das **E**— fright
erschrocken alarmed; frightened; startled
erschüttern shake; stir deeply
Erschütterung, -en *f.* shock; (deep)
  emotion; shaking
erschwingen *i.* manage
ersehnen long for; yearn for; desire
  earnestly

ersetzen substitute for; make up for; take the place of
  allen übrigen Staat — compensate for the lack of finery
erst first; only; not until
  eben — just (now)
erstatten make; give
erstaunen (be) astonish(ed); (be) surprise(d)
  das E— amazement
erstaunlich astonishing
erstehen *i.* buy; purchase (at auction)
ersticken strangle; choke; be stifled
(sich) erstrecken extend
ertönen resound
Ertrag, ⁻e *m.* proceed(s)
ertragen *i.* endure; bear; suffer
ertrinken *i.* drown
  die Ertrunkenen the drowned
ertrotzen obtain by defiance
erwachen wake (up); awake
erwachsen *i.* grow up; accumulate; accrue
erwägen *i.* consider
erwähnen mention
erwarten expect; look for; wait for
erwecken awaken; arouse; excite; cause
erwerben *i.* gain; acquire; secure
Erwerbung, -en *f.* procurement
Erwerbzweig, -e *m.* profession; vocation
erwidern reply; answer
erzählen tell
Erzengel, - *m.* archangel
erziehen *i.* raise; rear
  wohl erzogen well-bred
erzwingen *i.* accomplish (by effort)
Esche, -n *f.* ash (tree)
Eschenbaum, ⁻e *m.* ash tree
eßbegierig gluttonous
essen, aß, gegessen eat
  das E— food; meal
  ein gefundenes E— meat and drink; a lucky strike
Essighafen, - *m.* vinegar jug; "sourpuss"
Estrich, -e *m.* upper floor
etlich several
etwa about; perhaps; by chance; possibly
etwaig possible
ewig eternal
Ewigkeit, -en *f.* eternity

Exzeß, -sse *m.* excess
  einen — machen commit a misdemeanor

F

Fabel, -n *f.* story; plot
fabelhaft fabulous; marvelous
Fach, ⁻er *n.* panel; compartment; specialty
Fachmann, -leute *m.* expert
Faden, ⁻ *m.* thread
fähig able; competent; apt
fahl blond
Fähnrich, -e *m.* ensign
fahren, u, a ride; drive; travel; pass
  es fuhr ihm durch den Kopf it occurred to him
  — lassen let go; pay no heed to
  — nach grasp suddenly
  —des Gesinde vagabonds
  sich über das Gesicht — pass one's hand across one's face
Fahrhabe *f.* movable goods
fahrlässig negligent
fällen fell
fallieren declare bankruptcy
Fallit, -en, -en *m.* bankrupt
Falte, -n *f.* fold; wrinkle
falten fold
Falter, - *m.* butterfly
Familienverstand *m.* family intelligence
fangen, i, a catch
  ge— imprisoned
  ge— nehmen arrest
faselnackt stark naked
Faß, ⁻sser *n.* cask
fassen seize; take hold; grasp; comprehend
  eine Hoffnung — cherish a hope
  in Blei gefaßt leaded
  zu — kriegen get hold of
fasten fast
faul lazy; rotten
  der Faule lazy fellow
Faulenzer, - *m.* idler
Faulheit *f.* indolence; laziness; rottenness
Faulpelz, -e *m.* lazybones; idler
Faust, ⁻e *f.* fist; hand
  ins Fäustchen lachen laugh to oneself

Faustschlag, ⸚e *m.* blow of the fist
Federvieh *n.* poultry
fegen sweep
fehlen lack; be missing
   fehlt dir etwas ? is something wrong?
   es fehlt ihm he lacks
   ließ es ihm an nichts — let him want
   for nothing
Fehler, - *m.* fault; defect; error
fehl-schlagen *i.* be ineffectual
Feierabend, -e *m.* evening leisure;
   time off
   — halten take one's ease
feierlich solemn; festive
feil for sale
feilbieten offer for sale
Feind, -e *m.* enemy; foe
Feldgerätschaft, -en *f.* (agricultural) tool
Feldkreuz, -e *n.* crucifix in a field
Feldmesser, - *m.* surveyor
Fell, -e *n.* fur; hide
Felleisen, - *n.* knapsack
Felsblock, -e *m.* stone block
Fensterladen, - *m.* window shutter
Fensterrahmen, - *m.* window frame
fern far; remote; distant; furthermore
fernsichtig with a view
fertig finished; through
fertig-bringen *i.* finish; accomplish
fest solid; firm; strong
   das einzige Feste the only firm thing
fest-binden *i.* tie fast
fest-bleiben *i.* get stuck
festen make firm
   noch nicht gefestet not yet mature
fest-halten *i.* hold fast; detain; keep
Festigkeit *f.* firmness
Festland, -e *n.* mainland
Festtafel, -n *f.* festive board
Fetzchen, - *n.* shred; tatter
Fetzel, - *m.* scoundrel
Fetzen, - *m.* chunk; shred
feucht moist; damp
Feuerherd, -e *m.* hearth
feurig fiery; vivid
Feuersbrunst, ⸚e *f.* fire; conflagration
Fibel, -n *f.* primer
fieberglühend fever-reddened
fiebern rave; pant
Filz, -e *m.* felt hat

finden, a, u find
   sich — be; be found
finster dark; gloomy
   im Finsteren in the dark
Fischadler, - *m.* fish hawk
Fisch(er) gerät, -e *n.* fishing tackle
Fischhand, ⸚e *f.* fish-like hand
Fischreiher, - *m.* heron
fixieren stare at
flach flat; shallow
Fläche, -n *f.* (level) surface; plain;
   expanse
Flasche, -n *f.* bottle
flattern flutter; wave
flechten, o, o (inter)twine; braid; weave;
   tie (a wreath)
Fleck, -e *m.* spot; piece; place
flehen implore; entreat; beseech
Fleisch *n.* flesh; meat
Fleischbrühe, -n *f.* meat broth
fleischlos fleshless
Fleiß *m.* industry; diligence
fleißig industrious; diligent
flicken patch
Flickschneider, - *m.* (patching) tailor
Fliege, -n *f.* fly
fliegen, o, o fly
fließen, o, o flow
flimmern glitter
flink lively
flirren flicker
Flittergold, - *m.* tinsel
Flitterstaat *m.* tawdry finery
Fluch, ⸚e *m.* curse
fluchen curse; swear
flüchten flee
   sich — take refuge
flüchtig fleeting; hasty; for a moment
Flug, ⸚e *m.* flight
   im — at full speed
Flügel, - *m.* wing
Flügelrauschen *n.* rustle of wings
Flügelwehn *n.* beating of wings
Flur, -en *f.* hall; meadow; field
Fluß, ⸚sse *m.* river
flüstern whisper
Flut, -en *f.* tide; flood waters
Folge, -n *f.* result; consequence
fordern challenge
Förderung, -en *f.* advantage

Forelle, -n f. trout
formen form; shape
förmlich formal; real; actual
fortan henceforth; from then on
fort-fahren i. continue
fort-jagen discharge (from service)
fort-kommen i. get along
fort-laufen i. run away
fort-leben live on; survive
(sich) fort-machen go away
fort-reißen i. snatch away; drag away; carry along
fort-schleudern cast
fort-setzen continue
fortgesetzt continuous
Fortsetzung, -en f. continuation
fort-sündigen continue to sin
fort-treiben i. carry on: play on
fortwährend continual; uninterrupted; constant
fort-weiden continue to graze
fort-werfen i. throw away
fort-wischen wipe away
fort-wuchern continue to grow wild
Frack, -s (or ⁼e) m. frock-coat
fraglich in question
Fraktur f. Gothic type
Frankreich n. France
frech bold; saucy; impudent; insolent
frei free
— lassen give vent to
freien woo; marry
Freier, - m. suitor; lover
freilich surely; certainly; to be sure
fremdartig strange; odd; foreign
fressen, a, e eat (of animals), feed
Freude, -n f. joy; pleasure
Freudenfest, -e n. (joyful) festival; fete
freuen gladden
sich — be glad; be happy
frevel criminal
Frevel, - m. transgression; crime; offense
Friede, -ns, -n m. peace
frieren, o, o freeze; be cold
Friese, -n, -n m. Frisian
frisch fresh, vigorous
— zu go to work
frischbacken fresh baked
frischduftend freshly fragrant
frischgeprägt newly coined
Frist, -en f. time; space of time; deadline

fromm pious; good
frösteln shiver; feel chilly
Frucht, ⁼e f. fruit
fruchtbar fruitful
früh early
in aller Frühe very early
Frühjahr, -e n. spring
Frühkost f. morning lunch
Frühlingsschau, -en f. spring inspection
Frühschoppen, - m. morning cup
Frühstück n. breakfast; mid-morning lunch
Fuder, - n. wagonload
führen lead; carry on; wield
ein Amt — perform the duties of an office
Fuhrknecht, -e m. teamster
Fuhrmann, -leute m. teamster
Fuhrwerk, -e n. vehicle
funkeln sparkle
Fünklein n. (little) spark
fürbaß on further
Furche, -n f. furrow
Furcht f. fear
— vor fear of
furchtbar terrible
fürchterlich fearful
Furke, -n f. fork
fürlieb-nehmen i. make do with
fürnehm (= vornehm) distinguished, genteel
Fürst, -en, -en m. prince
Fürstenstand m. princely rank
Fußsteig, -e m. foot path
füttern feed

G

Gabel, -n f. fork
Gabeldeichsel, -n f. forkshaft
gackern cackle
gaffen gape; stare
Gaffer, - m. gaper; onlooker
Galgenhund, -e m. contemptible cur
gallenbitter bitter as gall
Gang, ⁼e m. walk; errand; progress; way; course
einen — tun go on an errand
Gansbraten, - m. roast goose
Gänseleber, -n f. goose liver
gänzlich entirely; wholly

Garaus *m.* finishing stroke
einem den — machen finish someone off
Garde, -n *f.* guard
bei der — stehen be a member of the guard
Gardinenbett, -en *n.* curtained bed
gären ferment; seethe
Gartenzaun, ⸗e *m.* garden fence
Gäßchen, - *n.* (little) alley
Gasthof, ⸗e *m.* tavern
Gaul, ⸗e *m.* horse; nag
geapfelt dappled
Gebärde, -n *f.* gesture; motion
gebärden conduct
sich — carry on; behave
gebären, a, o bear
geben, a, e give
nichts auf etwas — pay no attention to something
Gebet, -e *n.* prayer
Gebetswort, -e *n.* word of prayer
gebieten *i.* command; order
gebieterisch imperious; commanding
geboren born
Gebrüll *n.* bellowing
Gebühr, -en *f.* duty
über — unduly; immoderately
(sich) gebühren be proper; be fitting
Geburt, -en *f.* birth
Gedächtnis, -ses, -se *n.* memory
Gedanke, -ns, -n *m.* thought; idea
gedankenlos thoughtless; absentminded; with one's mind a blank
Gedankensprung, ⸗e *m.* (change of) thought
Gedeck, -e *n.* place (at table)
gedeihen, ie, ie grow; thrive; prosper; succeed
es ist so weit gediehen it has reached such a point
zu etwas — develop into something
gedeihlich prosperous
—e Wege gehen lead a pleasant life
Gedränge *n.* throng
gedrängt concise
Geduld *f.* patience; forbearance
Geest, -e *f.* upland; high ground
geeignet suitable
Gefahr, -en *f.* danger
gefahrlos without danger; safe

Gefährte, -n, -n, *m.* companion; playmate
Gefallen *m.* pleasure; favor
Gefangenwärter, - *m.* jailer
Gefängnis, -se *n.* prison
Gefäß, -e *n.* vessel
gefiedert feathered
geflügelt winged
Gefühl, -e *n.* feeling
Gegacker *n.* cackling
Gegend, -en *f.* region; neighborhood; landscape
gegeneinander against or toward each other
gegenseitig mutually
sich — each other
Gegenstand, ⸗e *m.* object; subject
Gegenteil, -e *n.* opposite; contrary
gegenüber opposite
gegenüberliegend opposite
gegenüber-sitzen *i.* sit opposite
gegenwärtig present
Gegner, - *m.* adversary
gehäuft heaped up
Gehege, - *n.* enclosure
einem ins — kommen trespass on someone's property
geheimnisvoll secret; mysterious
gehen, ging, gegangen go; walk
es geht um it is a matter of
vor sich — take place
Geheul *n.* howling
Gehirn, -e *n.* brain
Gehölz, -e *n.* woods
gehorchen obey
gehören belong to; be the property of
gehörig proper
gehorsam obedient
Gehorsam *m.* obedience
Geige, -n *f.* violin
das —lein streichen fiddle
Geiger, - *m.* fiddler
Geist, -er *m.* intellect; ghost; spirit; soul
Geistesarbeit, -en *f.* intellectual work
geistesstumpf weak-minded
geistig intellectual
geistlich spiritual
ein —es Lied a hymn
Geklapper *n.* rattling; clatter(ing)
Geklatsch *n.* splash(ing)
Geknorr *n.* honking
Gekreisch *n.* screaming

gelähmt paralyzed
Geländer, - *n.* railing
gelangen get (to); reach; arrive (at)
gelassen calm; cool; self-possessed
Geläute *n.* ringing (of bells)
gelbgrau yellowish gray
Goldabfluß, ⁼e *m.* drain on one's purse
Gelegenheit, -en *f.* opportunity; occasion
  bei — on the occasion
Geleit, -e *n.* escort;
  einem das — geben escort someone
Geliebte *adj. decl.* lover; sweetheart
gelind(e) slight; gentle
gelingen, a, u succeed
  so gut es — wollte as best he could
gellen shrill
gelt isn't it so? hmm!
gelten, a, o be worth; be meant for; be reputed; be considered as; be taken for
  — für have a reputation for
  gilt nicht doesn't count
Gemach, ⁼er *n.* apartment
gemächlich leisurely
gemäß according to; in keeping with
gemäßigt subdued; moderate; temperate
Gemäuer *n.* masonry; walls
gemauert of masonry
Gemeinde, -n *f.* parish
Gemeindeabgaben *pl.* parish expenses
Gemeindeammann, ⁼er *m.* town sheriff or bailiff
Gemeindebezirk, -e *m.* parish limits
Gemeindelasten *pl.* parish taxes
Gemeiner *adj. decl.* common soldier; private
gemeinsam common
gemeinschaftlich common; in company; together
gemeißelt chiseled; carved
Gemshorn, ⁼er *n.* chamois horn
Gemüseplatz, ⁼e *m.* vegetable patch
Gemüt, -er *n.* frame of mind; spirit
gen toward
genau exact; closely
Genick, -e *n.* neck
genieren embarrass
  sich — be embarrassed
genießen, o, o enjoy; have the benefit of
Genosse, -n, -n *m.* companion; partner; mate
genügen satisfy

genugsam sufficiently; enough
Genugtuung, -en *f.* satisfaction
gerade just; exactly; straight
Gerät(e), -(e) *n.* tool; equipment; furnishings; gear
geraten *i.* fall or come (in) to or upon; hit upon
(aufs) Geratewohl *n.* at random; by chance
geraum spacious; ample
  —e Zeit a long time
geräumig spacious
Geräusch, -e *n.* sound; noise
gerben tan
Gerechtigkeit, -en *f.* justice
Gerede *n.* gossip; talk
Gericht, -e *n.* judgment; court; place of execution
  das Jüngste — the Last Judgment
gerichtlich legal; by law; by or of the court
Gerichtshalter, -s, - *m.* magistrate
Gerichtsperson, -en *f.* magistrate
Gerichtsschranke, -n *f.* bar of justice
Gerichtsstube, -n *f.* courtroom
gering slight; trifling; of small value; insignificant
  um ein Geringes for a trifle
Gerippe, - *n.* skeleton
gern gladly
  — haben like
Gerte, -n *f.* switch; twig
geruhig calm; collected
Gerümpelfuhre, -n *f.* cartload of junk
gesalbt unctuous
gesalzen salted
Gesang, ⁼e *m.* song; singing
Geschäft, -e *n.* business; transaction; occupation; *pl.* errands
geschäftig busy
Geschäftsgang *m.* management of affairs
geschehen, a, e happen; occur; be done
  das G—e that which has happened; events
gescheit intelligent
  nichts —es nothing worth knowing or saying
Geschichte, -n *f.* story; history; state of affairs
Geschirr, -e *n.* dishes; crockery; bowl; harness
  sich ins — werfen fly into one's work

Geschirrkammer, -n *f.* harness room
Geschlecht, -er *n.* sex; family; stock; tribe; generation
geschliffen sharp
— **es Glas** cut glass
Geschmeiß *n.* (plague of) insects
Geschöpf, -e *n.* creature; creation
Geschrei *n.* crying; screaming
Geschwätz *n.* gossip; idle talk; prattle
geschwätzig garrulous; babbling
geschwind sudden; quick; swift; rapid
Geschworene *adj. decl.* juryman; supervisor
gesegnen bless
Gesell(e), -(e)n, -(e)n *m.* fellow; comrade
(sich) gesellen (zu) associate oneself (with)
Gesellschaft, -en *f.* company; party
Gesetz, -e *n.* law
gesetzt sober; steady
Gesicht, -er *n.* face
zu — bekommen catch sight of
Gesichtsfarbe, -n *f.* complexion
Gesichtszug, ⁼e *m.* facial feature or muscle
Gesims, -e *n.* cornice
Gesinde *n.* (domestic) servants; rabble
fahrendes — vagabonds
gesinnt minded
Gespann, -e *n.* team of horses
Gespenst, -er *n.* ghost; phantom; specter
gespensterhaft spectral; ghostly
gespenstisch spectral
Gespött(e) *n.* mockery; derision
Gespräch, -e *n.* conversation
Gestalt, -en *f.* figure; form
gestalten form
gestaltet having form
gestatten permit; grant; allow
Gestirn, -e *n.* star; planet; constellation; heavenly body
gestreng severe
gestrig of yesterday; yesterday's
Gestrüpp *n.* undergrowth
gesund healthy
— und munter hale and hearty
Getöse *n.* noise; din; tumult
Getreidewagen, - *m.* grain wagon
getrost confidently; without hesitation
Getümmel *n.* tumult
Gevatterschaft, -en *f.* sponsorship
bei —en at christenings

Gevollmächtigte *adj. decl.* dike commissioner
Gewächs, -e *n.* growth
gewahr aware
— werden notice; perceive
gewähren allow; afford
— lassen leave alone
gewahren see; observe; notice; catch sight of; take cognizance of
Gewalt, -en *f.* force
gewaltig powerful; enormous; mighty; violent
Gewaltsmensch, -en, -en *m.* tyrant
Gewand, ⁼er *n.* garment; dress
gewandt clever; skillful
Gewehr, -e *n.* rifle
gewichtig weighty
Gewimmel *n.* throng
Gewinn, -e *m.* winning(s)
Gewirr, -e *n.* maze
gewiß certain; sure
Gewissen *n.* conscience
gewissenhaft conscientious
Gewissensbiß, -e *m.* pang of conscience
gewissermassen as it were; in a certain measure
Gewitter, - *n.* thunderstorm
Gewitterluft, ⁼e *f.* heavy atmosphere before a storm
Gewitterwolke, -n *f.* storm cloud
Gewohnheit, -en *f.* custom
gewohnt accustomed
Gewühl *n.* movement; activity
gezahnt toothed
Gicht *f.* gout
Giebelstube, -n *f.* gable room
Gier *f.* greediness; strong desire
gierig greedy; eager; avid
gießen, o, o pour; gush
Gift, -e *n.* poison
darauf kannst du — nehmen you can bet your life on that
Gildesaal, -säle *m.* guild room
Gischt *m.* spray
Gittertor, -e *n.* iron gate
glänzen shine; gleam
—d shining; brilliant; splendid
Glas, ⁼er *n.* glass
Gläserklirren *n.* clinking of glasses
glasieren glaze
Glaskugel, -n *f.* glass ball

Glasscheibe, -en *f.* glass pane
glatt smooth
glauben believe; think
Glaubenssache, -n *f.* matter of faith
gleich like; same
gleichen, i, i resemble; be like
gleichfalls likewise; as it were
Gleichgewicht, -e *n.* balance; equilibrium
gleichgültig indifferent; lifeless; unconcerned; immaterial
gleichmäßig uniform; grown evenly
gleichmütig indifferently; calmly; in a matter-of-fact tone
gleichsam as it were
gleichwohl nevertheless
gleichzeitig at the same time
gleiten, i, i glide; pass swiftly
Glied, -er *n.* member; generation
  in Reih' und — in formation
glimmern glow
glitzern glitter
Glück *n.* happiness; good fortune; luck
glückselig happy; content; blissful
glühen burn; glow; be aglow
Gnade, -n *f.* grace; mercy
  Euer —n your Grace
gnädig merciful
gnidderschwarz jet black
goldbrokat gold brocade
Goldfinger, - *m.* ring finger
Goldlack, -e *m.* wallflower
Goldschmied, -e *m.* goldsmith
gönnen grant
Gönner, - *m.* patron
Gottesacker, - *m.* God's acre; cemetery
Gottesfurcht *f.* fear of God
Gottesleugner, - *m.* infidel; atheist
gottgefällig pleasing to God
gottvergessen godforsaken
graben, u, a dig
Graben, ⁼ *m.* ditch; trench
Grabstätte, -n *f.* grave; burial place
Grabstein, -e *m.* tombstone
grad straight
gradenwegs straightway
Graf, -en, -en *m.* count
Gram *m.* grief; sorrow; affliction
(sich) grämen fret; grieve
Grammatik, -en *f.* grammar
grasen graze
Grasnarbe, -n *f.* turf
gräßlich horrible

Grassode, -n *f.* sod
Graswuchs *m.* growth of grass
Grat, -e *m.* ridge; slope
grauen dawn
Grauen *n.* fear; terror; horror; dread; dismay
graulich grizzly
Graus *m.* horror
Grausamkeit, -en *f.* inhumanity; cruelty; barbarity
greifen, i, i reach; grasp; go after
  um sich — spread; increase
greis aged; white
Greis, -e *m.* old man
grell glaring
Grenzscheide, -n *f.* boundary line
Greuel, - *m.* horror
Grimm *m.* fury; rage; wrath
grimmig wrathful; furious; grim
grob coarse; heavy; rough
  das Gröbste roughest part
  aus dem Gröbsten in the rough
grobgeschnitzt roughly carved
Groll *m.* wrath; resentment; grudge; rumble (of thunder)
grollen be angry
  —d angrily
Großohm, -e *m.* great uncle
Großtuerei, -en *f.* strutting; ostentation
Großvater, ⁼ *m.* grandfather
Grube, -n *f.* grave
grübeln ponder; muse; brood
  — gehen go around brooding
grünbemalt painted green
Grund, ⁼e *m.* ground; reason; cause; argument; valley
Grundbesitz *m.* property
grundfalsch thoroughly false
grundlos bottomless; softened (by rain)
Grundsatz, ⁼e *m.* principle; rule of life
Grundstein, -e *m.* foundation stone; basis
grünen grow green; flourish
grünseiden (of) green silk
Gruß, ⁼e *m.* greeting
grüßen greet
gucken peer; look; peep
Gulden, - *m.* guilder (about forty cents)
gültig valid; authentic
Gunst, ⁼ *f.* favor
günstig favorable
Günstling, -e *m.* favorite

Gürtel, - *m.* belt; waistband
Gut, ⁼er *n.* property; possession; value
gutbesorgt well-fed
gütig kind
gutmütig good-natured

H

Haar, -e *n.* hair
Habe *f.* goods; assets
haben have
  es hatte there was
  Hab und Gut property
  was hast du? what ails you?
habhaft werden get hold of; obtain
Habseliges *adj. decl.* all one's earthly goods
Hacke, -n *f.* (*or* **Hacken, -** *m.*) heel
hacken chop; hoe; hack
Hader *m.* quarrel; strife
Haf, -e *n.* sea
Hafdeich, -e *m.* sea dike
Hafer *m.* oats
Haff *n. dial.* sea (shore)
Hafschleuse, -n *f.* (sea) sluice
haften remain; be fixed; stick to; rest upon
Hag, -e *m.* fence; hedge
Hagel *m.* hail
  beim ewigen — by the gods; by heaven
Hagelschlag, ⁼e *m.* hailstorm
hager thin; slender; emaciated
Hahn, ⁼e *m.* cock
Haken, - *m.* hook; hitch
halbdurchnäßt half-soaked
Halbgelehrte *adj. decl.* half-scholar
halbmondförmig half-moon shaped
Halbschatten, - *m.* half-shade
Halbstieg *n.* half-score
halbzerrissen half-torn
Halde, -n *f.* slope
Halfter, - *m.* halter
Hall, -e *m.* sound
  Schall und — sound and fury
hallen (re)sound
Hallig, -en *f.* low island
Hals, ⁼e *m.* neck
Halsband, ⁼er *n.* necklace
Halskragen, - *m.* collar
Halstüchelchen, - *n.* scarf; neckerchief
halt simply; just

halten, ie, a hold; keep; support; stop; detain
  auf etwas — take pride in something
  — für consider (as)
  viel auf einen — have a high opinion of someone
haltlos unsteady; unsettled
halt-machen stop; halt
Haltung, -en *f.* carriage; posture; attitude; bearing; stand
Hand, ⁼e *f.* hand
  einem zur — gehen lend someone a hand
Händedruck, -e *m.* hand clasp
Handel, ⁼ *m.* commerce; business; deal
  Händel kriegen have a quarrel (with)
  — treiben carry on trade; deal
handeln act; do; treat; deal
  es handelt sich um it is a matter of
Händelführer, - *m.* brawler
Handfläche, -n *f.* palm
Handwerk, -e *n.* trade; craft
Handzwehle, -n *f.* towel
hängen hang
  sich einem auf den Arm — take someone's arm
hantieren manage; operate; work
Harkenstiel, -e *m.* rake handle
harren tarry; (a)wait
hart hard
  — an hard by
hartnäckig stubborn; tenacious
haschen catch
Hase, -n, -n *m.* hare
Haß *m.* hatred
häßig hateful; spiteful
häßlich ugly
hastig hasty; hurried
hätscheln caress
Haube, -n *f.* bonnet; hood; cap
Hauch, -e *m.* breath
hauchen breathe; whisper
hauen, hieb, gehauen strike; beat; whip
  in die Luft — beat the air
häufen heap up
Haufen *m.* heap; crowd
haufenweis in groups
häufig often
Hauptbeschäftigung, -en *f.* chief occupation
Hauptdeich, -e *m.* main dike
Haupthaar, -e *n.* hair

Hauptpunkt, -e *m.* main point
Hauptrolle, -n *f.* main role
Hauptsache, -n *f.* main thing
Hauptwache, -n *f.* main guardhouse
Haus, ⁼er *n.* house
  gut — halten manage well
Hausehre *f.* family honor
hausen reside; live
Hausgerät, -e *f.* utensils; furnishings
häuslich domestic
Hausrat *m.* furniture
Haustier, -e *n.* domestic animal
Haustracht, -en *f.* house costume
Hauswirt, -e *m.* head of the house
heben, o, o lift; raise; heave
  sich — rise; improve
Hecke, -n *f.* (*or* **Heck, -e** *n.*) hedge(row)
heften fasten; fix
heftig vigorous; violent; fervent
Heftigkeit, -en *f.* impetuosity
Heidenlehre, -n *f.* pagan doctrine
Heil *n.* salvation
Heiland, -e *m.* Savior
heilig holy
  der H—e saint
Heiligenbild, -er *n.* statue of a saint
Heimat *f.* homeland; native land; hometown
heimatlos homeless
  der H—e vagrant; outcast; one who has no right to aid from any parish
Heimatschein, -e *m.* certificate acknowledging one as a native or parishioner; passport
heimlich secret; mysterious
heimwärts homeward
Heimweh *n.* homesickness
heiraten marry
heiratslustig desirous of marriage; marriageable
heißen, ie, ei call; be called
  das heißt that is
heiter cheerful; pleasant; serene; bright
Helbart, -en *f.* halberd; lance
Held, -en, -en *m.* hero
hell light; bright; high (of fever)
helläugig bright-eyed
Hemd, -en *n.* shirt
Hemdärmel, - *m.* shirtsleeve
Hemdkragen, - *m.* shirt collar
hemmen restrain; hamper

Henker, - *m.* hangman; the devil
herab-drängen push down
herab-lassen *i.* let down; send down
  —d condescending
herab-sehen *i.* look down
heran-dringen *i.* press forward
heran-fahren *i.* bring up
Heranholung *f.* bringing on
heran-kommen *i.* come along, up, or around
heran-nahen approach
heran-schleichen *i.* sneak up
heran-sprengen gallop up
heran-springen *i.* rush up
heran-wachsen *i.* grow up
heraus-bringen *i.* get out
heraus-fragen learn by questioning
heraus-putzen dress up
heraus-schallen *i.* sound out from
herbei-kommen *i.* come along
herbei-schleifen drag along
herbei-tragen *i.* bring in
herbergen lodge
Herbst, -e *m.* autumn
Herbstnebel, - *m.* autumnal mist
Herbstschau, -en *f.* fall inspection
Herd, -e *m.* hearth
Herdloch, ⁼er *n.* fireplace
herein-brechen *i.* set in; break in
herein-gucken peek in
hergeben *i.* give up; hand over
hergebracht traditional
her-gehen *i.* go (along); happen
her-kommen *i.* originate (in); come from
Herkunft, ⁼e *f.* origin; parentage
hernach later; afterward; thereafter
herrisch imperious
Herrlichkeit, -en *f.* splendor; glory; *pl.* treasures
  die ganze — the whole business
Herrschaft, -en *f.* government; rule; reign; employer
  die — führen preside
herrschaftlich ducal
her-rühren originate (in); come (from)
her-schleppen drag; carry along
her-stellen produce; prepare; decorate
Herstellung, -en *f.* manufacture; production
her-streichen *i.* move along
her-treiben *i.* drive hither

herüber-werfen *i.* throw over
(sich) herum-betteln beg (one's way) around
herum-drehen turn around
herum-irren wander about
herum-plätschern splash about
herum-schleichen *i.* sneak around
herum-schlenkern dangle
herum-schweifen wander about
herum-spähen spy around; scout around
herum-springen *i.* run, leap, or jump about
herum-stöbern rummage about
herum-stoßen *i.* push around
herum-tragen *i.* carry around
herum-ziehen *i.* go about
herunter-klettern climb down
herunter-kommen *i.* come down; descend
heruntergekommen degraded
herunter-stoßen *i.* push down
herunter-wehen blow down; blow off
hervor-brechen *i.* break forth
hervor-graben *i.* dig out
hervor-holen take out
hervor-kommen *i.* come out; come forth
her-wehen blow (toward)
herzen caress
Herzenslust *f.* heart's desire
herzig darling
Herzklopfen *n.* pounding of the heart
Herzog, ⸚e *m.* duke
h—lich ducal
herztausend most beloved
hetzen bait
Heu *n.* hay
Heuboden, - *m.* hayloft
heulen cry; howl
Heustock, ⸚e *m.* haycock
Heuwagen, - *m.* hay wagon
Hexenwerk, -e *n.* witchery; magic
kein — no great task
hieb (*past of* hauen) struck
Hieb, -e *m.* stroke; lash
Himmelreich, -e *n.* kingdom of heaven
hin thither
— und wieder back and forth
vor sich — into space; to oneself
hinab-gehen *i.* go down
hinab-reißen *i.* tear out and carry down
hinab-schlingen *i.* gulp down; bolt

hinab-schreiten *i.* stride down
hinab-tauchen dip down; disappear
hinab-traben trot down
hinab-treiben *i.* drift down
hinan-gehen go up along
hinauf-biegen *i.* curve up toward
hinauf-jagen drive up; chase up
hinauf-schlagen *i.* beat against
hinauf-treiben *i.* force up
hinaus-blinzeln gaze with blinking eyes
hinaus-schallen ring out
hinaus-schleichen *i.* sneak out
sich — slip out
hinaus-schreien *i.* cry out
hinaus-staken stalk out
hinaus-treiben *i.* drift out
hinaus-trollen trudge out
hin-bringen *i.* spend (of time)
Hindernis, -ses, -se *n.* hindrance; obstacle; obstruction
hin-drehen turn to
hin-ducken duck down
hindurch-klingen *i.* ring through
hindurch-wehen waft through
hin-eilen hurry thither
hinein-komplimentieren bow (someone) into (a room)
hinein-sperren shut in
hinein-treiben *i.* float in; drift in
hin-fallen *i.* fall down; fail
hinfällig failing; deteriorating; frail; weak
(sich) hin-geben indulge in; give oneself up to; devote oneself to
Hingebung *f.* devotion
hingegen on the contrary
hin-gleiten *i.* glide; pass swiftly; stroke
hin-halten *i.* hold out (to)
hin-hüpfen frisk up to
hin-kommen *i.* get to
(von) hinnen from here; away
Hinreichendes *adj. decl.* something adequate
hin-reißen *i.* pull along
Hinrichtung, -en *f.* execution
hin-schauen look
vor sich — gaze ahead
hin-schieben *i.* push over to
hin-schießen *i.* shoot along
hin-schweben float along
hin-setzen set down; put down

hin-starren gaze at
  das H— gazing
hin-stellen set (down); place
hinten back; rear
  nach — to the rear
hintendrein along behind
hinter behind
  — etwas her sein be concerned about something
hinterdrein along behind
hinterspinnig scheming
Hintertatze, -n *f.* hind claw
hinunter-laufen *i.* run down
hinunter-schleudern hurtle down
hinzu-fügen add
hinzu-kommen *i.* be added
hinzu-setzen add
hinzu-ziehen *i.* draw into
Hirn, -e *n.* brain
hochbeinig long-legged
hoch-beladen piled high
hochmütig arrogant
Hochzeit, -en *f.* wedding
  — halten (*or* **machen**)marry
Hochzeiter, - *m.* fiancé; betrothed
Hochzeitgeleit(e), -(e) *n.* bridal escort
hocken slouch
Hof, ⸚e *m.* farm; court (yard)
Hofbesitzer, - *m.* landowner
Hoffart *f.* arrogance
Hoffnung, -en *f.* hope
Hofstatt, ⸚e *f.* farm
Hofstelle, -n *f.* farm
Hofwirt, -e *m.* farmer
Höhe, -n *f.* height; zenith
  in die — up
hohl hollow
  — Ebbe low ebb
  die —e Hand hollow of the hand
Höhlung, -en *f.* cavity; hollow
Hohn *m.* scorn; derision; mockery
Hohngelächter *n.* mocking laughter
höhnisch scornful; mocking
hold charming; lovely; sweet
holen get; fetch
holländisch Dutch
Holunderbaum, ⸚e *m.* elder tree
Holzbrücke, -n *f.* wooden bridge
hölzern wooden
Holzkugel, -n *f.* wooden ball
Holzstufe, -n *f.* wooden step
Honigkuchen, - *m.* honeycake

horchen listen
hüben here; on this side
  — und drüben on this side and on that
hübsch pretty; handsome; nice; fine; proper
hucken squat
Hudelvölkchen, - *n.* ragged or shabby lot; riffraff
Huf, -e *m.* hoof
Hufschlag, ⸚e *m.* hoofbeat; tick
Hüfte, -n *f.* hip
Hügel *m.* mound; knoll
Huhn, ⸚er *n.* chicken
hü hopp! get up!
Hülle, -n *f.* covering; hull
  — und Fülle great abundance
hüllen wrap; envelop
Hülse, -n *f.* hull; pod
Hundegebell *n.* barking of dogs
hüpfen hop; jump
huschen scurry; whisk
hüten guard; protect
  sich — (vor) beware (of); guard (against)
Hütte, -n *f.* cabin; hut
hutzelig shriveled

I

ideal ideal; theoretical
Igel, - *m.* hedgehog
Imbiß, -sse *m.* lunch
immerfort steadfastly
imstande capable (of)
Inbrunst *f.* fervor; ardor
inbrünstig fervent; ardent
indem as; when
indessen while; meanwhile; however; yet; still
ineinander into each other
  mit den Händen — with folded hands
ineinander-krampfen clench
ingleichen likewise
Ingrimm *m.* wrath
inmittelst meanwhile
inne-halten, - *i.* pause
Innere *adj. decl.* inside; heart
inne-werden be convinced (of)
innig inward; heartfelt
Innigkeit *f.* earnestness; tenderness; intimacy

Insel, -n *f.* island
insonders especially
inwendig inside
inzwischen meanwhile
irgendein any(one); a certain
   noch — some other
(sich) irren err; be mistaken
   laß dich nicht — do not (let yourself)
   be dissuaded
Irrsal, -e *n.* nonsense
   — **reden** talk deliriously
Irrtum, ⁼er *n.* mistake; error
item well; after all
itzt (= **jetzt**) now

J

Jagd, -en *f.* hunt; chase
Jagdbeute *f.* quarry
Jagdhund, -e *m.* hunting dog
Jagdtasche, -n *f.* hunting bag
jagen chase
Jäger, - *m.* hunter
jäh sudden; unexpected
jählings suddenly
Jahreszeit, -en *f.* season
Jahrhundert, -e *n.* century
Jahrzehnt, -e *n.* decade
Jähzorn *m.* (fit) of anger
Jammer, - *m.* lamentation
jammervoll pitiable
jäten weed; hoe
jauchzen shout with joy
   das J— cry of joy
Jauchzer, - *m.* shout
je each; ever; the (*before comparative*)
(von) jeher always; long since
jetzig present
johlen sing noisily and disharmoniously
Jubel, - *m.* merrymaking
jucken feel itchy
juchhei hurrah
Jude, -n *m.* Jew
Jugend *f.* youth
Jugendgespiele, -n, -n *m.* childhood playmate
Junge, -n, -n *m.* boy
Jungfer, -n *f.* maid; miss
jüngsthin recently
Jüppe, -en *f.* jacket
just just, exactly

K

Kachel, -n *f.* tile
Kaffeelöffelchen, - *n.* coffee spoon
kahlköpfig bald-headed
Kajedeich, -e *m.* provisional dike
Kalb, ⁼er *n.* calf
kalken whitewash
kaltblütig cold(blooded)
Kaminfeger, - *m.* chimney sweep
Kamm, ⁼e *m.* comb
Kampf, ⁼e *m.* battle; fighting
Kante, -n *f.* edge
Kanzlei, -en *f.* chancellery
Kapitän, -e *m.* captain
Käppchen, - *n.* bonnet
Kappe, -n *f.* cap
Kapriole, -n *f.* caper
Kapuze, -n *f.* hood
karg scanty
karren haul; cart
Karriole, -n *f.* (light, two-wheeled) carriage
Karte, -n *f.* card; chart; map
Kartentisch, -e *m.* card table
Kasse, -n *f.* cash box; treasury
Kastanienbaum, ⁼e *m.* chestnut tree
Kasten, - *m.* box; wardrobe
Kate, -n *f.* cottage
Katerfressen *n.* food for a tomcat
Katerleichnam, -e *m.* corpse of a tomcat
Kattunhalstuch, ⁼er *n.* cotton neckerchief
Katzensprung, ⁼e *m.* very short distance
kauen chew
kauern squat; crouch
kaum scarcely; hardly
Kautabak *m.* chewing tobacco
keck saucy
Kegel, - *n.* ninepin
kehren sweep; turn
   sich — turn (around)
   sich — **an** pay heed to
Kehricht, -e *m.* (or *n.*) dust; sweepings
Keim, -e *m.* seed; sprout
keimen germinate; bud; sprout
Kennzeichen, - *n.* mark of distinction
(sich) kennzeichnen be marked out
Kerker, - *m.* cell
Kerl, -e *m.* fellow; chap
Kesselflicken *n.* tinkering
Kesselflicker, - *m.* tinker

Kesselvolk *n.* (wandering) tinkers
Kette, -n *f.* chain
keuchen pant
Kiebitz, -e *m.* lapwing
Kiefer, - *m.* jaw
Kiesel, - *m.* pebble
Kiewiet, -e *m.* lapwing
Kindbettfieber *n.* puerperal fever
Kinderwägelchen, - *n.* child's wagon
Kirchenpatron, -e *m.* patron saint of a church
Kirchgemeinde, -n *f.* parish
Kirchspielkrug, ⁼e *m.* parish tavern
Kirchweih, -en *f.* (church) fair
kirschrot cherry red
Kissen, - *n.* pillow
Kissenüberzug, ⁼e *m.* pillowcase
Kiste, -n *f.* box; chest
Kittel, - *m.* smock
klagen complain; lament; sigh; wail
Kläger, - *m.* accuser; complainant
kläglich plaintive; miserable; wretched; pitiful
Klammer, -n *f.* clasp
klammern clutch
  sich ineinander — cling to each other
  sich — cling
klangvoll sonorous
klappern clatter
klatschen splash; creak; beat
  das K— splash(ing); crack(ing)
Klatschrose, -n *f.* (= **Mohnblume**) red poppy
Klaue, -n *f.* claw
kleben be stuck
Klee *n.* clover
Klei *m.* clay; loam
kleibeschmutzt dirty with clay
Kleid, -er *n.* dress
Kleidung, -en *f.* clothing
Klei(e) *f.* bran
Kleiekorn, ⁼er *n.* particle or grain of bran
Kleierde *f.* clay
Kleinknecht, -e *m.* second hired man; chore boy
Kleinod, -e *n.* treasure
Klinge, -n *f.* blade; sword
klirren clash; clatter; jangle; clink
klopfen beat; pound; knock; tap; pat
Kloster, ⁼ *n.* monastery; convent

Kluft, ⁼e *f.* chasm
klug clever; wise; smart
  du bist nicht — you're crazy
Klugheit, -en *f.* cleverness; wit
Knabenzeit, -en *f.* boyhood days
knacken crack; snap
knallen crack
knapp scanty; barely sufficient; close-fitting
knarren creak; rasp
Knarrstimme, -n *f.* rasping voice
Knebel, - *m.* short stick; cudgel
knebeln bind and gag
Knecht, -e *m.* servant; hired man
Kneipe, -n *f.* alehouse
kneten knead
Knie, - *n.* knee
Kniehose, -n *f.* knee breeches
knirschen crush; crunch; gnash one's teeth
Knittel, - *m.* cudgel; club
Knochengerüst, -e *n.* skeleton
knöchern bony
knochig bony
knorrig gnarled
Knoten, - *m.* knot
knüpfen tie; knot
Kogseinwohner, - *m.* inhabitant of a Kog
Kohl, -e *m.* cabbage
Kohlenbrenner, - *m.* charcoal burner
kommen, a, o come; get
  gut — turn out well
Kommunalbeamte *adj. decl.* community official
König, -e *m.* king
Königreich, -e *n.* kingdom
Konventikel, - *n.* conventicle
Konvolut, -e *n.* envelope
Konzession, -en *f.* permit
Kopf, ⁼e *m.* head
köpfen behead
(um) Kopfeslänge by a head (in a horse race)
kopulieren marry
  sich — **lassen** be married
Korallenschnur, -en *f.* coral necklace
Korb, ⁼e *m.* basket
Korn, ⁼er *n.* grain; rye
Kornblume, -n *f.* cornflower
Kornfeld, -er *n.* grain field

Kosten *pl.* costs
Krabbe, -n *f.* crab
krachen crash; crack
  das K— snapping; crashing (sound)
krächzen croak; caw
Kracke *f.* old nag
Kraft, ⁻e *f.* power; force; strength
  nach Kräften with all one's might
kräftig strong; vigorous
Kragen, - *m.* collar
Krähe, -n *f.* crow
krähen crow
Kralle, -n *f.* claw
krank sick
  der K—e patient
kränken offend; bother
Krankenlager, - *n.* sickbed
Krankheit, -en *f.* illness
kränklich sickly; querulous
Kranz, ⁻e *m.* wreath
kraus curly; confused
  — im Gemüte werden become confused
Kraushaar, -e *n.* curly hair
Kraut, ⁻er *n.* plant; herb; vegetation; cabbage
Krebs, -e *m.* crawfish; lobster; cancer
Kreide, -n *f.* chalk
kreidig chalky
Kreis, -e *m.* circle
kreischen screech
Kretler, - *m.* spokesman
Kreuzspinne, -n *f.* garden spider
kriechen, o, o crawl; creep
kriegen get
  zu fassen — get hold of
Kristallfläche, -n *f.* crystal surface
Krone, -n *f.* crown
krönen crown
Krontaler, - *m.* crown dollar
Krückstock, ⁻e *m.* crooked stick
Krug, ⁻e *m.* tavern
Krughaus, ⁻er *n.* tavern
krumm crooked; curved
  das K—e crooked lines
Krümmung, -en *f.* bend
krüppelhaft crippled
kühn bold
Kummer *m.* grief; sorrow
kümmerlich sickly

kümmern concern
  sich — um be concerned (about)
kund known
  — werden become known
Kunde, -n *f.* knowledge; information; news; *pl.* lore
kündigen give notice
Kundschaft, -en *f.* customers; clientele
künftig (in the) future
Kunst, ⁻e *f.* art; difficult feat
Kunstkammer, -n *f.* art collection; museum
künstlich artistic
kunterbunt in disorder; confusedly
kurieren cure
kurzum in short
kurzweilig merry; amusing
Küste, -n *f.* coast

L

laborieren labor
Labung, -en *f.* solace
lächeln smile
  das L— smile
lachen laugh
  —d gaily
Lachmöwe, -n *f.* ring-necked gull
Lachton, ⁻e *m.* sound of laughter
laden, u, u a load; invite
Laden, ⁻ *m.* shutter
Lage, -n *f.* layer; position
Lagerstatt, ⁻e *f.* bed
lähmen paralyze
lahmen be lame; limp
Lammfell, -e *n.* lambskin
Ländereien *pl.* lands
Landfläche, -n *f.* surface of land
ländlich rustic; bucolic
Landrock, ⁻e *m.* country dress or skirt
Landstreicher, - *m.* vagabond; tramp
Landsturm *m.* militia
Landungsstelle, -n *f.* landing place
lang(e) long; tall; a long time
  noch — nicht not for a long time
langen reach; be sufficient
  — nach reach for
Langeweile *f.* boredom
  — haben be bored
langgestreckt rambling

Langkork *m.* a specially fine vintage
Langmut *f.* patience; forbearance
langweilig boring; monotonous
larifari! fiddlesticks!
Lärm, -e *m.* noise; tumult; din
lärmen make a noise; carouse
—**d** noisy
lassen, ie, a let; leave
kein Auge — von keep a sharp watch (over)
laß nur never mind
nicht — make (it) impossible
von einander — part
lässig careless; lazy; weary
Last, -en *f.* burden; load
lasten rest as a burden
Laster, - *n.* vice; sin
Laub *n.* foliage
Laube, -n *f.* arbor; bower
Lauf, ⁼e *m.* course
der Welt — way of the world
laufen, ie, au run
Laune, -n *f.* mood; whim
lauschen listen; eavesdrop
laut audible
Laute, -n *f.* lute
läuten ring
lauter pure; plain; nothing but
lautlos silent
lebendig alive
Lebensregung, -en *f.* stirring of life
Lebensüberdruß *m.* weariness of life
(mein) Lebetag, -e *m.* all my life; *pl.* all the days of my life
lebhaft lively
lebig (= **lebendig**)living
Lebkuchen, - *m.* gingerbread
leblos lifeless
lecker delicious
Leckerbissen, - *m.* dainty; sweet
ledig free (of)
leer empty
leeren empty; vacate
Leerheit, -en *f.* emptiness; barrenness
legen lay
sich — lie down
Lehmwand, ⁼e *f.* mud wall
Lehne, -n *f.* support; arm (of chair)
Lehnrich, -e *m.* "leaner"; loafer
Lehnstuhl, ⁼e *m.* easy chair
lehren teach
der Gelehrte learned man

Lehrgeld, -er *n.* tuition
— **geben** pay tuition; attend a university
Leib, -er *m.* body; abdomen; corpse; waist
Leibgericht, -e *n.* favorite dish
Leibvogel, ⁼ *m.* favorite bird
Leiche, -n *f.* funeral; corpse
Leichenfuhr, -en *f.* funeral procession
Leichenmahl, -e *n.* funeral feast
Leichenpredigt, -en *f.* funeral sermon
Leichenzug, ⁼e *m.* funeral procession
Leichnam, -e *m.* corpse
leicht easy
Leid, -en *n.* pain; sorrow; suffering
einem —s tun hurt someone
leiden, litt, gelitten suffer
magst du mich — ? do you like me?
Leiden, - *n.* suffering; illness
Leidenschaft, -en *f.* passion; emotion
leidlich tolerable; sufferable; endurable
leiern babble
leihen, ie, ie borrow
leinen linen
Leinwand *f.* linen
leise gentle; soft; quiet
leisten render; perform; deliver
Hilfe — give aid
Leistung, -en *f.* accomplishment; performance; *pl.* taxes
Leiter, -n *f.* ladder
lenken govern; guide
Lerche, -n *f.* lark
lesen, a, e read
letzt last
zu guter — as a finishing touch
Leuchte, -n *f.* lantern
leuchtend luminous
leugnen deny
Licht, -er *n.* light
Lichtfunke, -n *m.* spark of light
Lichtschein, -e *m.* (gleam of) light
Lid, -er *n.* eyelid
lieb dear; loving
am —sten preferably
am —sten . . . mögen like best to . . .
einem — sein love someone
Liebesbezeigung, -en *f.* sign of love
Liebenswürdigkeit, -en *f.* amiability
lieb-haben love
liebkosen caress
(wie) —d caressingly

Liebkosung, -en *f.* caress; fondling
lieblich delightful; pleasing
liederlich slovenly; disorderly; dissolute
liefern deliver
liegen, a, e lie; be situated
   im Prozeß — be at law
liegen-bleiben *i.* be left undone
linde soft; gentle
Lindengang, ⁼e *m.* avenue of linden trees
Lindengebüsch, -e *n.* linden thicket
Linie, -n *f.* line
   weiche — gentle curve
link left
   zur L—en to the left
lispeln lisp; whisper (fondly)
listig sly; cunning
Lob *n.* praise
loben praise; extol
Loch, ⁼er *n.* hole
Lohe, -n *f.* flame; blush
lohen blaze; flame
Lohn, ⁼e *m.* wage(s)
Los, -e *n.* lottery ticket
los-drücken pull the trigger
lose loose
lösen untie; loosen
los-gehen *i.* set out; begin
   gerade auf etwas — go right up to something
los-machen detach; set free; separate
los-trennen separate; sever
Lot, ⁼e *n.* plumb line
Lotternest, -er *n.* dirty nest
Lücke, -n *f.* hole; gap
Luft, ⁼e *f.* air
Lufterscheinung, -en *f.* vision; optical illusion
Lufthauch, -e *m.* breath of air
Luftschicht, -en *f.* layer of air
lügen, o, o lie; speak falsely
Lügner, - *m.* liar
Luke, -n *f.* dormer window
Lump, -e (*or* **-en**) *m.* rascal; scoundrel
Lumpenhund, -e *m.* rascal
Lust, ⁼e *f.* joy; pleasure; desire
Lustbarkeit, -en *f.* merrymaking, pleasure
lüstern lascivious; lustful
lustig gay; happy; funny
Lustwald, ⁼er *m.* park
lustwandeln promenade; stroll

Lyra, Lyren *f.* lyre

M

machen make; play the part of
   laß mich nur — just let me manage
   sich — take one's way
mächtig mighty; huge
Magen, - *m.* stomach
mager thin; skinny
mählich gradually
Mahlzeit, -en *f.* meal
Mähne, -n *f.* mane
mahnen admonish; urge; remonstrate
   zum Aufbruch — give the sign for departure
Mandelkern, -e *m.* almond kernel
Mandeltorte, -n *f.* almond cake
Mangel, ⁼ *m.* need; lack; want; deficiency; fault; defect
mangeln lack
Mannessache, -n *f.* man's affair
mannigfach various; manifold; multifarious; in many ways
Mannsleute *pl.* menfolk
Mantel, ⁼ *m.* cloak
Mär, -en *f.* story; fairytale
Märchen, - *n.* story; tale
Mark *f.* boundary; limit
   durch — **und Bein** to the quick; with all one's being
Markstück, -e *n.* mark piece (coin)
Marktgeschäft, -e *n.* market transaction
Marschmann, -leute *m.* lowland farmer
Marterleib, -er *m.* tortured body
Martini *m.* Martinmas (Nov. 11)
Märzenluft *f.* cold air of March
Maß, -e *n.* measure
mäßig limited; moderate
massenhaft in large numbers
mästen fatten; cram
Matrose, -n *m.* sailor
matt tired; weary; listless; lusterless
Mattigkeit, -en *f.* fatigue; weariness
Mauer, -n *f.* wall
Mauerwerk, -e *n.* masonry
Mauerwinkel, - *m.* walled nook; hole in the wall
Maul, ⁼er *n.* mouth
   halt's — hold your tongue; shut up
maulfertig sharp-tongued

Maultasche, -n *f.* loudmouthed person
Maus, ⸚**e** *f.* mouse
mäuschenstill still as a mouse
Mäusegang, ⸚**e** *m.* mouse hole
Mäuseunheil *n.* mouse damage
Mäusewirtschaft *f.* work of mice
mautzen mew
Meer, -e *n.* sea
Meeresstrom, ⸚**e** *m.* ocean current
Mehl *n.* flour
mehrfach repeatedly
meiden, ie, ie avoid; shun
Meile, -n *f.* league; (German) mile
(= 4.6 English miles)
meinen mean; remark; think
es gut mit einem — treat someone
well
meinethalb(en) for all I care
Meinung, -en *f.* opinion; view; belief
meist mostly
melden announce
sich — make oneself (or one's presence) known
Meldung, -en *f.* message
eine — **tun** deliver a message
Menge, -n *f.* quantity; number; amount; crowd
Menschenalter, - *n.* generation
Menschengesicht, -er *n.* human face
Menschenkehle, -n *f.* human throat
Menschenkind, -er *n.* human being
Menschenleben, - *n.* human life
Menschenseele, -n *f.* human soul
Menschenstimme, -n *f.* human voice
Menschentrupp, -s *m.* group of people
Menschenverstand *m.* human reason; intelligence
merkwürdig remarkable; curious
messen, a, e measure
Messer, - *n.* knife
Meßgerät, -e *n.* measuring implement
Messingknopf, ⸚**e** *m.* brass knob
Met *m.* mead
Mieder, - *n.* bodice
Mietgeld, -er *n.* rent money
Mietkontrakt, -e *m.* hiring contract
Milz, -en *f.* spleen
minder less
mindest least; smallest
nur im —**en** just the least bit
mischen mix
missen get along without

Missetäter, - *m.* miscreant; evildoer
mißfallen *i.* displease
Mißgriff, -e *m.* mistake; error
mißhandeln maltreat; abuse
Mißhandlung, -en *f.* maltreatment
Mißwachs *m.* crop failure
Mist *m.* manure
mit-bringen *i.* bring along
Mitglied, -er *n.* member
mit-halten *i.* take part
mit-laufen *i.* go along
Mitleid *n.* compassion; pity; sympathy
mitleidig pitying; compassionate
mit-nehmen *i.* take along
unter Mitnahme taking along
mitsammen together
Mitschuld, -en *f.* (share of the) guilt
mit-senden *i.* send along
Mitte *f.* middle
mit-teilen share with; communicate
mitteilsam communicative
mittel middle; central
der Mittlere the middle one
mit-tun *i.* help with
mitunter sometimes; occasionally
Mode, -n *f.* style; fashion
modern moulder
mögen, mochte, gemocht may; might
möglichst as . . . as possible
Mohnblume, -n *f.* poppy blossom
Molch, -e *m.* salamander
Mond, -e *m.* moon; month
Mondduft *m.* hazy moonlight
mondhell moonlit
Möwe, -n *f.* sea gull
müde tired
Mühe, -n *f.* care; exertion; trouble
sich — **geben** take the trouble
Mühsal, -e *f.* toil; difficulty
mühsam laborious; painful; with difficulty
mündig of age
munter merry; joyous; lively; gay; wide awake
murren mutter; grumble
mürrisch morose; sullen; grumbling
musizieren make music
Musselinhalstuch, ⸚**er** *n.* muslin neckerchief
müßig idle; superfluous
Müßiggänger, - *m.* idler
Muster, - *n.* pattern

Musterkarte, -n *f.* sampler
mustern examine; look over
Mut *m.* courage; mood; spirit
  guten —es in good spirits
mutig brave; courageous; encouraged
mutlos disheartened; discouraged
mutterseelenallein all alone
mutwillig arbitrary; mischievous; wanton; petulant; roguish
Mütze, -n *f.* cap

N

nach after; to
  — wie vor as ever
Nachahmung, -en *f.* imitation
Nachbar, -n *m.* neighbor
nach-blicken look after
nach-denken *i.* reflect; consider; ponder
nachdenklich reflective
nachdrücklich emphatic
Nachfolger, - *m.* successor
nach-forschen seek (after); search for
nach-fragen inquire about
  einem was — ask someone's advice
nachher afterward; later
nachherig later
nach-lassen *i.* leave to
nach-machen simulate
Nachricht, -en *f.* news
nach-sehen *i.* investigate; check
nach-setzen pursue
nach-sinnen *i.* think over; reflect upon
nach-spüren trace; search out
nächstens the next time; very soon
nach-streichen *i.* run after
Nachtdämmerung, -en *f.* (late evening) twilight
Nachtgespenst, -er *n.* ghost of the night
Nachtisch, -e *m.* dessert
nach-tragen *i.* bear a grudge
nachträglich belatedly
Nachtruh, -en *f.* night's rest
Nachtwache, -n *f.* sleepless night
nach-zählen count over
  reichlich — count over deliberately
Nacken, - *m.* back of the neck
  den Kopf im — head thrown back
nackt naked
Nadelöhr, -e *n.* needle's eye
Nagel, ⁔ *m.* (finger) nail

nagen gnaw
Nähe, -n *f.* nearness; vicinity
nahen approach
(sich) nähern approach
nähren feed; live (on)
nämlich same
  der N—e the same person
Narr, -en *m.* fool
  sein eigener — sein make a fool of oneself
Narrensposse, -n *f.* jest; prank
naschen nibble at; eat by stealth; enjoy secretly
Naschhaftigkeit, -en *f.* fondness for dainties; (slight) tendency to self-indulgence
Nase, -n *f.* nose
naß wet
Nebel, - *m.* fog
Nebeldunst, ⁔e *m.* fog cloud
Nebelfleck, -e *m.* cloud of fog
Nebelstreif, -e *m.* streak of mist
nebeneinander side by side
nebenher on the side; by the way
Nebenstube, -n *f.* adjoining room
nebst together with
necken tease
Neid *m.* envy
neigen turn; incline
  sich — incline; bend over
Neigung, -en *f.* inclination; fondness
Nelke, -n *f.* carnation
nennen, nannte, genannt call
nennenswert worth mentioning
Nessel, -n *f.* nettle
Netz, -e *n.* net
neu new
  aufs —e over again; anew
neugewühlt newly dug
Neugier *f.* curiosity; inquisitiveness
Neugierde *f.* curiosity
neugierig curious; inquisitive; out of or full of curiosity
Neuhinzugetretene *adj. decl.* newcomer
neulich recently
nichts nothing
  das N— chaos
nichtsdestominder nonetheless
nichtsnutzig good-for-nothing; useless; mischievous
nicken nod
Niedergang, ⁔e *m.* ending (of day)

nieder-hucken squat
Niederlage, -n *f.* defeat
nieder-knien kneel down
(sich) nieder-lassen *i.* settle down
nieder-schlagen *i.* cast down
nieder-schreiben *i.* write down
niedlich neat; pretty
niedrig low
nippen sip
noch still
  — **so** ever so
nordfriesisch North Frisian
Nordsee *f.* North Sea
nordwärts northward
Nordwest *m.* northwest wind
norwegisch Norwegian
not necessary
  — **tun** be needed
Not, ⸗e *f.* need; necessity; trouble
  da — an den Mann ging since they
  were in dire straits
  zur — if necessary
notdürftig with difficulty
Notfall, ⸗e *m.* case of need
notieren write down
nötig necessary
  — **haben** need
nötigen urge; force
  sie wurden an den Tisch genötigt
  they were urged to come to the table
Notschrei, -e *m.* cry of distress
not-tun *i.* be needful
notwendig necessary
  das N—ste the most urgent tasks
nüchtern sober
nunmehr now; from now on
Nußbaumholz *n.* walnut
Nüster, -n *f.* nostril
nütze useful
  das ist gar nichts — that's no use
nützen be of use
nützlich useful; profitable
Nützlichkeit, -en *f.* usefulness

O

ob whether; about
Obacht *f.* caution
  — **nehmen** take precautions
Obdach, ⸗er *n.* shelter; lodging
Oberbeamte *adj. decl.* high official

Oberdeichgrafschaft, -en *f.* chief dikereeve's office
Obhut *f.* guardianship; protection
Obmann *m.* chairman; umpire
obschon although
Ochs, -ens, -en *m.* ox
öd(e) desolate
  die Öde wasteland; empty (or desert-
  ed) landscape
Ofen, ⸗ *m.* stove
Ofenbraten, - *m.* roast
Ofenecke, -n *f.* corner behind the stove
Offenbarung, -en *f.* revelation
öffentlich public
  das —e Beste the public good
ohnehin without that; in any case
ohnmächtig unconscious
ohoi! ho-ho!
Ohr, -en *n.* ear
Ohrenlehnstuhl, ⸗e *m.* wing chair
Ohrfeige, -n *f.* box on the ears
opfern sacrifice
ordentlich orderly; respectable; proper;
  decent
ordinieren order; command
ordnen put in order
Ordnung, -en *f.* order
Orgel, -n *f.* organ
Ort, -e (*or* ⸗er) *m.* place; town
  an höherem — at a higher level
  an — und Stelle on the spot
ost east;
  der Osten east
  —en to the east (of)
Ostern *f. pl.* Easter
Osterschleuse, -n *f.* east floodgate
Otter, -n *f.* otter

P

paar several; few
  das P— pair; couple
  ge—t paired
Pacht, -en *f.* lease; tenancy; rent
Pachtzins, -en *m.* rent (money)
packen seize; grasp; pack; squeeze
paffen puff
Pantoffelmacher, - *m.* wooden-shoe
  maker
Pappe, -n *f.* cardboard
Papst, ⸗e *m.* pope

parat ready
Partei, -en *f.* party; side; team
Parteigänger, - *m.* partisan
passen fit; suit; be suitable
— **auf** pay attention to
passieren happen
Patchen *n.* godchild
Pate, -n, -n *m.* (or *f.*) godfather; godchild
Patent, -e *n.* commission
patrouillieren patrol
patschen smack; slap; wave
pausbäckig chubby; round-cheeked
pechfinster pitch dark
pechschwarz pitch black
Pechsieder, - *m.* pitch boiler
peinigen torment; pain; distress
Peiniger, - *m.* tormentor
Peitsche, -n *f.* whip
peitschen whip
Pesel, - *m. dial.* parlor; a room for special
social occasions
petschieren deceive
Pfaffe, -n, -n *m.* parson; priest
Pfahl, ⁼e *m.* stake; pole
Pfarrer, - *m.* parson
pfeifen, i, i whistle
Pfefferkuchenspruch, ⁼e *m.* ginger-
bread motto
Pferd, -e *n.* horse
Pferdegeschirr, -e *n.* harness
Pfiff, -e *m.* whistle
Pfingsten, - *n.* Whitsuntide
Pfingstglocken *pl.* bluebells
Pflege *f.* care; nursing
pflegen be accustomed to; be wont to;
take care of
Pflug, ⁼e *m.* plow
pflügen plow
Pflugzug, ⁼e *m.* plowing team
Pforte, -n *f.* gate; portal
Pfühl, -e *m.* couch
Phantast, -en, -en *m.* dreamer; fanatic
Plage, -n *f.* torment
plagen plague; torment
Platte, -n *f.* table top
platterdings absolutely; by all means
Plauderei, -en *f.* chatter; gossip
plaudern chat
plötzlich sudden
plump awkward; rude; blunt
Plunder, - *m.* trifles

Pöbel *m.* mob
pochen knock
Pokal, -e *m.* goblet
polieren polish
poltern pound; bluster
pomphaft resounding
Pönitenz, -en *f.* penitence
zu ihrer — for punishment
Porrenfangen *n.* catching crabs
Porzellangeschirr, -e *n.* crockery, china
Positur, -en *f.* position
sich in — **stellen** take one's position
possenhaft farcical
possierlich comical; droll
Posten, - *m.* watch(man)
potz tausig! (*or* **tausend!**) the deuce!
prächtig splendid; magnificent
prägen coin
das geprägte Wort the newly coined
phrase
prahlen boast; show off
prahlerisch showy; ostentatious
Prediger, - *m.* minister
preis-geben *i.* expose; sacrifice
pressen press
Priel, -e *m.* ocean current; channel
Priester, - *m.* priest
Priesterhandel, - *m.* capital bargain
probieren sample; try
Profil, -e *n.* profile; cross section
Prophetenbild, -er *n.* statue of a prophet
Prozeß, -e *m.* trial
im — **liegen** be at law
Prüfung, -en *f.* test; temptation
Prügel, - *m.* whip; club; *pl.* thrashing;
caning
Pull, -e *m.* tuft
Puls, -e *m.* pulse
Pult, -e *n.* desk
Punkt, -e *m.* dot
Puppe, -n *f.* doll
Purpur *n.* crimson; deep red
Purpurrose, -n *f.* crimson rose
pusten blow; puff
Putz *m.* attire; finery; ornaments
putzen clean; polish

Q

Qual, -en *f.* anguish; torment; agony;
torture

quälen torment
sich — worry
Qualm *m.* smoke; smudge
qualmen smoke
Quartier, -e *n.* quarters
quellen, o, o spring
hervor— pop out
quirlen swirl

R

Rache *f.* revenge
rächen avenge
Racker *m.* knacker (official who disposes of dead animals)
Rad, ⸚er *n.* wheel
Rahm *m.* cream
Rand, ⸚er *m.* edge; rim
rank slender
ranken grow rank; climb; entwine
Rappe, -n *m.* black horse
rappeln rattle
Raps *m.* rapeseed
rasch quick; swift; rapid
rasen rush (madly); rave
—d mad
der R—de madman
Rasen, - *m.* sod
rasseln rattle
Rat *m.* advice; remedy
raten, ie, a advise; counsel; guess
Ratgeber, - *m.* adviser
ratlos helpless; at one's wits' end
Rattenblut *n.* rat blood
Räuber, - *m.* thief; robber
Räuberhöhle, -n *f.* den of robbers
Raubgetier *n.* beast(s) of prey
Raubgier *f.* rapacity
Raubtier, -e *n.* beast of prey
rauchen smoke
räucherig smoky
Rauchwolke, -n *f.* cloud of smoke
Raufe, -n *f.* manger
(sich) raufen fight; scuffle
rauh shaggy
rauhhaarig shaggy-haired
Rauheit, -en *f.* austerity; harshness
raunen whisper
Raupenwurm, ⸚er *m.* caterpillar
rauschen rustle; roar; (re)sound
Rebenschoß, ⸚sse *m.* (branch of a) grapevine

Rechenaufgabe, -n *f.* mathematical problem
Rechenmeister, - *m.* arithmetic teacher
Rechenstift, -e *m.* pencil
Rechentafel, -n *f.* slate
rechnen figure; compute
gut — be good at figures
Rechnerei, -en *f.* calculating; figuring
Rechnung, -en *f.* account
auf eigene — for no good reason
recht right
zur R—en to the right
rechtlich right-minded
rechtschaffen honest; righteous
Rechtschaffenheit *f.* integrity
Rechtssinn *m.* sense of justice
recken stretch; extend
Rede, -n *f.* speech
es war keine — von there was no thought of
reden talk; speak
Redensart, -en *f.* phrase; expression
Redner, - *m.* speaker
redselig loquacious
Regel, -n *f.* rule; regularity
regen stir; move
sich — stir; spring up
Regenguß, ⸚e *m.* pouring rain
Regentropfen, - *m.* raindrop
Regenwurm, ⸚er *m.* earthworm
regieren control; manage
Regierung, -en *f.* government
reglos motionless
Regung, -en *f.* movement; stirring
regungslos motionless
reiben, ie, ie rub
reichen reach; suffice
reichlich full; adequate; sumptuous
Reichtum, ⸚er *m.* wealth; abundance
reif ripe
Reif *m.* hoarfrost
reifen ripen
Reifen, - *m.* ring; hoop; circlet
reiflich mature
— nachzählen count over deliberately
Reihe, -n *f.* row; series; turn
an der — sein have one's turn
der — nach in turn
in Reih' und Glied in formation
Reiher, - *m.* heron
reimen rhyme

rein clean; pure; sheer
  im —en sein be clear about (something)
Reiseanzug, ⁼e *m.* traveling costume
Reiseziel, -e *n.* destination
Reißbrett, -er *n.* drawing board
reißen, i, i tear; rip; snatch
  an sich — take possession of
  eine Furche — cut a furrow
  —d rapid; swift
Reißfeder, -n *f.* drawing pen
reiten, ritt, geritten ride
Reiter, - *m.* rider
Reiz, -e *m.* charm
reizend charming
Remonte, -n *f.* remount; cavalry reserves
rennen, rannte, gerannt run; rush
Reparatur, -en *f.* repair
  r—bedürftig in need of repairs
Rettungsanker, - *m.* sheet or safety anchor
rettungslos irretrievable; past help
Reue *f.* remorse
revidieren inspect
Revision, -en *f.* review
Rezept, -e *n.* prescription
richten direct; judge; execute
Richter, - *m.* judge; executioner
Richtscheit, -e *n.* straight-edge
Richtung, -en *f.* direction
Riegel, - *m.* bolt
rieseln trickle
riesig huge; giant; gigantic
Rind, -er *n.* ox; steer
(sich) ringeln curl
ringen, a, u struggle; wrestle; grapple
Rinne, -n *f.* trench
Rippe, -n *f.* rib
Riß, -sse *m.* sketch; outline; hole; gap
Ritt, -e *m.* ride (astride)
Rittmeister, - *m.* cavalry captain
ritzen scratch
Rock, ⁼e *m.* jacket; coat; skirt
Rockärmel, - *m.* coat sleeve
roh rough; crude
Rohr, ⁼e *n.* pipe; tube
Rohrdach, ⁼er *n.* roof (made of reeds)
rollen roll
  das R— rolling sound
Roß, -sse *n.* horse
rot red
  das R— blush
rotgelb orange

Rottgans, ⁼e *f.* barnacle goose
Rübe, -en *f.* beet
Ruck, -e *m.* jerk
rucken jerk; heave
rücken move; tip
  vor die Augen — bring to the attention
Rücken, - *m.* back
rückhaltlos without reserve; frank
Rückkehr *f.* return
Rückkunft *f.* return
Rücksicht, -en *f.* caution; regard; consideration
rückwärts backward
  von — from behind
rudern row; paddle
rufen, ie, u call; shout
  dazwischen— interject
Ruhe *f.* rest; peace
  in — **lassen** leave alone
  zu — **gestellt** retired
ruhen stop; rest; stand still
ruhig quiet; calm; with composure
Ruhm *m.* fame
rühmen praise
  sich — boast (of); glory (in)
rühren stir; touch
  sich — stir
rumoren make a noise
Rumpf, ⁼e *m.* body; torso
Runde, -n *f.* sentry; watch
Rundung, -en *f.* arc
ruppig ragged
rußig sooty
rüsten prepare; get ready; fit out; dress
Rute, -n *f.* switch; branch; rod
rütteln rattle; shake

S

Saatgans, ⁼e *f.* fat goose
Säbel, - *m.* saber; broadsword
Sache, -n *f.* matter; affair
sacht(e) soft; gentle
säen sow
Saite, -n *f.* string
salben anoint
  gesalbt unctuous
salzen salt(y)
Samenrest, -e *m.* remnant of seed
sammeln collect; gather
  sich — pull oneself together

Sammetkäppchen, - *n.* velvet cap
Sammlung, -en *f.* collection; accumulation
samt together with
sämtlich all
sandig sandy
Sandlager, - *n.* sand deposit
sanft gentle; easy; smooth
Sarg, -es, ⸚e *m.* coffin
satt sated
— **haben** have enough of; be fed up with
sich — **weinen** cry one's heart out
Sattel, ⸚ *m.* saddle
Sattelzeug, -e *m.* saddlery; saddle and gear
sättigen state; satisfy; feast
Satz, ⸚e *m.* leap; bound; lurch
eines —**es** with a single leap
sauber neat; tidy; clean
säuberlich neat; clean; in fine style
saugen, o, o suck
Säule, -n *f.* post; pillar
Saum, ⸚e *m.* edge
brandende — surf
säumen hesitate
sausen whistle; whiz
schäbig mean; poor
Schachtel, -n *f.* box
Schade(n), ⸚(n) *m.* hurt; harm
— **nehmen** suffer injury; be damaged
schade! too bad! a pity!
Schädel, - *m.* skull
Schädelhöhle, -n *f.* eye socket
Schädelwölbung, -en *f.* arch of the skull
schaden harm; injure
Schadenfreude, -n *f.* malicious joy
schädlich harmful
Schaf, -e *n.* sheep
Schafbock, ⸚e *m.* ram
schaffen work; do; procure
sich zu — **machen** busy oneself; potter about
schaffen, u, a bring about; create
Schafweide, -n *f.* sheep grazing
Schafzucht *f.* sheep breeding
schäkern frolic
Schalkheit, -en *f.* roguishness
Schall, -e *m.* sound
Hall und — sound and fury
schallen sound; ring out
Scham *f.* bashfulness; modesty

schämen shame
sich — be ashamed
schamhaft modest
Schamlosigkeit, -en *f.* shamelessness; impudence
Schande, -en *f.* disgrace; shame
Schärfe, -n *f.* barb
Scharfrichterei, -en *f.* executioner's house
Scharfsinn *m.* shrewdness; sagacity
Schatten, - *m.* shade; shadow
Schatulle, -n *f.* chest (of drawers); cash box
Schatz, ⸚e *m.* treasure; sweetheart
schaudern shudder; shiver
schauen look at; behold
Schauer, - *m.* shudder; thrill
schauern shudder; tremble
Schaufel, -n *f.* shovel
schaukeln rock
Schaum, ⸚e *m.* foam; spray
Schauspiel, -e *n.* play; spectacle
Schauung, -en *f.* inspection
scheel jealous
Scheibe, -n *f.* pane
scheiden, ie, ie (de)part
Schein, -e *m.* glow; light
scheinbar apparently
scheinen, ie, ie seem; appear; shine
Schelm, -e *m.* rogue
Schelmenkind, -er *n.* roguish child; imp
schelmisch roguish
schelten, a, o scold; rebuke; revile; call
Schemel, - *m.* footstool
Schenke, -n *f.* tavern; inn
schenken give; pour
geschenkt as a gift
Schenkstube, -n *f.* tap room
Schenkwirt, -e *m.* tavern keeper
scheren, o, o shear; shave
Scherz, -e *m.* jest; joke; fun
scherzen joke; jest
scheu shy
scheuchen scare away
auseinander— scatter in all directions
scheuen avoid; shun; be afraid of; shy
sich — be afraid; hesitate
Scheuer, -n *f.* barn; shed
scheuern scour
Scheune, -n *f.* granary
scheußlich horrible
schicken send

Schicksal, -e *n.* destiny; fate
schieben, o, o shove; push
schief askew; awry
Schiefertafel, -n *f.* slate
schier almost; nearly; quite; absolutely
schießen, o, o shoot
Schiff, -e *n.* ship
Schild, -er *n.* shield
Schilfspitze, -n *f.* tip of a reed
Schimmel, - *m.* white horse
Schimmelreiter, - *m.* rider of the white horse
Schimmer, - *m.* luster
schimmern shine; glow; glitter
—**d** glistening
Schimpfwort, "er *n.* invective; swearing
Schindel, -n *f.* shingle
Schlacht, -en *f.* battle
Schläfe, -n *f.* temple
Schlaf *m.* sleep
schlafen, ie, a sleep
sich — legen go to bed
schlaff slack
Schlafkammer, -n *f.* bedroom
Schlafrock, "e *m.* lounging robe; dressing gown
Schlafstatt, "e *f.* sleeping place
schlaftrunken overcome with sleep; (very) drowsy
Schlag, "e *m.* blow; stroke; pat
schlagen, u, a strike; beat; fling; cast; slam; dig
in den Wind — cast to the winds
schlagflüssig apoplectic
Schlaguhr, -en *f.* striking clock
Schlamm *m.* slime; mud
schlank slender; graceful
schlankgewachsen of slender stature
schlanterig lanky
Schlechtigkeit *f.* wickedness
schleichen, i, i sneak; slip; move stealthily
Schleier, - *m.* veil
Schleife, -n *f.* ribbon; bow
Schlemmen *n.* revelry; feasting
schlendern saunter; stroll; stumble along
Schlendrian *m.* inertia
schleppen carry; drag; haul; lug
schleudern fling; hurl
schleunig fast; speedy; prompt; quick
Schleuse, -n *f.* floodgate
Schlickfläche, -n *f.* mud surface

Schlickgrund *m.* muddy soil
Schlickstreifen, - *m.* strip of muddy land
Schlickstück, -e *n.* bit of mudflat
schließen, o, o conclude; draw a conclusion
schließlich final; closing
schlimm bad; poor; dirty
Schlinge, -n *f.* snare
schlingen, a, u twine; wind; throw
Schloßhof, "e *m.* courtyard (of a castle)
Schlucht, -en *f.* chasm; abyss
schlucken swallow
Schlummer *m.* slumber
schlüpfen slip; slide; glide
Schlupfwinkel, - *m.* hiding place; haunt
schmachtend famishing
es wird mir ganz — I am just dying (for it)
schmähen slander; insult
schmal small; narrow
schmälern narrow; diminish
schmecken taste (good)
Schmeichelei, -en *f.* flattery; adulation
schmeicheln flatter; caress; fawn upon
das S— fawning
Schmeichelwesen *n.* flattering or wheedling manner
schmerzhaft painful
schmerzlich painful
schmettern blare
Schmied, -e *m.* blacksmith
Schmiedegitter, - *n.* iron grill
(sich) schmiegen snuggle up; press close
schmollen be sulky
schmuck tidy; handsome
schmücken adorn; deck out; dress
schmunzeln smirk; chuckle
Schmutz *m.* dirt; filth
schmutzig dirty
Schnabel, " *m.* beak; mouth
Schnaps, "e *m.* brandy
Schnapskrug, "e *m.* tavern
Schnarcher, - *m.* snore
schnauben, o, o snort
schnaufen breathe heavily
Schnauze, - *f.* snout
Schnecke, -n *f.* snail; spiral; curl
Schnee *m.* snow
schneiden, schnitt, geschnitten cut; reap
ein Gesicht — make a face
Schnörkel, - *m.* flourish; curlicue

Schnupfen *m.* cold (in the head)
Schnupftuch, ᵘer *n.* handkerchief
Schnur, ᵘe *f.* string; lash
Scholle, -n *f.* clod; soil
schon already; all right
schonen take care (of); spare
schöngelegen beautifully situated
Schonung, -en *f.* mercy
Schöppchen, - *n.* pint mug
Schornstein, -e *m.* chimney
Schoß, ᵘe *m.* lap
schräg diagonal; sloping
Schrank, ᵘe *m.* cupboard
Schranke, -n *f.* limitation
schreckbar frightful
Schrecken, - *m.* fright; fear; terror; dismay
　ein Ende mit — nehmen come to a frightful end
schreckensbleich pale with fright
schreckhaft frightening
Schrecknis, -se *n.* horror
Schreiber, - *m.* clerk
Schreiberknecht, -e *m.* scribbler
Schreibtafel, -n *f.* slate
Schreibzeug, -e *n.* writing material
schreiten, schritt, geschritten stride
Schrift, -en *f.* document
Schriftgelehrte *adj. decl.* scribe
schriftlich in writing
Schriftsteller, - *m.* writer; author
Schriftstück, -e *n.* document
Schritt, -e *m.* (foot)step; pace; stride
schroff steep; precipitous
Schrot, -e *m.* small piece
Schubkarren, - *m.* wheelbarrow
Schubkasten, - *m.* drawer
Schublade, -n *f.* drawer
schüchtern shy; timid
Schuft, -e *m.* scoundrel
Schuhladen, ᵘ *m.* shoe store
Schulbank, ᵘe *f.* school bench
Schuld, -en *f.* guilt; debt
　schuld sein be at fault
Schulter, -n *f.* shoulder
Schulze, -n, -n *m.* village mayor
Schurke, -n *m.* scoundrel
Schuß, ᵘsse *m.* shot; report
Schüssel, -n *f.* bowl; dish
schütteln shake
schütten pour; dump
Schutz *m.* protection

schützen protect
schwachsinnig feeble-minded
Schwadron, -en *f.* squadron
Schwall *m.* deluge
Schwang *m.* swing; vogue
schwank flexible; slender
schwanken waver; sway; shake
Schwanz, ᵘe *m.* tail
schwänzeln wag one's tail
　sie schwänzelte und tänzelte herum she pranced and danced about
schwarz black
schwärzlich swarthy
schwatzen talk; chatter
Schweif, -e *m.* tail
schweifen sweep
schweigen, ie, ie be silent; be still
　das S— silence
　—d silent
Schwein, -e *n.* pig
Schweiß *m.* sweat
Schwelle, -n *f.* threshold; doorstep
Schwert, -er *n.* sword
schweben hover
Schwermut *f.* melancholy; sorrow
Schwiegersohn, ᵘe *m.* son-in-law
schwindeln feel dizzy
schwinden, a, u shrink
schwingen, a, u swing
　mit dem geschwungenen Schwert with upraised sword
schwören, u, o swear; take an oath
schwül close; sultry
Schwung, ᵘe *m.* swing; sweep
sechsfach sixfold; having six strands
Seegespenst, -er *n.* sea phantom
Seegras, ᵘer *n.* seaweed
seelenvergnügt heartily, content
Seeteufel, - *m.* sea devil
Seeuhr, -en *f.* ship's clock
Seewermut *m.* sea-vermouth
Segel, - *n.* sail; canvas
Segen, - *m.* blessing; benediction
Segenswunsch, ᵘe *m.* blessing
(sich) sehnen long; yearn
Sehnsucht, ᵘe *f.* longing; yearning
sehnsüchtig longing; yearning; ardent
sehr very; well
seicht shallow
Seide *f.* silk
seiden silk
Seidenzeug, -e *n.* silk (material)

Seil, -e *n.* rope
seinetwillen for his sake
seinig his
   die —en his people; his loved ones
Seite, -n *f.* side
Seitentasche, -n *f.* side pocket
selbstbewußt self-confident
selbstgezogen homegrown
Selbstmord, -e *m.* suicide
Selbstverstand *m.* self-evident thing
   es schien ihm — it seemed only natural to him
selig blessed; blissful; deceased
   — werden be saved
seltsam peculiar; strange; curious
Semmel, -n *f.* (breakfast) roll
senken sink; lower
senkrecht perpendicular
Serviette, -n *f.* napkin
setzen set; put; participate in (a lottery)
   gesetzt steady
Seufzer, - *m.* sigh
sicher safe; sure; certain; dependable; self-reliant
Sicherheit, -en *f.* assurance; certainty
Sicht *f.* sight
siegen win; be victorious
Siel, -e *m.* sluice
Silbergeschirr *n.* silverware
Silbergewölk *n.* silver(y) cloud(s)
Silbermünze, - *f.* silver coin
Sinn, -e *m.* sense; meaning; mind; thoughts
Sinnbild, -er *n.* symbol
sinnen, a, o reflect; think
   das S— reflection
   —d thoughtful
Sinnesveränderung, -en *f.* change of heart
Sinnspruch, ⁼e *m.* epigram; motto
sinnverwirrend sense-confounding
sittig modest; well-bred
sittsam decorous
sitzen, saß, gesessen sit; remain; persist; fit
   knapp — fit closely
   — lassen leave in the lurch
   zu Pferde — mount
Skandal, -e *m.* scandal; racket; sensation
Slowak, -en, -en *m.* Slovak
sobald as soon as
   nicht — no sooner (than)

Sode, -n *f.* sod
solange meanwhile
solcherweise in this manner
Sommersfrühe *f.* early summer
sonderlich peculiar
Sonderling, -e *m.* eccentric (person)
sondern separate
Sonnenaufgang, ⁼e *m.* sunrise
Sonnenblick, -e *m.* glimpse of sunshine
sonnig sunny; bright
sonst otherwise; usually
Sonntagsstaat *m.* Sunday finery
Sorge *f.* care; worry
sorgen take care
sorgenlos carefree
Sorgfalt *f.* care; attention; vigilance
sorgfältig careful; painstaking
sorgsam careful
sorgvoll (= **sorgenvoll**) worried
sowieso anyhow; in any case
spähen spy; search
Spalt, -e *m.* crack; crevice
spalten split; crack
Spanne, -n *f.* span; a short distance
   alle — lang every few yards
spannen draw tight
   gespannter Bogen drawn bow
sparen save; spare; get along without
spärlich sparse
Sparpfennig, -e *m.* small savings
Spaß, ⁼e *m.* jest; fun; amusement
   sich den — machen play a joke
   — machen be funny
spaßhaft funny; jocular; foolish
Spaten, - *m.* spade
Spatz, -en, -en *m.* sparrow
spazieren walk; parade
Speise, -n *f.* food
Spekulant, -en, -en *m.* speculator
Spelunke, -n *f.* low-class tavern
Spenser, - *m.* jacket
sperrbeinig spread-legged
Spiegel, - *m.* mirror
   ihr glatter — her pretty face
Spiegelung, -en *f.* mirage
Spielkamerad, -en, -en *m.* playmate
Spielzeug, -e *n.* plaything; toy
spinnen, a, o spin
Spinnrad, ⁼er *n.* spinning wheel
Spion, -e *m.* spy
Spittel, - *n.* hospital; asylum
spitz pointed; tapering

Spitze, -n *f.* point

spitzen point
   den Mund — purse or pucker one's lips

Spitzenstrich, -e *m.* lace border

Sponton, -e *m.* half-pike

Spore, -n *f.* spur

spöttisch mocking; jeering

sprechen, a, o speak; say

sprengen gallop

springen, a, u leap; jump

spritzen spray; spurt

Spruch, ⁓e *m.* saying; proverb; maxim
   das Sprüchlein motto

sprühen throw sparks; flame

Spuk *m.* ghost; specter

Spule, -n *f.* spool

spülen wash

Spülung, -en *f.* washing

Spur, -en *f.* track; scent

Staat, -en *m.* state; pomp; finery

Stab, ⁓e *m.* staff

Stachelbeere, -n *f.* gooseberry

Stadt, ⁓e *f.* city; town

Stahl *m.* steel

Stahlblitz, -e *m.* flash of steel

Stahlkraft *f.* strength of steel

Stall, ⁓e *m.* stable

stammen stem (from); go back (to)

stammeln stammer

stämmig stocky

Stand, ⁓e *m.* station; class; condition; situation

Ständer, - *m.* post; pillar; stanchion

Stange, -n *f.* pole

stark strong; heavy

stärken strengthen

starr stiff; fixed; staring

starren gaze

Starrkopf, ⁓e *m.* stubborn person

Stätte, -n *f.* place; scene; location

statt-finden *i.* take place

stattlich stately; fine; handsome; magnificent; splendid

Staude, -n *f.* shrub; bush; stalk

staunen wonder
   das S— wonder; astonishment

Stechpalme, -n *f.* holly

stecken stick; put; be invested
   zu sich — put in one's pocket

Stecken, - *m.* stick

Steckleinspringer, - *m.* idle gadabout

Steg, -e *m.* (foot)bridge

stehen, stand, gestanden stand; be stationed

stehen-bleiben *i.* stop; remain (standing)

stehlen, a, o steal

steif stiff

steigen, ie, ie rise; mount
   im S— in the ascendant

steil steep

Steinhaufe(n), -(n) *m.* heap of stones

Stelle, -n *f.* place; spot; (farm)stead

stellen place; put

stellenweis in (some) places

Stellmacher, - *m.* wheelwright

stemmen brace; rest

Stengel, - *m.* stalk; stem; branch

Sterbekammer, -n *f.* death chamber

sterben, a, o die
   am S— sein be on one's death bed

Sterbetag, -e *m.* day or anniversary of death

Stern, -e *m.* star; pupil (of the eye)

Sternbild, -er *n.* constellation

stet constant

stets always; ever

Stiefbruder, ⁓ *m.* step-brother

Stiefel, - *m.* boot

Stieg, -e *m.* score

Stiege, -n *f.* stairs

Stieglitz, -e(r) *m.* goldfinch; thistle finch

stieren stare

stiernackig bullnecked; obstinate

stiften present to; give; donate; establish; found

Stiftung, -en *f.* institution; establishment

stillschweigend silent; tacit

Stimme, -n *f.* voice

Stirn, -en *f.* brow; forehead

Stock, ⁓e *m.* stick

stocken hesitate; stammer
   —de Stimme irresolute voice

Stockwerk, -e *n.* story

stöhnen groan

Stolz *m.* pride

stopfen stuff; stop; dam

Stoppel, -n *f.* stubble

Stoppelbart, ⁓e *m.* stubble beard

Storch, ⁓e *m.* stork

stören disturb; bother

Stoß, ⁓e *m.* thrust; onslaught

stoßen, ie, o thrust; plunge; push; shove; issue forth

auf (*or* **an**) **etwas** — come unexpectedly upon; encounter something
Strafe, -n *f.* punishment
Strahlenmeer, -e *n.* sea of light
strampeln trample; kick
Strandläufer, - *m.* sandpiper; beachcomber
Strandnelke, -n *f.* shore-pink
(**sich**) **sträuben** struggle; stand on end (of hair)
straucheln stumble
Strauß, ⁓e *m.* bouquet
streben strive; endeavor
Strecke, -n *f.* distance
strecken stretch; extend
streicheln stroke; caress
streichen, i, i stroke
   die Geige — fiddle
streifen stroke; glance at; strip off; take off
Streifen, - *m.* strip
Streifzug, ⁓e *m.* expedition
streiten, i, i quarrel
Streitfall, ⁓e *m.* quarrel
Streithengst, -e *m.* battle steed
streitig disputed
streng stern
Strich, -e *m.* stroke; line
Strick, -e *m.* cord; rope
stricken knit
Stroh *n.* straw
Strohbestickung, -en *f.* straw covering
stromartig streamlike
Strudel, - *m.* tumult
strudeln swirl
Strumpf, ⁓e *m.* stocking
struppig bristly
Stube, -n *f.* room
studieren study
   studiert learned
stumm mute; silent; without speaking
stumpf short; stubby; dull
Stumpfbesen, - *m.* stump of a broom
Stunde, -n *f.* hour
stundenlang for hours
Sturm, ⁓e *m.* storm
stürzen plunge; rush; fall (from one's horse)
Sturzkarren, - *m.* dumpcart
Stute, -n *f.* mare
stützen support; prop; brace
stutzen be startled

suchen seek; look; hunt; try
Südseite, -n *f.* south side
Südspitze, -n *f.* southern end
Südwester, - *m.* sou'wester (hooded cloak)
summen buzz; hum
Sünde, -n *f.* sin
Sündflut, -en *f.* deluge; the great flood
sündhaft sinful

T

Tabaksjauche *f.* tobacco juice
Tabakskasten, - *m.* tobacco box
Tabaksknoten, - *m.* wad of tobacco
Tabaksqualm *m.* tobacco smoke
Tadel, - *m.* censure
Tafel, -n *f.* table; tablet; panel
täfeln wainscot
Tag, -e *m.* day
   tag(e)s by day
   tags darauf the next day
Tagedieb, -e *m.* loiterer
Tagelöhner, - *m.* day laborer
Taler, - *m.* thaler (coin)
Talglicht, -er *n.* tallow candle
tannen (of) fir
tänzeln prance
tanzen dance
Tapete, -n *f.* wall covering
tapfer brave; virtuous; valiant
Tasche, -n *f.* pocket
tasten grope
tätig active; busy
Tätigkeit, -en *f.* activity
Tatsache, -n *f.* fact
tatsächlich in fact
Tatze, -n *f.* paw
taub deaf
Taube, -n *f.* dove
tauchen dip
   — **aus** emerge from
Taufe, -n *f.* baptism
   aus der — **heben** be godfather to
taufen christen; baptize
Taufschein, -e *m.* certificate of baptism
Taufstein, -e *m.* baptismal font
taugen be good; be of value; be fit; be worth (while)
   nichts — be no good
tauig dewy
Taumel *m.* intoxication
   im — reeling; staggering

taumeln reel; stagger; tumble
täuschen deceive; delude
Täuschung, -en *f.* illusion; delusion
Tausendkünstler, - *m.* coniurer; trickster
taxieren value; appraise
Teich, -e *m.* pond
teilnahmslos indifferent
teil-nehmen *i.* take part
teilweise partial
Teller, - *m.* plate
Tenne, -n *f.* threshing floor
teuer expensive
Teufelshexlein, - *n.* little witch
Teufelskunst, ⸗e *f.* witchcraft; sorcery
Teufelsunfug *m.* devilish mischief
Tiefe, -n *f.* depth; deep
tiefgründig deep
tiefsinnig lost in thought; pensive
Tier, -e *n.* animal
tilgen pay off; wipe out
toben rave; rant; rage
—d boisterous
Todesangst, ⸗e *f.* deathly fear
Todesstille *f.* deathly silence
Todesstreich *m.* death stroke
Tolpatsch, -e *m.* blockhead; booby
Ton *m.* clay
tönen sound; ring
der T—de the buzzing thing
Tonne, -n *f.* barrel
Tonpfeife, -n *f.* clay pipe
Topf, ⸗e *m.* pot
Tor, -e *n.* gate
Torf, -(e) *m.* peat
Torfringel, -n *n.* stack of peat
Torheit, -en *f.* folly; foolishness
töricht foolish; silly
der T—e *adj. decl.* fool
tosen rage; toss; roar
tot dead
der T—e dead person; corpse
Totenbahre, -n *f.* bier
totenblaß deathly white
Totenkammer, -n *f.* death chamber
Totenkopf, ⸗e *m.* skull
tot-schlagen *i.* kill; slay
Totenstille *f.* deathly silence
Trab *m.* trot
in — bringen set in motion
traben trot

Tracht, -en *f.* costume; load
— Kartoffeln bag of potatoes
trachten aim; strive; dream; seek; try to get
tragbar portable
träge lazy
tragen, u, a carry; wear; bear
Trägheit *f.* inertia
trampeln trample; stamp
Träne, -n *f.* tear
Traube, -n *f.* grape (cluster)
trauen trust
Trauer *f.* sorrow; mourning
Traueresche, -n *f.* weeping ash
Trauerjahr, -e *n.* year of mourning
Trauerkleid, -er *n.* mourning clothes
träumerisch dreamy
Traupfennig, -e *m.* marriage fee
Traurigkeit, -en *f.* sadness; unhappiness
Trauung, -en *f.* wedding (ceremony)
treffen, traf, getroffen strike; meet; encounter
trefflich choice; excellent
treiben, ie, ie drive; push; force; drift
was treibst du? what are you doing?
trennen separate; part
Trennung, -en *f.* separation
Trense, -n *f.* trace
Treppe, -n *f.* stairs; staircase
treten, a, e go; pass; step; kick
in die Erscheinung — come to light; appear
unter die Fenster — come to the windows
treu faithful
treuherzig candid; sincere; frank
triefen drip
Triftweg, -e *m.* cow path
Tritt, -e *m.* step; tread
Trittstein, -e *m.* stepping stone
Trog, ⸗e *m.* trough
Trompetenschall, -e *m.* trumpet call
Trompeter, - *m.* trumpeter
Tropf, ⸗e *m.* ninny; simpleton
Tropfen, - *m.* drop
trösten console
Gott tröst God help us
Tröster, - *m.* consoler
trostlos forlorn; cheerless
trotz in spite of
— alledem in spite of all that
Trotz *m.* defiance

trotzen defy
   auf etwas — presume upon
trotzig defiant; obstinate; sulky
Trubel *m.* turmoil
trüben trouble; cloud; muddy; cast a
   gloom over
Trübsal, -e *f.* sadness
trübselig miserable; wretched
Truh(e), -(n) *f.* casket
Trümmer *pl.* ruins; remains
Trunk, ¨e *m.* drink; drunkenness
Trupp, -s *m.* band; troop; group
Tuch, ¨er *n.* shawl; scarf
Tüchelchen, - *m.* kerchief
tüchtig vigorous; strong; capable; suffi-
   cient; generous
Tüchtigkeit, -en *f.* competence
tückisch malicious; spiteful
Tugend, -en *f.* virtue; good quality
Tümpel, - *m.* puddle
tun, tat, getan do
   das T— deed; act
   tut nichts no matter
   wie es tue how it would feel
tüpfeln dot
Türhaken, - *m.* door hook
(sich) türmen rise up
Türpfosten, - *m.* doorpost
Türspalt, -e *m.* crack of a door
Türstufe, -n *f.* doorstep
Tüte, -n *f.* paper bag

U

übel evil; bad
   das Üble (that which is) evil
   einem — zumute sein feel badly
   — d(a)ran sein be in a bad way
übelwollend malevolent
üben practice; exercise; carry on
überbieten *i.* outbid
   das Ü— bidding contest
Überbleibsel, - *n.* remainder; residue
überdem furthermore
überdies furthermore
(sich) übereilen be in too great a hurry
Überfall, ¨e *m.* attack
überfallen *i.* overcome
Überfluß *m.* superfluity; abundance
überflüssig superfluous
überfüttern overfeed
überglücklich overjoyed

Überhasten *n.* excessive haste
überhaupt in general
   — nicht not at all
überholen make up for
überhören fail to hear; disregard
überkommen *i.* inherit; receive; take
   possession of
überlassen *i.* grant; leave to
   sich — surrender; give oneself up
überleben outlive
   sich — spend oneself
überlegen ponder; reflect (upon); *past
   part.* superior
Überlegung, -en *f.* consideration
Überlieferung, -en *f.* tradition; legend
übermäßig in good measure
übermorgen day after tomorrow
übermütig in high spirits
Übername, -ns, -n *m.* nickname
   einen —n bekommen become a
   byword
überquer across
überragen tower above
überrieseln pass over
übersäen cover
über-schlagen *i.* turn over
   sich — fall over backward
überschreien *i.* drown out (of sound)
Überschwemmung, -en *f.* flood
übersehen *i.* overlook
überspinnen *i.* spin over
   mit Weinreben übersponnen covered
   with a network of grapevines
überspülen cover with water
überstehen *i.* endure
Überströmung, -en *f.* flood(ing)
übertragen *i.* transfer; give (over) to
übervölkert overpopulated
übervorteilen cheat; take in; get the
   better of; take (unfair) advantage of
überwallt covered over
überwältigen overpower; overwhelm
überweisen *i.* turn over
überwinden *i.* surmount
Überzeugung, -en *f.* conviction; assurance
überziehen *i.* cover; upholster
übrig left; remaining; rest; other
   das Ü—e the rest
übrig-lassen *i.* allow to remain
Ufer, - *n.* shore
Ulan(e), -(e)n *m.* lancer

um around; about
  einen — den anderen one after the other
  — so weniger (all) the less
umarmen embrace
um-bringen *i*. kill
umdrängen crowd around
um-fallen *i*. fall over; fall down
umfassen embrace
umgeben *i*. surround; enclose
um-gehen go around
  mit Leuten — get along with people
  — mit associate with; handle
umgestülpt turned upside down
umhalsen embrace
Umhang, ⁼e *m*. wrap(s)
umhegen fence in
umher-hantieren work around
umher-schweifen sweep in a wide circle
umher-tragen *i*. carry around
(nicht) umhin können not be able to avoid; have no choice but
um-kehren turn back; turn around return; reverse
umklammern clasp; cling to; embrace
Umlauf *m*. circulation
um-legen put on; put around; relocate; reconstruct
umliegend surrounding
um-pflügen plow up
umrauschen surround with sound
um-rühren stir
(sich) um-schauen look around
Umschicht *f*. turnabout
um-schlagen *i*. turn down
umschließen *i*. surround
  mit den Armen — embrace
umschlingen *i*. embrace
um-sehen *i*. look back
  im U— in a flash; in a moment
  sich — look around
um-sinken *i*. fall down; collapse
umsonst in vain; for nothing; gratis
um-springen *i*. turn suddenly; change (of wind)
Umstand, ⁼e *m*. circumstance; condition
umstehen *i*. stand around
  die U—den *adj. decl.* bystanders
um-stoßen *i*. overturn
(sich) um-tun *i*. bestir oneself
  sich (nach etwas) — look around (for something)

um-wandeln transform
Umweg, -e *m*. detour
um-wenden turn over
umwinden *i*. embrace
unablässig incessant; uninterrupted
unabsehbar unbounded; immense; immeasurable
unantastbar unimpeachable
unaufhaltsam without stopping
unaufhörlich incessant
unbändig uncontrollable; excessive
unbeachtet unnoticed
unbedenklich innocent; harmless
unbedeutend trifling; insignificant
unbehaglich uncomfortable
unbekannt unknown
unbekümmert unconcerned; undismayed
unbeschädigt unhurt; unspoiled
unbeschäftigt idle
Unbescholtenheit *f*. integrity
unbeweglich motionless
unbewegt undisturbed
unbewußt unknown
unbezwinglich unrestrained
unbillig improper; unreasonable
Undank *m*. ingratitude
Unding, -er *n*. monster
uneingedenk unmindful
unerfahren inexperienced
Unerfahrenheit, -en *f*. inexperience
Unergründlichkeit *f*. inscrutability
unerkäuflich precious
unerledigt unfinished
unermeßlich immeasurable
unermüdlich untiring
unerreichbar unattainable
unerträglich unbearable
Unfall, ⁼e *m*. accident
unfehlbar inevitable
unfern not far from
Unform, -en *f*. monster
Unfug *m*. mischief; disorder
ungebärdig unruly; uncontrolled
ungefähr about; approximately
ungefärbt undyed
ungefüg unwieldy
ungeheuer monstrous; gigantic
ungehörig undue; improper; impertinent
ungelenk clumsy
ungeordnet disordered
ungerechterweise undeservedly

ungeschickt clumsy; awkward
ungestört undisturbed
ungestrichen unpainted
Ungestüm *m.* (or *n.*) impetuosity;
  vehemence
ungewaschen unwashed; dirty
ungewöhnlich unusual; unaccustomed;
  rare
  das U—e unusualness
ungewohnt unaccustomed; unusual
Unglücksfeld, -er *n.* field of misfortune
(nichts für) ungut no offense meant
Unheil *n.* damage
unheimlich uncanny
Unkraut *n.* weed(s)
Unmut *m.* impatience; ill humor; in-
  dignation; annoyance
unnötig unnecessary
unnütz useless; good-for-nothing
unnutzbar unusable
unrecht wrong
  das U— injustice
unrechtmäßig unlawful
unsäglich unutterable
unsanft rough
unscheinbar plain; simple; insignificant
  (looking)
Unschlittkerze, -n *f.* tallow candle
unschön unlovely
unserthalb for all we care
unsichtbar invisible
unsinnig senseless
Unstern, -e *m.* evil star; disaster
unstörbar undisturbable
unterbrechen *i.* interrupt; break into
unter-bringen *i.* establish; shelter; put up
unterdrücken repress; oppress; crush
Unterdrückung, -en *f.* suppression
Untergang, ⁼e *m.* destruction; ruin
unter-gehen *i.* sink; set
Unterhaltung, -en *f.* maintenance; conversation; entertainment
Unterhändler, - *m.* go-between
unter-kommen *i.* find shelter or employment
(ohne) Unterlaß *m.* without stopping
unterlassen *i.* omit; fail; refrain from
  das U— act of omission
unterlaufen covered
unterliegen *i.* be conquered; succumb
unternehmen *i.* undertake
unterrichten instruct; teach

untersagen forbid
unterscheiden *i.* distinguish
Unterschied, -e *m.* distinction; difference
untersetzt thick-set
unter-stemmen set akimbo
unterstützen assist; second
untersuchen examine; inspect; investigate
unterweilen occasionally
unterwerfen *i.* subject; subdue; overcome
(sich) unter-ziehen *i.* submit (to)
unverabredet without previous agreement
unveränderlich unchanging
unverhangen uncurtained; unshuttered
unverhehlt unconcealed
unverhofft unexpected
unverkennbar unmistakable
Unvernunft *f.* unreason; folly
unvernünftig unreasonable; absurd
unversehens unexpectedly
unversehrt unharmed
unverwandt steadfastly; fixedly
unverweilt without delay; incessant
unverzüglich immediately; promptly
unvordenklich immemorial
Unwesen *n.* evil ways; excess(es); weird
  antics; monster
Unwetter, - *n.* storm
unwiderstehlich irresistible
unwillig unwilling; impatient; annoyed
unwillkürlich involuntary
unzähligemal countless times
unzulässig inadmissible
Urbestandteil, -e *m.* original component
Urenkel, - *m.* great-grandchild
Urgroßmutter, ⁼ *f.* great-grandmother
Urheber, - *m.* originator; author
Urlaub, -e *m.* leave; furlough
Ursache, -n *f.* reason; cause; occasion
Ursprung, ⁼e *m.* origin; source
ursprünglich original; primitive; in-
  digenous

V

Veilchen, - *n.* violet
(sich) verabschieden take leave; say
  goodbye
verachten scorn; disdain; disregard
verächtlich contemptible; vile; wretched

Verachtung, -en *f.* contempt; scorn; disdain
Veränderung, -en *f.* change; transformation; variation
veranlassen *i.* cause
Veranlassung, -en *f.* cause; occasion
verarmen be impoverished
Verarmung, -en *f.* impoverishment
veräußern sell
verbeißen *i.* choke down
  verbissen stubbornly
(sich) verbergen conceal oneself; keep out of the way
verbessern correct; better; improve
verbinden *i.* unite
verbindlich courteous
verbittern embitter
Verbleib *m.* abode
verbleiben *i.* remain
verblichen faded
verblüffen dumbfound; puzzle
verborgen hidden; out of sight
verbrauchen use up
Verbrecher, - *m.* criminal
verbreiten spread
verbrennen *i.* burn up
verbringen *i.* pass; spend (of time)
Verbrüderung *f.* fraternity
verbürgen guarantee; vouch for
Verdacht *m.* suspicion
verdächtig suspicious
  ein — Ding a cause for suspicion
verdämmen dam up
verdammen damn
  der Verdammte lost soul
Verdammnis *n.* damnation
verdanken owe to
verdecken cover; hide
verdenken *i.* blame
verderben, a, o ruin; destroy; corrupt; demoralize; perish; be destroyed
verdingen hire out
verdorben spoiled; unsound; ruined; depraved; bankrupt
verdorren dry up; wither
verdrossen sullen; cross
Verdruß *m.* trouble; annoyance
verdunkelt darkened
verdutzt nonplussed; embarrassed
Verehrung, -en *f.* admiration
vereinen unite; combine; join
vereinzelt isolated

verfahren distraught
Verfall *m.* decline; ruin; decay
verfallen *i.* fall into; lapse
  — auf settle on; hit upon
verfänglich deceitful
verfaulen rot; decay
verfließen *i.* pass
verfluchen curse; damn
Verfremdung *f.* aloofness
verführen seduce
verfüttern misfeed
Vergänglichkeit *f.* transitoriness; instability
vergebens in vain
vergeblich in vain; fruitless; idle; futile
vergehen *i.* pass away; die
vergessen, vergaß, vergessen forget
  vergesslich forgetful; oblivious
Vergessenheit *f.* forgetfulness
vergießen *i.* pour out; shed
vergnügen amuse
  das V— pleasure; delight
vergnügt merry; pleased
vergolden gild
vergönnen grant
  Gott vergönn's Ihm God reward you
vergrößern enlarge
Vergünstigung, -en *f.* concession
verhallen die (away); expire
(sich) verhalten *i.* remain; be; stand; conduct oneself; behave
Verhältnis, -se *n.* condition; relation(ship)
verhandeln negotiate
verhängen *i.* cover
verhaßt hateful; despised; odious
verhohlen hollow
verhüllen hide; cover; wrap
verhungern starve
verkaufen sell
Verkäufer, - *m.* seller
Verkaufssumme, -n *f.* proceeds from a sale
Verkehr *m.* traffic; association; friendship
verkehren associate
  — (in) frequent
verkehrt inverted
verkennen *i.* fail to recognize
verkleben patch up
verkleiden disguise
verklingen *i.* die out; fade away
verklommen frozen; stiff with cold
verkommen *i.* perish

Verkommenheit *f.* degeneracy; ruin
(sich) verkriechen *i.* hide
verkrümmt crooked; gnarled; twisted
verkümmern be stunted
verkünden proclaim; announce
Verlag, -e *m.* heap; stack; lay-out (of goods or wares)
verlangen demand; desire
das V— desire; demand
— **nach** yearn for
verlassen *i.* forsake; desert; abandon
Verlassenheit *f.* forlorn condition; desolation
Verlauf *m.* course; outcome
verlaufen *i.* run out
verlebt decrepit
verlegen remove; transfer; *past part.* confused; embarrassed
sich — auf take up
Verlegenheit *f.* embarrassment
verleihen *i.* grant
verleiten delude; mislead; beguile
einen zu etwas — tempt or entice someone into something
verlesen *i.* read out
verleumden slander
Verleumdungswesen *n.* back-biting or slandering manner
(sich) verlieben (in) fall in love with
der Verliebte lover
verliebt in love
verlieren, o, o lose
sich — disperse; disappear; get lost
verloben betroth
verlogen lying; mendacious
verlumpt ruined; poverty-stricken
vermählen wed
sich — mit marry
vermaledeien curse
vermehren increase
Vermehrung, -en *f.* increase; growth; enlargement
Vermeidung *f.* avoidance
bei — on pain or risk of
vermieten rent; hire out
vermindern decrease; diminish
vermissen miss
Vermittlung, -en *f.* mediation
vermögen *i.* be able; be capable of
Vermögen, - *n.* possessions; fortune
vernachlässigen neglect
vernehmen *i.* hear; interrogate

verneinen answer negatively
vernehmlich audible
verneuen renew
vernichten destroy; annihilate
Vernichtung, -en *f.* annihilation
vernunftgemäß reasonable
vernünftig reasonable; sensible
verpachten lease
verpacken pack (up)
verpfänden mortgage
verraten, ie, a betray; reveal
(sich) verrechnen miscalculate
verreden talk about
verrichten do; perform; accomplish
verriegeln bolt
versagen deny; refuse; fail
versammeln assemble; gather
Versammlung, -en *f.* meeting; gathering
versaufen, o, o (= **ersaufen**) drown
versäumen miss; omit; forget; leave undone; lose through neglect
das Versäumte einholen make up for lost time
verschämt modest
verscherzen trifle away; forfeit
verscheuchen drive away; scare away
verschieden different
Verschlechterung, -en *f.* change for the worse
verschleißen, i, i deteriorate
verschlingen *i.* swallow up
verschlossen closed; inaccessible
verschlungen entwined; interlaced
—**e Hände** clasped hands
verschmähen disdain
verschmiert dirty
verschneiden *i.* trim
verschollen lost; missing
der V—e missing person
verschonen spare; leave unharmed
verschreiben *i.* prescribe (medicine)
Verschreibung, -en *f.* promissory note
verschulden be the cause of
was habe ich verschuldet? what have I done to deserve this?
verschütten bury; flood
verschwinden *i.* disappear; vanish
versehen *i.* supply (with); overlook
es sich — expect (something)
versengen burn; scorch
versenken immerse
versetzen reply; rejoin

versichern (re)assure
versimpeln grow or become simple
versinken *i.* sink
versöhnen reconcile
versorgen take care of
versperren block; close off
verspillen waste
versprechen *i.* promise
  sich — become engaged
Verstand *m.* reason; mind; intelligence; sense
verständig sensible; intelligent; reasonable
verständnisvoll understanding
verstärken strengthen
verstecken hide
verstehen *i.* understand
  versteht sich of course
Versteigerung, -en *f.* auction
versteinern petrify
verstellt feigned
verstopfen stop up
verstorben deceased
verstören disturb
verstreichen, i, i glide by; slip away
verstummen be(come) silent; stop talking
versuchen try
Versuchung, -en *f.* temptation
vertauschen exchange
verteidigen defend; protect
Verteidigung, -en *f.* protection; defense
Verteilung, -en. *f.* distribution
vertiefen immerse
vertilgen destroy
(sich) vertragen *i.* behave; get along with each other; make one's peace with someone
vertrauen trust
vertrauensvoll confident; trustful
vertraulich confidential; intimate
vertraut familiar; intimate; confidential; well acquainted
vertreiben *i.* displace; drive away
vertrocknen dry up
verunglücken meet with an accident; perish; be killed
Verwahrung *f.* keeping; care; custody
Verwaltung, -en *f.* administration
verwandeln change; transform
Verwandlung, -en *f.* change; transformation

verwandt related
  der V—e relative
verwaschen washed out
verwechseln confuse
verwegen bold; daring
verwehen waft away
verweigern refuse; decline; deny
verweisen *i.* rebuke
  einem etwas — reproach someone with something
Verwendung, -en *f.* use
verwerfen *i.* reject
verwildert wild; neglected; uncultivated; depraved; demoralized
Verwilderung *f.* degeneracy
verwirren confuse; bewilder
Verwirrung, -en *f.* confusion
verwischen obliterate
verwittert weather-beaten
verworren intricate; confused
verwundern surprise
  sich — be surprised
Verwunderung, -en *f.* surprise; amazement
verzagt faint-hearted
verzehren spend; devour; consume; drink
Verzehrer, - *m.* consumer
verzeihen, ie, ie forgive; pardon; excuse
verziehen *i.* distort
  sich — vanish
verzieren decorate
verzweifelt desperate; hopeless; in despair
Verzweiflung, -en *f.* despair
Verzweiflungsschrei, -e *m.* cry of despair
Vesper, -n *f.* light afternoon meal
Vetter, -n *m.* (male) cousin
Vieh *n.* beast; livestock
Viehdoktor, -en *m.* veterinarian
Viehzeug *n.* cattle
vielfältig repeatedly; often; in many places
vielleicht perhaps
vielmehr rather
Vierblatt, ⁼er *n.* four-leaf clover; quartet
vierschrötig square(set); robust
Vogel, ⁼ *m.* bird
Vogelbeer, -en *m.* mountain ash
Vogelmuster, - *n.* bird pattern
Vogelruf, -e *m.* cry of a bird
Voile de Grâce veil of grace

vollauf fully; completely

vollbringen *i.* accomplish; finish; do; complete

vollends entirely; completely; fully

Vollendung, -en *f.* completion

vollgemessen in full measure

voll-schenken pour full

vollziehen *i.* execute; perform

Vorahnung, -en *f.* premonition; foreboding

voran-stellen put at the head

voraus-eilen hasten ahead

voraus-setzen assume

vor-behalten *i.* reserve

(sich) vor-bereiten be prepared

Vorbesitzer, - *m.* former owner

vorbei-fahren *i.* drive past; ride past

vorbei-fliegen *i.* fly past

vorbei-sausen go storming past

vorbei-ziehen *i.* pass by

vor-bringen *i.* bring forth; utter

vor-dämmen build protective dams

vordem before this; in the old days

vorder front; fore

Vorfall, ⁼e *m.* occurrence; incident

Vorgänger, - *m.* predecessor

vorgefaßt prepared

vor-gehen *i.* happen; take place; be performed

Vorgesetzte *adj. decl.* superior

vor-haben intend; have in mind

vor-halten *i.* hold up before; represent; argue

  das V— accusations

  einem etwas — accuse someone of something

vorhanden at hand; available

  — sein exist

Vorhang, ⁼e *m.* curtain

vorhin a while ago

vorig former; last; previous; foregoing

vor-kommandieren command; call out

vor-kommen *i.* happen; take place

Vorland, ⁼er *n.* foreland; headland

vorläufig meanwhile; for the present

vorlaut cheeky; saucy

vor-legen submit

vor-lesen *i.* read to

vor-lügen (tell a) lie

Vormittagsimbiß, -sse *m.* forenoon lunch

vorn (in) front

  nach — forward

vornehm of superior rank; in a distinguished manner; with a superior air

  ein V—er a man of high station

vor-nehmen take up; undertake; do

  sich — resolve; take upon oneself

vor-quellen *i.* issue forth; pop out

Vorrat, ⁼e *m.* supply

Vorsaal, -säle *m.* entrance hall

Vorschein *m.* appearance

  zum — bringen bring forth; produce

  zum — kommen appear

vor-schießen *i.* advance; lend

Vorschlag *m.* proposal; proposition

  in — kommen be proposed

vor-schlagen *i.* put on

vor-schwatzen prattle

vorsichtig cautious

vor-sprechen *i.* talk to

vor-stecken put before; pin on

Vorsteherin, -nen *f.* head; directress

vor-stellen represent; play the part of; introduce

  sich — imagine

  Vorgestellte *adj. decl.* (person) introduced

Vorteil, -e *m.* advantage

vorteilhaft profitable

vor-tragen *i.* represent; recite

Vortritt *m.* precedence

vorüber-drehen whirl past; waltz past

vorüber-gehen *i.* pass by

vorübergehend passing; transitory

vorüber-kommen *i.* pass by

vorüber-schießen *i.* shoot past

vorüber-schweben glide past

vorüber-stieben, o, o brush past

vorüber-wallen flow past

vorüber-ziehen *i.* go, march, or flow past

Vorwand, ⁼e *m.* excuse; pretext

vor-weisen *i.* produce

vorzeiten a long time ago

vorzüglich especially

W

Wache, -n *f.* sentry; watch; guardhouse

wachsen, u, a grow

  im W— sein grow stronger; increase

Wachskerze, -n *f.* (wax) candle; taper

wachsleinen oilcloth

Wacht, -en *f.* watch

Wachtel, -n *f.* quail
wachthabend of the watch
Wachtmeister, - *m.* sergeant
wackelig shaky
wacker brave; valiant; gallant
Wade, -n *f.* calf (of leg)
Waffe, -n *f.* weapon
Wägelchen, - *n.* little carriage
wagen dare; venture; risk
Wagen, - *m.* carriage; cart; wagon
wählen choose; pick out
wählig undecided; "choosy"
wähnen fancy; be under the delusion
währen take; last (of time)
wahren preserve; keep to oneself
währenddem meanwhile
wahrhaft actual; true; genuine
wahrhaftig indeed; truly
Wahrheit, -en *f.* truth
Wahrzeichen, - *n.* token; sign
Waise, -n *m.* (or *f.*) orphan
Waisenfeld, -er *n.* ownerless field
Waisenvogt, ̈e *m.* orphan overseer
   or warden
Waldboden, - *m.* forest soil
Waldhorn, ̈er *n.* French horn
Waldhornbläser, - *m.* French horn
   player
Waldpfad, -e *m.* forest path
Waldstraße, -n *f.* forest road
Wallach, -e *m.* gelding
wallen wave; surge; float
wälzen roll
   sich — roll around; toss (in one's bed)
Wand, ̈e *f.* wall
Wandbett, -en *n.* alcove bed
Wandel *m.* change
wandeln walk; stroll; travel; move
Wanderschuh, -e *m.* walking shoe
Wandschrank, ̈e *m.* wall cupboard
wanken sway; vacillate
ward *past of* werden
Ware, -n *f.* wares; produce
Warmkorb, ̈e *m.* basket with warming-
   pan
warten wait
   eines Amtes — administer an office
Wärterin, -nen *f.* nurse
(ei) was! oh go on!
Waschbecken, - *n.* wash basin
Wäscherei, -en *f.* laundry; washing
Wasserdrang *m.* flood

Wasserfrau, -en *f.* mermaid
Wasserpfuscherei, -en *f.* puttering about
   in the water
Wassersaum, ̈e *m.* edge of the water
Wasserseite, -n *f.* seaward side
Wasserstreif, -ens, -en *m.* streak of water
Wassertümpel, - *m.* pool of water
Wasserweib, -er *n.* mermaid
Wasserwüste, -n *f.* watery waste
Watt, -en *f.* shallow sea
Wattstrom, ̈e *m.* channel or current in a
   shallow sea
weben, o, o weave
Weber, - *m.* weaver
Weberschiffchen, - *n.* shuttle
Webstuhl, ̈e *m.* loom
Wecke, -n *f.* bun
wecken rouse
weder neither
   — ... noch neither ... nor
weg away
   über — over the top
Weg, -e *m.* way; path; road
   sich auf den — machen start out
   um die —e about
Wegekraut, ̈er *n.* plantain
wegen on account of
   von ... — on account of ...
weg-fangen *i.* steal
wegmüde travel-weary
weg-reiten *i.* ride away
weg-stoßen *i.* push away; repulse
Wegweiser, - *m.* guidepost
weg-wenden turn away
weg-ziehen *i.* drift away; float away
weh woe; sorrow; pain
   — tun hurt
wehen blow; wave
Wehgeschrei *n.* lamentation; cry of pain
Wehklagen *n.* lamentation
wehmütig melancholy; sad
Wehmutter, ̈ *f.* midwife
Wehr(e) *f.* arm; weapon; resistance
   sich zur — setzen take one's stand
wehren defend; restrain
   sich — offer resistance
   sich zu — wissen know how to take
care of oneself
wehrhaft able-bodied; capable of defend-
ing oneself
wehselig woeful; sorrowful
Weib, -er *n.* woman; wife

weiblich feminine; female
Weibsbild, -er *n.* woman; female
weich soft; gentle; gently sloping
Weiche, -n *f.* flank
weichen, i, i fall back; retreat; yield; give way; recede
   von der Stelle — budge from the spot
Weide, -n *f.* willow
Weidefläche, -n *f.* expanse of meadow
weiland deceased
Weile, -n *f.* time; while
   das hat gute — there is no hurry about it; it takes its time
Weinberg, -e *m.* vineyard
weinen cry; weep
Weinrebe, -n *f.* grapevine
Weise, -n *f.* way; means; manner
weisen, ie, ie point; show; direct; refer
   aus der Arbeit — discharge
   von sich — dismiss
Weisheit, -en *f.* wisdom
weiß white
   geweißt whitewashed
weissagen prophecy
   —d prophetic; soothsaying
weißen whiten
weißgebleicht bleached
weit far; distant
   freie W—e open expanse
   ins W—e sehen have a distant look
weiter further
weiter-traben ride on
weitgedehnt extended; far-reaching
weither from afar
weithin far (off); at or to a (great) distance
weithingestreckt stretched out over a long distance
Weizenbrot, ⸚e *n.* wheat bread
Weizenkringel, -n *m.* wheat pastry
welk withered
Welle, -n *f.* wave
Wellenbrausen *n.* roar of the waves
Welt, -en *f.* world
Weltenuntergang *m.* world-destruction; doomsday
wenden, wandte, gewandt turn; change
   sich — turn (about)
wenig little
wenngleich even though
werden, wurde (or **ward**)**, geworden** become; be given (to)

werfen, a, o throw; cast; hurl; fling
Werfte, -n *f.* mound
Wermut *m.* vermouth
Wert, -e *m.* value; worth
wert worthy
   nichts — no good
Wesen, -en *n.* being; creature; nature; character; conduct; way of life; business; trade; doings; activities; property; farm
weshalb why
Westentasche, -n *f.* vest pocket
Wette, -n *f.* bet; wager
   um die — in competition; vying with one another
Wetter, - *n.* weather
   ein — a storm
Wetterwind, -e *m.* storm
Wettkampf, ⸚e *m.* match; contest
wetzen whet; sharpen
wickeln wind; wrap; twist
Widerhalten *n.* resistance
Widerrede, -n *f.* contradiction
Widersacher, - *m.* enemy; adversary
Widerschein, -e *m.* reflection
widersetzen oppose
   sich — resist
Widerstand, ⸚e *m.* opposition; resistance
widerstehen *i.* withstand
widerstreiten *i.* deny
Widerwille, -ns, -n *m.* ill will; hostility
widerwillig unwillingly
wie ... auch no matter how; however
wieder again
   hin und — back and forth
wieder-erstehen *i.* recover
wiederholen repeat
   sich — be repeated
Wiege, -n *f.* cradle; hollow
wiegen weigh; rock
   sich — sway to and fro
wiehern neigh; whinny
Wiesel, - *n.* weasel
Wiesengrund, ⸚e *m.* marshy meadow
Wildnis, -se *f.* wilderness
Wille, -ns, -n *m.* will; wish; purpose
willkürlich arbitrary
wimmeln teem; crawl; swarm
Wimper, -n *f.* eyelash
Wind, -e *m.* wind
   in den — schlagen cast to the winds
Windböe, -n *f.* squall

Winde, -n *f.* wild morning glory
winden, a, u wind; braid
Windeswehen *n.* blowing of the wind; breeze
Windstoß, ⸚e *m.* blast of wind; squall
Wink, -e *m.* hint
Winkel, - *m.* angle; corner
Winkelmaß, -e *n.* carpenter's square
Winkelschenke, -n *f.* back-street pub
winken signal; wave
winseln whimper
Winterreise, -n *f.* winter journey; migration
winzig tiny
Wirbelwind, -e *m.* whirlwind
wirklich real; actual
Wirksamkeit *f.* effectiveness; (professional) activity
Wirkung, -en *f.* effect
wirr confused
Wirrsal, -e *f.* confusion
Wirt, -e *m.* head of the house; employer; boss; master; innkeeper
Wirtschaft, -en *f.* management; business; farm; household; tavern
Wirtschafterin, -nen *f.* housekeeper
Wirtschaftsmobiliar, -mobilien *n.* furnishings (of an inn)
Wirtshaus, ⸚er *n.* inn; tavern
Wirtstafel, -n *f.* tavern table
wissen, wußte, gewußt know; manage (to); claim (to); know how to; be able to
  das W— knowledge
  nichts von sich — be out of one's mind
Wissenschaft, -en *f.* knowledge
Witterung, -en *f.* weather
Wochenbett, -en *n.* confinement
  das — bestehen be confined
wogen wave
wohl well
  es war ihnen — they felt at ease
wohlbebaut well cultivated
wohlbestellt well stocked
wohlduftend fragrant
wohlfeil cheap
wohlgeborgen well out of danger; safe
Wohlgefallen *n.* pleasure; delight
wohlgefällig pleasing
wohlgemut cheerful; light-hearted; in good spirits

wohlgepflegt well reared
wohlhabend well-to-do
wohlrasiert well shaven
wohlschlafend well rested
  eine —e Nacht a good night's sleep
wohltätig salutary; charitable
wohl-wollen wish well
  das W— good-will; benevolence
  —d benevolent; with good will
Wohngelaß, -sse *n.* living room
Wohnraum, ⸚e *m.* living room
Wohnung, -en *f.* residence; apartment; flat
Wölbung, -en *f.* arch; curve
Wolkendunkel *n.* (darkness of) clouds
Wolkenmantel, ⸚ *m.* covering of cloud
Wolkenriß, -sse *m.* rift in the clouds
Wolkenschicht, -en *f.* layer of clouds
wollen wish; will; want; claim
Wollenpolster, - *n.* woolen cushion
Wollhandschuh, -e *m.* woolen glove
Wollteppich, -e *m.* wool carpet; rug
wonach after which; after what; at what
Wonne, -n *f.* delight; rapture
Wort, -e — (or ⸚er) *n.* word
  das — nehmen take the floor
Wortwechsel, - *m.* exchange of words; dialogue
wuchern grow rankly
wühlen dig; teem
Wunde, -n *f.* wound
wunderbar wonderful; strange
wunderlich strange; curious; odd
wundern wonder
  es wunderte ihn he wondered
  sich — wonder at; be astonished at
Würde, -n *f.* dignity
Würdenträger, - *m.* dignitary
würdevoll dignified
Wurf, ⸚e *m.* throw; cast
wurfgeübt practiced in throwing
Wurfkunst *f.* art of throwing
würgen choke; throttle; strangle
wurzeln be rooted
wüst wild; desolate; waste; confused; disordered; chaotic
Wüste, -n *f.* desert; wasteland
Wüstenei, -en *f.* wilderness
Wut *f.* rage; fury
wütend enraged; furious
Wutgebrüll *n.* roar of rage

Z

zaghaft timorous
zäh tough
Zahl, -en *f.* number; figure
zählen count; reckon
   sechzehn Jahre — be sixteen years old
zahlen pay
Zahlenreihe, -n *f.* column of figures
zahllos innumerable
zahlreich numerous
zahm tame
Zahn, ̈e *m.* tooth
Zank *m.* quarrel(ing); strife
zankerfüllt filled with strife
zappeln wriggle
zärtlich tender; loving; affectionate
Zärtlichkeit, -en *f.* tenderness; *pl.* words
   of affection
Zauberfrau, -en *f.* enchanted woman
Zaun, ̈e *m.* fence
zechen carouse; drink
Zeichen, - *n.* sign
zeichnen draw; sketch
   sich — stand out
Zeichnung, -en *f.* sketch; drawing
zeigen show
   sich — appear
Zeile, -n *f.* line
Zeit, -en *f.* time
Zeitlang *f.* while
   eine — for a while
zeitlebens for (all one's) life
Zeitlichkeit *f.* earthly life
   in der — among the living
Zeitschriftenheft, -e *n.* magazine
zeitweise from time to time
Zepter, - *n.* scepter
zerbrechen *i.* break; shatter
zerdrücken crush
zerfallen *i.* fall in ruins; crumble; *past*
   part. ruined; dilapidated
zerfleischen lascerate
zerknirschen crunch
zerknittern crumple
Zerlegung, -en *f.* dissection
zermalmen crush
zerreißen *i.* tear (apart); worry
   ganz zerrissen all broken up
   zerrissen ragged
zerschlagen *i.* bruise; break; crush
zerspellen split

zersplittern shatter
zerstören destroy; ruin; undo
Zerstörung, -en *f.* destruction; wreck;
   ruin
zerstreuen scatter
zertreten *i.* trample
zertrümmern ruin
zerwehen blow away
zerzaust disheveled
zetern lament; cry murder
Zettel, - *m.* slip of paper
Zeug, -e *n.* matter; material; stuff; rubbish
   dummes — nonsense
Zeugnis, -se *n.* evidence
ziehen, zog, gezogen draw; move; pull;
   pass; go; breed; raise; string
   das Z— flow
Ziel, -e *n.* goal; destination; target
ziemlich fairly; rather
zieren adorn; decorate; embellish
zierlich neat; graceful; dainty
Zierlichkeit, -en *f.* grace; elegance
ziervoll full of grace or charm
Zigeunerkind, -er *n.* gypsy child
Zimmermann, -leute *m.* carpenter
Zipfel, - *m.* tip; point; corner
zirka about
zischen hiss
zittern tremble; shiver
zögern hesitate
Zopf, ̈e *m.* braid; pigtail; tuft
Zorn *m.* anger
zornig angry
zornrot flushed with anger
Zornröte *f.* flush of anger
zu-bereiten prepare
Zubereitung, -en *f.* preparation
zu-bringen *i.* bring to; spend (of time)
züchtig chaste; modest
züchtiglich chastely; morally
zucken twitch; jerk
   die Achseln — shrug one's shoulders
Zuckerkistenholz *n.* Havana cedar;
   cigar-box wood
Zuckerwerk, -e *n.* sweets
Zuckerzeug, -e *n.* sugar frosting
zudringlich obtrusive
   der Z—e obtrusive fellow
zufällig accidental
zufrieden satisfied; contented
   sich — geben reconcile oneself (to);
   be content (with)

Zufriedenheit *f.* contentment; satisfaction

zu-fügen do; cause; inflict

Zug, ⸗e *m.* feature

Zugabe, -n *f.* addition; extra

zu-geben *i.* admit

zugegen present; at hand

zu-gehen *i.* go (to)

   wie es zugegangen how it came about

Zügel, - *m.* rein

   den — schießen give rein to; indulge

zugrunde-gehen perish; be ruined

zugrunde-richten ruin; undo

zugut(e)-kommen *i.* be of benefit to

Zugvogel, ⸗ *m.* bird of passage

zu-hören listen (to)

Zuhörer, - *m.* listener

zu-kommen *i.* be due; be appropriate (to)

   — lassen grant; let have

Zukunft *f.* future

(einem) zuliebe please someone

zumut(e) (*see* **Mut**)

   es ist ihm — he is (or feels)

   es ist ihnen bös — geworden they began to feel badly

   es ward ihm übel — he began to feel badly

   ihm war verzweifelt — his mood was one of despair

zunächst first (of all)

zu-nehmen *i.* increase

zünftig skilled; competent

   — sein have professional status

züngeln shoot out in tongues (of flame)

Zungenfertigkeit *f.* volubility; "gift of gab"

zu-nicken nod to

zu-ordnen appoint (to)

zupfen tug; jerk

zu-raunen whisper to

zurecht-legen arrange; lay out

zurecht-machen put in order; make ready

zurecht-rechnen figure out

zurecht-weisen *i.* reprimand

zurecht-zupfen pull back in place

zu-reden advise; urge; persuade

   einem — speak encouragingly to; argue with (someone)

zürnen be angry

zurück-bleiben *i.* stay behind

   zurückgeblieben retarded

zurück-fliehen *i.* flee back

zurück-gehen *i.* go back; wane (of the moon)

zurück-legen traverse; pass over

zurück-schrecken frighten away; deter

zurück-sprengen gallop back

zurück-treten *i.* recede; withdraw

zurück-weichen *i.* fall back

zurück-weisen *i.* refuse; turn down; signal (to go) back

zusammen-berufen *i.* call together

zusammen-drängen press together

   sich — be compressed

zusammen-fahren *i.* shrink back; shudder

zusammen-finden *i.* gather up

zusammen-geben *i.* join

zusammengewürfelt motley

zusammen-halten *i.* stick together

zusammen-poltern collapse

(sich) zusammen-scharen huddle together

zusammen-schauern shudder

zusammen-schlagen *i.* throw together; put together

zusammen-schränken clasp together

zusammen-setzen put together

zusammen-stoßen *i.* be adjacent; touch

zusammen-strömen flow together

zusammen-treffen *i.* meet; come together

zusammen-zählen count up

zusammen-zucken start; shudder

zu-schauen look on

Zuschauer, - *m.* onlooker; spectator

zu-schieben *i.* shut

zu-schlagen *i.* close; slam (a door)

   einem etwas — knock something down to someone (at a sale)

zu-schrauben *i.* screw shut

zu-sehen *i.* look on; observe; watch

   recht — take a good look

zu-setzen assign

Zuspruch, ⸗e *m.* compliment

zu-stecken cover up

zu-stimmen agree with

Zustimmung, -en *f.* approval

zu-stoßen *i.* befall; happen to

zu-stürzen rush toward

zutage to light
Zutätchen, - *n.* some extra little thing; side dish
zuteil werden be awarded
Zuträger, - *m.* informer
zu-trauen trust
zutraulich confiding; confident
zu-treffen fit
 —d suitable
zutulich attentive
Zutun *n.* efforts
zutunlich encouraging
zuverlässig reliable
zuvor before
(es einem) zuvor-tun *i.* show someone up
zuwege-bringen bring about
zuweilen sometimes; once in a while

zu-wenden *i.* turn toward
zu-werfen *i.* throw to
zuwider repugnant
zu-ziehen *i.* invite
Zwang *m.* force; pressure; obligation
zwar indeed; to be exact
zweifelhaft doubtful
Zweig, -e *m.* branch
zweirädrig two-wheeled
Zweitritt, -e *m.* two-step
Zwicker, - *m.* pinch; reminder
Zwiegespräch, -e *n.* conversation
Zwiespalt, -e *m.* animosity
Zwillich, -e *m.* ticking; coarse cotton cloth
zwingen, a, u force; compel
zwinkern blink; wink